Heibonsha Library

伊藤野枝セレクション

凡社ライブラリー

Heibonsha Library

伊藤野枝セレクション

伊藤野枝著
栗原康編

平凡社

【編集付記】

・本書の定本には、堀切利高・井手文子編『定本　伊藤野枝全集』(全四巻、學藝書林、二〇〇〇年)を用いた。また、「書簡　後藤新平宛」の定本には、堀切利高編著『野枝さんをさがして――定本　伊藤野枝全集　補遺・資料・解説』(學藝書林、二〇一三年)などを用いた。

・初出は各作の文末に示した。

・原則として漢字は旧字体を新字体に、かなづかいは現代かなづかいに統一し、必要に応じて読みがなを付した。

・読みやすさを考慮し、漢字語のうち、代名詞・副詞・接続詞など、使用頻度の高いものを一定の基準により、ひらがなに改めた。

・今日では不当・不適切と思われる差別的用語や表現については、作品の時代的な背景を考慮し、原文ママとした。

・外国の人名などのカタカナ表記は原則として原文のままとした。

目次

青鞜社時代篇

アナキスト時代篇

青鞜社時代篇

少女の頃から文芸に親しんでいた野枝は上野高等女学校卒業後、平塚らいてうに手紙を送り、その縁もあって青鞜社に入社した。本篇では『青鞜』に野枝の名前が初めて載った一九一二（明治四五）年から、一九一六（大正五）年までの間に執筆された作品を紹介する。

東の渚

東の磯の離れ岩、
その褐色の岩の背に、
今日もとまったケエツブロウよ、
何故にお前はそのように
かなしい声してお泣きやる。

お前のつれは何処(どこ)へ去た
お前の寝床はどこにある——
もう日が暮れるよ——御覧、
あの——あの沖のうすもやを、

何時(いつ)までお前は其処(そこ)にいる。
岩と岩との間の瀬戸の、
あの渦をまく恐ろしい、
その海の面をケエッブロウよ、
いつまでお前はながめてる
あれ――あのたよりなげな泣き声――
海の声まであのように
はやくかえれとしかっているに
何時まで其処にいやる気か
何がかなしいケエッブロウよ、
もう日が暮れる――あれ波が――

私の可愛いいケエッブロウよ、
お前が去らぬで私もゆかぬ
お前の心は私の心
私もやはり泣いている、

お前と一しょに此処(ここ)にいる。

ねえケエツブロウやいっその事に
死んでおしまい！その岩の上で――
お前が死ねば私も死ぬよ
どうせ死ぬならケエツブロウよ
かなしお前とあの渦巻へ――

＊ケエツブロウ＝海鳥の名。（方言ならん）

――東の磯の渚にて、一〇、三、――

『青鞜』第二巻第一一号・一九一二年一一月号

新らしき女の道

新らしい女は今までの女の歩み古した足跡を何時（いつ）までもさがして歩いては行かない。新らしい女には新らしい女の道がある。新らしい女は多くの人々の行止まった処よりさらに進んで新らしい道を先導者として行く。

新らしい道は古き道を辿る人々もしくは古き道を行き詰めた人々に未だ知られざる道である。また辿ろうとする先導者にも初めての道である。

新らしい道は何処（どこ）から何処に到る道なのか分らない。従って未知に伴う危険と恐怖がある。

未だ知られざる道の先導者は自己の歩むべき道としてはびこる刺（とげ）ある茨（いばら）を切り払って進まねばならぬ。大いなる巌を切り崩して歩み深山に迷い入って彷徨（さまよ）わねばならぬ。毒虫に刺され、飢え渇し峠を越え断崖を攀（よ）じ谷を渡り草の根にすがらねばならない。かくて絶叫祈禱あらゆる苦痛に苦き涙を絞らねばならぬ。

知られざる未開の道はなお永遠に黙して永く永く無限に続く。しかも先導者はとうてい永遠に生き得べきものでない。彼は苦痛と戦い苦痛と倒れて、ここより先へ進むことは出来ない。かくて追従者は先導者の力を認めて新らしき足跡を辿って来る。そして初めて先導者を讃美する。

しかし先導者に新らしかりし道、或(あるい)は先導者の残せし足跡は開拓しつつ歩み来し先導者にのみ新らしき道である。追従者には既に何等の意義もない古き道である。

かくて倒れたる先導者に代る先導者はさらにまた悲痛に生きつつ自己の新らしき道を開拓しつつ歩いて行く。

新らしきという意義は独り少数の先導者にのみ専有せらるべき言葉である。悲痛に生き悲痛に死する真に己を知り己を信じ自己の道を開拓して進む人にのみ専有さるべき言葉である。何等の意義なき呑気(のんき)なる追従者の間には絶対に許さるべき言葉でない。

先導者はまず確固たる自信である。次に力である。次に勇気である。しかして自身の生命に対する自身の責任である。先導者はいかなる場合にも自分の仕事に他人の容喙(ようかい)を許さない。また追従者を相手にしない。追従者はまた先導者の一切に対する批判者の資格を有しない。権利がない。追従者はただ先導者に感謝しつつその足跡をたどるより他はない。彼等は自から進むことを知らない。彼等は先導者の前進にならってようやくその足跡を辿って進むことが出来るのみだ。

先導者はまず何よりも自身の内部の充実を要する。かくて後徐ろにその充実せる力と勇気と、しかして動かざる自信と自身に対する責任をもって立つべきである。

先導者は開拓しつつ進む間には世俗的のいわゆる慰安などはいささかもない。終始独りである。そして徹頭徹尾苦しみである。悶えである。不安である。時としては深い絶望も襲う。ただ口をついて出るものは自己に対する熱烈な祈禱の絶叫のみである。故に幸福、慰安、同情を求むる人は先導者たることは出来ない。先導者たるべき人は確たる自己に活くる強き人でなくてはならぬ。

先導者としての新らしき女の道は畢竟苦しき努力の連続に他ならないのではあるまいか。


『青鞜』第三巻第一号附録、一九一三年一月号

わがまま

関門(かんもん)の連絡船を降りる頃から登志子は連れのまき子や安子がいそいそと歩いて行く後から重い足どりでずっと後れて歩いて行った。この前年の夏休みに叔母とまき子と三人でここに降りた時には登志子は何とはなしになつかしい家の門に車から降りた時のような気がした。もう九州だという感じがほんとになつかしみのあるうれしい感じだった。それが今はどうだろう? まるで自分の体を引きずるようにして行くのだ。もう五、六時間の後にはあのいやないやな落ち付くことの出来ない、再び帰るまいとまで決心した家に帰って行くのだ。第一に自分の仇敵のように思う叔父、それを中心にした忌(いま)わしい自分が進もうと思う道に立ちふさがる者ばかりだ。第二に省りみるも厭(いと)わしい、皆して自分におしつけた、自分よりもずっと低級な夫——皆の顔を其処(そこ)に目の前にまざまざと並べるともう登志子は頭がイライラして来て何となしに歯をかみならして遣(や)り場のない身悶をやけに足に力を入れて遣りすごした。道々も夢中に停車場に入ると其処のベンチに荷物を投げるように置いた。まき子と安子はうれしそうに荷物をかけて場内を見まわしている。

『チョイと、今度は幾時に出るの、まだよほど時間があるかしら。』

従姉のまき子は登志子がボンヤリ時間表を眺めているのを見ると浮々した声で聞いた。

『そうね。』

彼女は気乗りのしない返事をしてすぐそこに腰を下した。彼女はどうしてもまき子の声を聞くと彼女の父の傲然とわざとらしいすまし方をした姿を思い浮べて嫌やな感じを誘われた。ジッと腰かけている間登志子は、一昨夜新橋での苦しい別れを目前に持って来て眺めていた。彼女はただもう、四、五時間後のいやな心持を考えることの苦しさに堪えかねていろいろな一昨夜までに残して来た、東京での出来ごとを手探りよせてごまかしていた。然しその間にも小さな切れ切れな不快らしい事柄が目の前の光景をチョイチョイかげらせた。彼女は一生懸命にそれを避けようとした。今登志子の暗い心の上に一杯に広がって彼女を覆っているのは、何時遇うともしれない別れの最後の日に登志子に熱い、接吻と抱擁とを与えた男だった。登志子の頭に一杯に広がった男の顔は彼女の決心をすてさせた。ずるずるとこのいやな方へ引きずって来た。そのくせ、やはり自分の方へも引きずりそうにしている。登志子は新橋でここが最後の別れの場となるかもしれないと思ったとき其処にたっている男の顔をこまかくふるえている胸を抱いてジッと見た。この男と再び会えるものか会えないものか分らない。若し会えないものとしたら彼女にはそれが一生悲痛な思い出として、何時までも忘られないものになるだろう。そう思うと彼女はじっと男の顔を眺めている勇気はない。彼女は故郷の幼い弟に頼まれた飛行機の模型を買うのを口実に銀座の通りまで行くといって停車場を出ようとした。改札時間までに間があったので――

『僕が一緒に行ってやろう。』

男はすぐに気軽に出て来た。二人は並んで明るい町を歩いた。男は一軒一軒それらしい家の前にたっては尋ねてくれたが目的の模型は見つからなかった。登志子はもうそんな買物のことなんかどうでもよかった。もうとても二人きりでは手を握り合うことも出来まいと思ったのに思いがけない機会を見出したことがうれしくもあり、かえって悲しくも思われた。

『もっと先まで行けばあるだろうけれども時間がないかもしれない。』

『ええもうよござんす。引き返しましょう皆が待ってるでしょうから。』

二人は其処の角から暗い横町に這入って淋しい裏通りを停車場の方に急いで引き返して行った。

停車場の石段をよりそって上るとき二人は手が痛くなるほど強く握り合った。改札口に近く、まき子の後姿が見えた。傍には世話になった先生や世話焼き役の田中の小父さん等が一緒にいた。小父さんは登志子の顔を見ると昼の汽車に後れたことを彼女のためだといって責めた。登志子の興奮した荒く波立っている心に小父さんの小言は堪えきれないほど腹立たしいものだった。自分に小言をいう資格のない人につまらないことをいわれたということが第一に不快だった。彼女は熱した唇を震わして眼に一ぱい涙をためて小父さんといい争った。――

登志子の新らしい追憶はずんずん進んで行った。やがてそれが現在其処に、門司（もじ）の停車場に腰かけている自分にまで返って来たときにしみじみ彼女は、親しみの多い一番彼女をいたわってくれる、同情してくれる、東京からはなれて来たことを思った。一昨夜だ、そうだった一昨夜まであそこにいた。そしてあの人の顔を見て話をした。あの汽車に乗ったばかりに、こんな処に運ばれて来た。おなじつづいた空の下でおなじ空気を吸うていて――それでもう駄目だ。彼女はボーッとしてしまった。眼がクラクラっとした。

場内が何となくざわめいて来て、身つくろいしたり落ち付かないような風で改札口の方へのぞきに行ったりする人がたくさんある。

『もうあと十五分よ、登志さん。』

と声かけられてあわてて立ち上った。しかしまだ十五分だと思うと拍子ぬけがしたようだ。

フト其処らの人々を見ると登志子は急に何ともいえない哀しい心細い気がしだした。登志子はこの旅行の途中大阪で連れをはなれて、それから四国にいる、彼女のためになってくれる人を頼って隠れるつもりでいたのだ。それを思い出すと不案内の土地の停車場でまごついている心細い自分をその時の自分の心持をこの停車場の何処(どこ)かに見出した。

　彼女の心はまた沈んで行った。彼女の考えていることが行きつまるところはやはりどうしても『駄目』と投げ出さなければならなかった。そうした言葉がふとしたはずみに大きな吐息に表われた。はっとした彼女は、つと立ってしまった。何時の間にかすっかり自分の気持に釣込まれて、自分に些(すこ)しの同情もないまき子や殊に自分とはほとんど無関係な安子の前で彼女等の眼をみはらせるようなかるはずみらしいことをしたことが何とはなしに自分に対して忌々しくなって来て、そのまま無茶苦茶に歩いて出口の方へ行った。車寄のすぐ左の赤いポストが登志子の眼につくと彼女は思い出したように引き返して袋の中から葉がきと鉛筆を出した。そしてまき子のたっている反対の方をむいて葉がきを顔で覆うようにして男の居所と名前を手早く書きつけて裏返した。何を書こう？　何にも書けない。彼女の目からは熱い涙が溢れ出た。

『漸(ようや)くここまで着きました――』書いて行くうちに眼鏡が曇って見えなくなった。書けない。早く書いてしまおうとしてイライラして後をふり返るとたんに、

『改札はじめてよ早く行きましょう』と急(せ)かれる。後の五、六字はほとんど無意識に書いた。

汽車に乗ってからも動き出してからも登志子は右側の窓の処に座って外の方をむいたっきり

に固くなっていた。汽車が走りはじめてからは彼女は何を考えることも出来なかった。頭はほとんど働きを止めてしまった。固くなってしまったような、からっぽなような登志子自身すらどうなのか分らなくなってしまった。

安子は登志子のもった雑誌を解りもしないくせに広げて退屈しのぎに読んでいる。まき子はただもう四、五年ぶりにでも吾家に帰って行く子供のように燥(はしゃ)いでいるのだ。登志子は時々その声を聞いては、自分とまき子をくらべて見た。

まき子は登志子よりは二つ年上の二十歳だ。それでも父に甘やかされてわがままに育った彼女は一人前の女として物を考えてみることなんかまるでなかった。登志子自身にくらべてもずっと幼稚なものにしか思えなかった。登志子にはまき子の考えたりしたりすることが見ていられないほど焦(じ)れったかった。朝夕おなじ室(へや)にいておなじ学校のおなじクラスのおなじ机の前に座っていてまき子のやることを一つ残らず見ている登志子はこれが自分よりも二つ年上の従姉といわれる人かと情ない気がした。そして、心の中ではまき子を軽蔑しきっているのだ。従姉ばかりではなくその父――登志子のためには叔父――をも彼女は少なからず軽蔑していた。彼女ははやくから叔父や叔母の自分とまき子に対する仕打ちを批評的な眼で眺めていた。彼女の慧(さと)い眼は叔父のまき子に対する本能的なほとんど盲目的に近い愛と登志子に対して厳格な監督者である威厳を示そうとするその二つのものが登志子の目には始終極端にそぐわぬものになって極めて不自然に滑稽に見えた。彼女はひとりでその叔父の真面目くさった、道学者めいたことを口にするのを見ては心の中で嘲笑(あざわら)っていた。叔父や叔母のいうことに一としてそれらしい権威を含んだものはなかった。彼女には馬鹿にしきった人にいろいろなことを話したり聞いたりする勇気はなかった。何といわれても聞かれても彼女は黙っていた。『今に――』と彼女は何時も思った。

『今に――自分で自分の生活が出来るようになれば私は黙ってやしない。私は大きな声で自分がいま黙って侮蔑している叔父等の生活を罵ってやる嘲笑ってやる。私は私で生活が出来るようになりさえすればあんな偽善はやらない。少なくともあんな卑劣な根性は自分は持ってはいない。――』

何時も彼女はこんな事ばかり考えていた。そうして叔父と声を大きくして争う日を待ちかまえていた。

何時知らず――しかし登志子は叔父の狡猾な手にかかって尊い自己を彼の生活の犠牲に葬られさろうとしていた。

世の中は幼稚な単純な登志子の目に映りまた考えるほど正直なものでも真面目なものでもなかった。生活ということ――殊に実生活を豊かにすることのためには悪(ず)るがしこい叔父の智慧と敏捷な挙動は最大の利器であった。登志子は叔父のそれ等の特点をよく知り、そしてそれを厭いながら知らぬ間に彼女自身も何時かその叔父の周到に届いたごまかしに乗せられてその利器に触れたのだ。

『何て馬鹿らしいことだろう？　私はまあ叔父等の安価な生活のたしにされたのだ――』

またじりじりし出した。――いやないやなその叔父は、私等より十五分も前に長崎から博多について私等を其処で待っている――登志子は眉を昇げてホッと息をした。それ以上考えることは彼女にはとても今の場合出来なかった。しかも汽車は走って行く。

いやな方に方にとずるずる引きずられて行く――登志子はもう胸元にこみ上げて来る何物かがグッと上るとすぐにもそれが頭をつきぬけてすっとこの苦しい自分からはなれて行きそうで、それがまた心地よさそうにも思われながら一方にはまた激しい惑乱に堕つることを恐れてグッと下腹に圧しつけながら目をつぶった。

何時もはこの汽車の中で聞く言葉の訛りがいかにもなつかしく快よく響くのだが今日はそれどころではない。彼女は連れのまき子等が何を話しているか何をしているかそんなことに注意する余裕はなかった。彼女は顔を蒼くして窓にかたくなって凭っていた。

『あ着いた着いたもう箱崎だ、あと吉塚、博多だわね。』

まき子は勢よく立って荷物の始末をしはじめた。登志子は今更のようにはっとした。なるべく避けようとした時がもう目前にせまった。

『かまうものか仕方がない、なるようにしかならないのだ。行きつまる処まで——』

何故かしらこみ上げて来る涙をグッと呑み込んで勢よく彼女はたち上った。汽車は見覚えのある松原を走っている。松の上からは日蓮の首がニュッと出ている。

『来た——博多だ——遂に、遂に——』

地響をさせて入って来た汽車はプラットホームにそうて長々と着いた。ピタリと汽車の動揺が止むとはげしい混乱が登志子の頭を瞬間に通りすぎた。

まき子が大さわぎして降りる後から登志子は静かに下車した。降りると少し離れた向側の人と人との間にチラと覚えのある叔父の外套の袖が見えて、やがて此方(こちら)へ急いで来る。続いて来る若い男の顔を見ると登志子は我知らずブルブルっと震えた。

『あの男が来ている、あの男が——ああいやだ！　いやだ！』

彼女はクルリと後向いて左(さ)あらぬ方を向いた。其処にはまたいま自分等の乗って来た汽車の窓に向って大勢の女学生に囲まれた背の高い男の姿を見出した。登志子は瞳を凝らしてその後姿を見つめていた。

『登志さん。』

はずんだ従姉の声に我に返って手持無沙汰に立っている——永田——夫——に目礼して嫌な

叔父に挨拶を済ました。傲然とかまえた叔父の顔を見、傍におとなし気な永田を見出すと彼女は口惜さに胸が一杯になるのだった。

『うれしかるべき帰省――それが斯くも自分に苦しいものとなったのもみんな叔父のためなのだ。叔父が斯うしたのだ。見もしらぬこの永田が私のすべての自由を握るのか――私を――私を――誰が許した。誰が許した。私はこの尊い自身をいともかるはずみにあんな見もしらぬ男の前に投げ出したことはない。私は自身をそれほど安価にみくびってはいない私は、私は――』

登志子は押し上げて来る歔欷をのんでじっと突いた洋傘の先のあたりに目を落した。熱い涙がポツリポツリと眼鏡にあたってはプラットホームの三和土の上に落ちた。

『お登志さん、行きましょう。』

と忘れたような安子の声を不意に聞いたときには、まき子は父と並んで二、三間先を階段の方に歩いていた。

登志子が階段を上ろうとすると後から急ぎ足に来て声掛けた男がある、さっきの田島だ。

『登志さんでしょう、今着いたの、御卒業でおめでとう。』

今ここで思いがけない田島にこうした辞を述べられようとは予期しなかった。田島は去年高師を卒業してここの師範に赴任した。その人がまだ高師にいた間登志子は兄さん兄さんと彼を何かにつけて便り（たよ）にしていた。たまには登志子の処を訪ねて来ては後れた英語や数学を教えてくれたりした。しかし彼が帰省して女子師範に出るようになってからは便りもとかく田島の方から不精にして何時かとだえ勝ちになってしまった。その登志子が漸く卒業して帰って来たのを知らずにこの停車場で偶然に会ったのだ。偶然とはいいながら今彼に会ったことは登志子は何よりもうれしかった。何となく話したら自分の方に同情してくれる人だという気がする。然し登志子は何にもいうことが出来なかった。何かいったら一ぱいにたまった涙が溢れそうだ。安子が見ている。田島は何にもしらない。それに田島の生徒は皆、自分等とはずっと飛びはなれた風姿をした女学生らしい登志子や前の方に行くまき子を目をみはって眺めながらぞろぞろ歩いて行く。登志子は何といっていいか分らない。併しだまっている訳にはいかない。漸くしぼり出したような苦しい笑を報いながら、

『ええありがとうやっとどうにか――』

と小さな声でいって下向いた。

『どうかしたの、真青な顔だ、気分でも悪い？』

『え、少し疲れたからでしょう。』

『そう、前のはまき子さんと叔父さんだろう。』

『ええ。』

階段を降りて入口を出ようとする処で叔父と田島は挨拶を交わした。田島は改めて卒業の祝辞を叔父にいった。叔父の顔は如何(いか)にも満足気に輝いた。

『え、まあどうにかつまずきもなくおかげさまで卒業までに漕ぎつけました。いや然しどうもずいぶん骨が折れましたよ――』

『そうでしょう、しかしもう大丈夫ですよ御安神(あんしん)が出来ますね、本当に結構でした。』

と傍のまき子の方に顔を向けた。叔父は忙しそうにそわそわしながら手荷物の世話などしはじめた。

登志子は呆然とそこに立っていた。永田に言葉をかけられることが恐ろしくてたまらなかった。なるべく彼と面(かお)を合わせないように合わせないようにと注意しながら立っていた。田島にだけは何かいいたいことがあるように思われていらいらした。幾度も二人は顔見合わせた。そのたびにお互いに何かいいたげな顔をしては黙っていた。登志子はいよいよたまらなくなってしまった。こみ上げて来る涙を呑み込み呑み込み洋傘の柄をしっかり握って、どうかして自分ひとりきりになりたいと願った。そんなこととの出来よう筈(はず)がないのは分っていながらも。――

暇取ると見て田島はそのうちに宅に来てくれといって帰ってしまった。愈々(いよいよ)其処には安子と永田と登志子になった。彼女は永田の声を聞くことが体が震えるほど嫌だった。なるべく彼と口きかないようにようにと避けて見たけれどとうとう機会が来てしまった。せめて安子とでも何かいっていたいのだけれど安子との話にきっと永田も仲間入りするだろうと思うとまた嫌になって来てどうしても口が開かない。三人ともだまって其処に立っていた。登志子にはその沈黙が苦しく気味悪くてたまらない。その沈黙の破れるときが恐ろしくてたまらない。けれどそれをどうすることも出来ないのだ。はやくまき子でも来てくれればいいと思っては其処らを見まわした。まき子は其処らに見えなかった。

『随分おつかれになったでしょう。』

登志子はハッとした。併しすぐ後から気軽な安子の返事が聞こえたので自分ではなかったと思うとホッとした。

丁度そのとき叔父が手荷物の仕末をすまして其処に来た。後からまき子も来た。登志子は息がつけると思った。しかしどうしてもはやかれ遅かれあの男と口をきかなければならないと思うと、なんだか体のアガキがとれないような気がした。その上に、もう十日か二十日もしたらどうしてもあの男の家に行ってあの男と一緒に生活しなければならない――登志子にはそんな不快なことがどうしても出来そうになかった。

『何故帰ってきたろう。』

彼女はつづけざまにそればかりを心で繰り返した。

登志子やまき子が帰って行く処は停車場から三里余りもあった。途中でも彼女は身悶えしたいほど不快な遣り場のないおびえたような気持に悩まされ続けた。自分のその心持を覚られたくはなかったけれどもまき子がそわそわ嬉しそうな様子をしながら浮っ調子で話しているのを見ると、まるきり知らないではないのにもう少し自分の今の気持に同情があってもよさそうなものだ。注意してくれてもよさそうなものだという愚痴な、不平な心も起してみたりした。

　まき子の家に皆荷物をおろして、一寸立寄ったまま登志子は松原つづきの町の家の方へ歩いて行った。安子はまき子の家に泊ることになったので登志子と永田とが一緒に帰るのだ。挨拶をしてまき子の家の門口を出るや否や登志子は、後もふりむかずに出来るだけ大いそぎに袴の裾を蹴って歩いた。彼女は永田が彼女の態度に不快を感じているということは充分に承知していた。しかし身震いの出るほどいやなもの声を聞くのもいやだった。肩をならべて歩くことなんかとても出来ない。登志子はひたいそぎにいそいだ。それでもおとなしい永田はてくてく彼女の後からついて来た。登志子はもうなるべく追い付かれないように懸命になって急いだ。永田はとうとうこらえきれずに、

『登志さんは馬鹿に足が早いんだね。』

といった。登志子は返事することも出来なかった。

　家では祖母が出たり這入ったりして彼女を待っていた。駆け込むように家に這入ると其処には母や祖母などのなつかしい気な笑顔が並んで彼女を迎えた。一家中の温い息が登志子の身辺に

集って彼女のはりつめた心がようようにほぐれかけた。しかし其処にまだ永田がいると思うと、泣きたくなった。いろいろな皆の言葉もすこしも耳には入らない。

『私大変疲れていますから夜になるまで少し寝ますよ。』

我儘（わがまま）らしく彼女は袴をとりだした。祖母は今着いたばかりの孫娘の、元気のない真青な顔を見るといとしそうに、

『オーそうだろう、長い旅でも汽車の中ではようねむられん、お母さん床を出しておやり。』

と眉をよせながら、後から抱えんばかりに登志子と一緒に立った。

叔母と母は何となく手持無沙汰らしく其処に座っている永田に気の毒らしく、

『おばあさんがあれなので、どうも――本当にわがままで――』

と叔母は取ってつけたようなお世辞笑いをしながら永田を慰めるような詫びるような心持でいった。永田も仕方なしの笑いを報いて、だまって其処らを見まわした。

慧眼な祖母は去年の夏気に入らない婚約をされて以来殊更にはげしくなった登志子のわがままが心配でたまらなかった。そして、今日登志子がどんな気持ちで帰って来たかもよく知っていた。だから彼女が家に入って来たときの様子からいろいろな点で、彼女が嫌いぬいている永田にあくまでわがままを通さないではおかないというあの気性でどんな態度に出たかということは見ないでも察しがついていた。叔母は、このおとなしい青年を前にしていると何よりもま

ず自分の大嫌いな理屈っぽい生意気な姪のわがままが悪(にく)らしくなった。

『どうしてあんなですかねえ、ああ我儘がはげしくては、とても家なんかもてるもんじゃありませんよ、一緒にいるようになったらどしどししかりつけてやらなければいけませんよ本当に。』

登志子は床をとってもらうといきなり横になって深くすっぽりと蒲団を被(かぶ)った。もうひとりだと思うと、涙が溢れるように流れ出た。何の感もない、ただ涙が出る、虚心でいて涙が出る、——ゆるんだ疲れ切った空虚な心はいつか自から流す涙を見つめながら深い眠りに落ちていった。


『青鞜』第三巻第一二号・一九一三年一二月号

出奔

不味(まず)い朝飯を済すと登志子は室(へや)に帰って行った。縁側(えんがわ)の日あたりに美しく咲きほこっていた石楠(しゃくなげ)ももう何時(いつ)か見る影もなくなった。

この友達の処へ来てちょうどもう一週間は経ってしまった。何時までもここにいる訳にはいかないのだにどうしたらいいのだろう。何故あの時すぐに博多から上りに乗ってしまわなかったろう、わずかな途中の不自由とつまらない心配のためにこんな処に来てしまって進退はきわまってしまった。打ち明けねばならないことなのだけれども友達にもまだ話はしない。話したらまさか『そう』とすましてもいまいけれども話すのがつらい。やさしい気持ちをもった人だけに余計話しにくい。登志子は呆然と其処(そこ)の塀近く咲いている桃を眺めてさしせまった自分の身のおき処について考えようとしていた。

『いい天気ね、今日帰って来たら一所(いっしょ)に其処らを歩いてみましょうね。』

何時の間にか志保子——友達——は質素な木綿の筒袖に袴をはきながら晴やかな微笑を浮べて物思っている登志子の横顔をのぞいて慰ぐさめるようなものやさしい調子でこういった。彼女は四、五年越し会わなかった友達の不意の訪問におどろきながらも一通りならずよろこびながら、

『本当にうれしいわ、何時までもいて頂戴ね、いいんでしょういくら遊んでいても、ね？いいでしょう、私ほんとにつまらないつまらないと思っていた処なんだからどんなにうれしいか、本当にいて頂戴。』

心から懐しそうな調子だった。登志子は今し方あの寒い冷たい雨の中を方面も分らない知らぬ田舎道を人力車にゆられて長い長い道をここまで来る間の心細さとこれから先の自分の身の上についてのさまざまなことのもつれを思って震える悲しみをじっと噛みしめて、もし友達のいない時にはどうしたらいいか、そんなことはないとは信じながらも、もしかして志保子の調子が冷淡で自分がわざわざ尋ねて行く目的を果すことが出来なかったらどうしたらいいかというような、すぐ目前に迫った事柄について考え考えわくわくしながらこの家をたずねあてるまでの気を想い出して、それ等の一つに凍った悲しい気分が友達のその暖い言葉やもてなしに会ってはじめて溶けて行くように思えた。そして彼女は涙を一ぱいに湛えた目で志保子の顔を見あげながら僅かにうなずいたきりだった。

『私ねずいぶん見すぼらしいなりしているでしょう。ふだんのまんま家を逃げ出して来たのよ、すぐにね東京へ引き返して行こうと思ったんですけれど少し考えることがあってあなたの処へ来たの、長いことはないのだから置かして頂戴な。』

漸くこれだけいい出したのは冷たい床の中に二人して這入ってからよほどいろんなことを話して後だった。

『まあそう、だけどどうして黙ってなんか出て来たの、どんな事情で？　さしつかえがないのなら話してね、私の処へなんか何時までいてもいいことよ、何時までもいらっしゃい、あなたがあきるまで――でも本当にどうして出て来たの。』

『いずれ話してよ、でも今夜は御免なさいね、随分長い話なんですもの。』

『そう、それじゃ今にゆっくり聞きましょう、あなたのいたいだけいらっしゃい。ほんとに心配しなくてもいいわ。』

『ありがとう。安神したわ、ほんとにうれしい。』

こうした会話をかわしたきりに登志子は一週間たつ今日までそのことについては何にも話さなかった。何にもかまわずぶちまけて了うような性質の登志子が話しにくそうな風なのでもって志保子はよほど大事なことだろうと思って強いてそれを聞くのを急ぎもしなかった。『今に時が来たら話すだろう』と思い思い過した。

志保子はすぐ家の門を出ると見える処にある小学校に勤めていた。登志子は毎朝志保子を送って門まで出ては黄色な菜の花の中を歩いて行く友達の姿を見送った。そして室に帰ると手持無沙汰で考え込んでは何時か昼になったことを知らされるのであった。

『今日はどうしてもすっかり話してしまおう』と思っては毎日話の順序をたてようとした。けれども苦しいその努力は何時も無駄に終って只だ今まで自分の歩いて来た長い道程に沿うて起ったさまざまな出来事や、そのうちにも今度自分がついにすべてを棄てて頑迷な周囲から逃がれるようになった動機やこの間の苦悶に思いを運ぶととてももう静かに頭の中で話の筋道をたててみるなどいうことは出来なくなってしまうのであった。そして思いはただ徒に自分が無断で出た後の家の混雑父の当惑の様子、叔父や叔母達の散々に自分のことをいいののしる様子や、母の憂慮、そういった方にばかり走って行った。そんな時には、自分の道を自分の手で切り開いて行く最初の試みをしたというような何処か快い気持等はまるで失くなってただ暗い気持ちになって、また父の傍に泣いて帰って行こうかというような気になったり、また、一層深く考えを進めるともう死を願うより他仕方がないとさえ思う日もあった。

志保子は注意ぶかく登志子の様子を観ていた。彼女は登志子が夕方など沈んだ目付して椽側にボンヤリ立っていた夜はきっと近所の子供を集めて騒がしたりして登志子の気持ちをまぎらすようにつとめた。しかしそういう時にかぎって彼女は、さらに、深い、いうにいえない寂しさ遣瀬(やるせ)なさに悩むのであった。そうしては志保子の美しい澄んだ目にはっきり浮ぶ優さしい暖い友情にしみじみ泣いた。

どうかして志保子の帰りの遅い時には登志子は二度も三度も門を出てはすぐ其処に見える学校の屋根ばかり眺めていた。黄色な菜の花の間に長々とうねった白い道を見ていると遠いその果もわからない道がいろいろなことを思わせて、つい涙ぐまれるのであった。前を通る人達は見なれぬ登志子の悄然(しょうぜん)と立った姿をふしぎそうにふり返って見て行く。そんな時登志子はもう本当に遠い遠い知らない処にたった一人でつきはなされたような気がして拭いても拭いても涙が湧いて来て、立っていられなくなって来る。灯をつけても灯の色までが恐しく情ない色に見えた。読む書物をもって出なかったことがしきりに悔いられた。うすらかなしい灯の色を見つめながら彼女は何時も目をぬらして友達を待った。それでもなお悲しい心細い考えが進もうとする時は彼女はのがれる時に持って出た光郎の手紙を開いて読んでは紛らした。そうして心弱い自分の気持ちをいくらかずつ引きたてるのだった。

今朝も志保子が出て行った後で登志子は考えることより他に何にもすることがなかった。本当に、いつまでも志保子の世話になってここにいる訳にはいかない。ということが第一に毎日登志子の頭に上って来るのだ。が今どうするにしても金の問題だ。登志子は初め帰ったとき予め自分の考えをもしかして実行する時の用意に、十円近くの金を懐にしていた。しかしその金は七十日近くブラブラしているうちに何彼（なにか）と半分以上も使ってしまった。しかもそういう予期を持ちながらいよいよ出て来るときは不用意に、フラフラと出てしまった。着更えの着物も持たず金を用意するひまもなくついと出てしまった。福岡まで出て来て、叔母の家へも友達の家へも足りない金の算段をするつもりで訪ねた。しかしとうとういい出し得ずに止めてしまった。金が出来ないといって夜になって再び家へフラリと帰りたくはない。帰ってかえれないことはないがもう一度出たものを帰る気はどうしてもない。仕方なしに三池の叔母の家まで行った。其処でもついに話し得ずに、そして家出したことが知れそうになって思案にあまってこの友達の家まで来た。手紙を出して頼んだら応じてくれる的（あて）のある人が二、三人はある。その人に相談する間も見つけ出されて連れかえられそうな処はいやだと思って志保子をたよった。しかし一週間になるけれども何処からも返事は来ない。たのんだ金が出来ないとしてもそのままではいられない。どうしたらいいのだろう。そう考えて来ると登志子はもう今日までただイライラして、もう、どうなってもいいなるようにしかならないのだ、いっそ堕ちられるだけどん底まで堕ちて行ってこの目覚めかかった自我を激しい眩惑になげ込んで生きられるだけ烈しい強い、悲痛な生き方をしてみたい。あの生命がけでその日その日を生きていく炭坑の坑夫のようなつきつめた、あの痛烈な、むき出しな、あんな生き方が自分にも出来るのなら、こんなめそめそした上品ぶった狭いケチな生き方よりどのくらい気が利いているかしれない。いっそもう、親も兄妹も皆捨てた体だ、堕ちる体ならあの程度まで思いきってどん底まで堕ちてみたいというようなピンと張った恐ろしく鳴りの高い調子な時もあるし、またもう自分の行く道は皆阻まれてしまったのだこれから先苦しんで働いてみた処でやはり何にも大したことも出来ないし、自分でどうしても開かなければならないと信じてすべてのものに反抗して切開いた、道の先きはまっくらで何にもない。自分を自由に扱うことの出来るよろこびの快い気持に浸ったのはこのまま逃れようと決心した瞬間だけであった。今日まで一日だって明るい気持ちになったことはない。何時も忌々しいと思いながら肉身というふしぎなきずなに締めつけられて暗い重くるしい気持ちがはなれない。自分ではいくらか上京したら光郎をたよるつもりでも光郎の気持だってどちらを向くか分らない。考えると不安なことばかりだ。ああいやだ何処か人の知らない処に行って静かな死にでものがれたい。何処へ向いて行っても行き止りは死だ。早かれ遅かれ死だもの。どうにでもなれというような気にもなった。もう毎日のことに随分考えも考えたが疲れてしまった。もう何にも考えまいと思い思いやはりそれからそれへと考えは飛んで行った。

『郵便！　藤井登志という人いますか。』

『ハイ。』

出てみると三通の封書を渡された。一通はN先生、一通は光郎、あとのはねずみ色の封筒に入った郵便局からのだ、あけて見ると電報為替だ。N先生から送って下すったもの、先生からこうしてお金を送って頂こうとは思わなかった。と思うと登志子はもう涙を一ぱい目に溜めていた。一昨日も先生の電報を見た時に先生はこんなにまで気をつけて下さるのかと登志子はやはり涙ためて志保子に先生のことを話した。

登志子はすぐ先生の手紙を読んだ。

『御地からの手紙を見て電報を打った。意味が通じたかどうかと思って今も案じている、金に困るのならば何処からでも打電して下さい、少々のことは間に合せますから、弱い心は敵である。しっかりしていらっしゃい、事情はなお悉しく聞かねばわからないがとにかく自分の真の満足を得んがために自信を貫徹することが即ち当人の生命である。生命を失ってはそれこそ人形である。信じて進む所にその人の世界が開ける。

いかなる場合にもレールの上などに立つべからず決して自棄すべからず

心強かれ　取り急いでこれだけ。

今家へあて出した私の手紙の最後の一通があなたの家出のあとに届いたであろうと思われる、誰か開封して検閲に及んだかもしれない、熱した情を吐露した文章であったからもしそれを見た人があるとすればその人は幸福である。』

先生はこんなにまで私の上に心を注いで下さるか、私は本当に一生懸命にこれから自分の道をどんなに苦しくともつらくとも自分の手で切開いて進んで行かなければならない。私は決して自棄なんかしない。勉強する、勉強するそして私はずんずん進んで行く。こんなにぐずぐずしてはいられないと登志子はしっかり思い定めて光郎の手紙を最後にあけた。軽い或るうれしさにかすかに胸がおどる。

『オイ、どうした。俺は今やっと「S」を卒業したところだ。もうかれこれ十二時頃だと思う。明日から仕事が始まるのだから「早くねなさい」と相変らず御母さんがおっしゃって下さるのだが、こっちは相変らずの親不孝なのだから「え」とか何とかなま返事をしてまだグズグズ起きている。でこれから何かまた少しものを言ってみようと思う。

明日あたりまた手紙が来ることだろうと思うが——俺がこないだ書いた手紙はかなり向う見ずなものだったなあ、まあ、しかし俺はあんなことが平気で書けることを自分では頼もしいと思っている。俺は口に出して実はいってみたいと何時でも思っているのだが中々口はいうことをきかないて。三日の手紙は可なり痛快な気持ちを抱いて読み終った。だいぶ孤独をふりまわしたな、人間は孤独なものよ——深く突込んで思索したら何人でも救われることの出来ない孤独の淋しさにおそわれるだろう。しかし世の中には色々なものがあってそれを暫くでもごまかしてくれる。宗教、芸術、酒、女（女からいえば男）などがそれだ。無論各自の程度によって求むる種類と分量というようなものは異っていくだろうが、とにかくそんなものなしには一日も生きて行くことは出来ないのだ。

血肉の親子兄弟――それがなんだ。夫婦朋友それがなんだ、大抵はみな恐ろしく離れた世界に住んでいるじゃないか、皆恐ろしい孤独に生きているじゃないか。しかし偶々稍や同じ様な色合の世界に住んでいる人等が会って、そうして出来るだけお互いの住んでいる世界を理解しようと務めてかなり親しい間柄を結んで行くことがある。それは実に僥倖といってもいいくらいだ。もっとも、理解という意味には色々ある。二人が全然相互に理解するというようなことはまあまあないことだと思う。また出来もしないだろう。ただ比較的の意にすぎない。

俺は筆をとるとすぐこんな理屈っぽいことを喋舌ってしまうがこれも性分だから仕方ない許してもらおう。俺は汝を買い被っているかもしれないがかなり信用している。汝は或は俺にとって恐ろしい敵であるかもしれない。だが俺は汝の如き敵を持つことを少しも悔いない。俺は汝を憎むほどに愛したいと思っている。甘ったるい関係などは全然造りたくないと思っている。俺は汝と痛切な相愛の生活を送ってみたいと思っている。もちろん悉ゆる習俗から切り離された――否習俗をふみにじった上に建てられた生活を送ってみたいと思っている。汝に其処までの覚悟があるかどうか。そうしてお互いの「自己」を発揮するために思い切って努力してみたい。もし不幸にして俺が弱く汝の発展を障げるようならお前は何時でも俺を棄ててどこへでも行くがいい。

（八日）

おとといの晩は酒を飲んでいる上にかなり疲れていたものだから二、三枚書くともうたまらなくなって来て倒れてしまった。昨夜も書こうと思ったのだが汝の手紙がきてからと思ってやめた。二日許りおくれてもやっぱり気になるのだ。今日帰ると汝の手紙が三本一緒にきていたのでやっと安心した。今夜ももう例によって十二時近いのだが俺はどうも夜おそくならないと油がのって来ないのでなにか書く時には必ず明方近くまで起きてしまう。それに近頃は日が長くなったので晩飯を食うとすぐ七時半頃になってしまう。俺は飯を食うとしばらく休んで、たいてい毎晩のように三味線を弄ぶか歌沢をうたう。或は尺八を吹く。それから読む。そうすると忽ち十時頃になってしまう。何か書くのはそれからだ。今夜はこれを書き初める前に三通手紙を書かされた。俺は敢て書かされたという。Nへ、Wへ、それからFへ、なんぼ俺だってこの忙しいのに、そうそうあっちこっちのお相手は出来ない。それに無意味な言葉や甘ったるい文句なぞを並べているといくら俺だって馬鹿馬鹿しくって涙がこぼれて来らあ。人間という奴は勝手なものだなあ。だがそれが自然なのだ。同じ羽色の鳥は一緒に集まるのだ、それより他仕方がないのだ。だが俺等の羽の色が黒いからといって全くの他の鳥の羽の色を黒くしなければならないという理屈はない。

（十三日）

学校へ「トシニゲタ、ホゴタノム」という電報がきたのは十日だと思う。俺はとうとうやったなと思った。しかし同時に不安の念の起るのをどうすることも出来なかった。俺は落ち附いた調子で多分東京へやって来るつもりなのでしょうといった。校長は即座に「東京へ来たら一切かまわないことに手筈をきめようじゃあありませんか」といかにも校長らしい口吻(こうふん)を洩(も)らした。S先生は「知らん顔をしているようじゃありませんか」と俺にはよく意味の分らないことをいった。N先生は「とにかく出たら保護はしてやらねばなりますまい」といった。俺は「僕は自由行動をとります。もし藤井が僕の家へでもたよって来たとすれば僕は自分一個の判断で措置をするつもりです」とキッパリ断言した。みんなにはそれがどんな風に聞えたか俺は解らない。女の先生達は唯だ呆(あき)れたというような調子でしきりに驚いていた。俺はこうまで人間の思想は異(ちが)うものかと寧(むし)ろ滑稽に感じたくらいだった。S先生はさすがに汝を稍(や)や解しているので同情は充分持っている。だが汝の行動に対しては全然非を鳴らしているのだ。俺はいろいろ苦しい思を抱いて黙っていた。その日帰ると汝の手紙が来ていた。俺は遠くから客観しているのだからまだいいとして当人の身になったらさぞ辛いことだろう、苦しいことだろう、悲しいことだろうと思うと俺は何時の間にか重い鉛に圧迫されたような気分になって来た。だが俺は痛烈な感に打たれて心はもちろん昂(たかぶ)っていた。それにしても首尾よく逃げおおせればいいがとまた不安の念を抱かないではいられなかった。俺は翌日（即ち十二日）手紙を持って学校へ行った。もちろん知れてしまったのだから秘す必要もない。そうして手紙を見せて俺の態度を学校に明らかにするつもりだったのだ。で、俺は汝に対してはすこしすまない様な気はしたがS先生に対しても俺は心よくないことがあるのだから。

（十四日）

昨夜少し書くつもりだったのだが、また疲れが出てしまいの方は何を書いているのだか解らなくなった。俺は意気地のないのに自分で呆れてしまった。

俺は今帰って来た。五時頃だ。汝の手紙を読むと俺はすぐ興奮してしまった。俺はこんな手紙など書くのがめんどくさくってたまらないのだ。だが別に仕方もないのだから無理に激している感情を抑えつけて書くことにしよう。話を簡単にはこぶ。

十二日、即ち汝が手紙を出した日に永田という人から極めて露骨なハガキがまいこんだ。「私妻蔵井登志子」という書き出しだ。そうして多分上京したろうからもし宿所が分ったら早速知らしてくれ、父と警官同道の上で引きとりに行くという文句だ。さらに附加えて自分の妻は姦通した形跡があるとか同志と固く約束したらしいとかいうことが書いてあった。妻に逃げられたのだからそんな風に考えるのは無理もない話だ。俺は汝が去年の夏結婚したという話は薄々聞いていた。しかしそれが奈何事情のもとになされたものかは俺には無論解らない。そうしてもちろん汝自身から聞いたのではないから半信半疑でいたのだ。だが俺は色々と出来るだけ想像は廻らしていた。しかし永田という人はとにかく「私妻」とかいてきたのだから俺は形式の結婚はとにかくやったものと認めない訳にはゆかない。しかし俺は無論そんなことは眼中にはないのだ。俺はただ汝が帰国する前になぜもっと俺に向って全てを打ち明けてくれなかったのだとそれを残念に思っている。少くとも先生へなりと話しておけば俺等はまさか「そうか」とその話を聞きはなしにしておくような男じゃあない。それは女としてそういうことは打ち明けにくかろう。しかしそれは一時だ汝が全てを打ち明けないのだからどうすることも出来ないじゃあないか、しかし問題はとにかく汝がはやく上京することだ。どうかして一時金を都合して上京した上でなくっては如何(どう)することも出来ない。俺は少くとも男だ。汝一人くらいをどうにもすることが出来ないような意気地なしではないと思っている。そうしてもし汝の父なり警官なりもしくは夫と称する人が上京したら逃げかくれしないで堂々と話をつけるのだ。俺は物を秘かにすることを好まない。九日附の手紙をS先生に見せたのも一つは俺は隠くして事をするのが嫌だからだ。姦通などいう馬鹿馬鹿しい誤解をまねくのが嫌だからだ。イザとなれば俺は自分の位置を放棄しても差支ない。俺はあくまで汝の身方になって習俗打破の仕事を続けようと思う、汝もその覚悟でもう少し強くならなければ駄目だ。とにかく上京したら早速俺の処にやってこい。かまわないから、俺の家では幸にも習俗に囚われている人間は一人もいないのだから。母でも妹でも随分わけはわかっている。

そうして俺を深く信じているのだ。もちろん汝に対して深い同情を有している。遠慮をせずにやってくるがいい、だが汝はきた上でとても俺の内に辛抱が出来ないと思ったら、何時でももわきに行くがいい俺は全ての人の自由を重んずる。御勝手次第たるべしだ。それにN君も心配しているのだから、それにS先生だって汝の理解出来ないような人ではなし、なんでも永田という人の処に「あの女はとても駄目だから、あきらめた方がいい」というような手紙を送ったそうだ。とにかく東京へくれば道はいくらでもつく、そんなに心細がるなよ、だが汝は相変らず詩人だな、まあ其処が汝の尊いところなのだ。今に落ち付いたら詳しく出奔の情調でも味わうがいい。俺は近頃汝のために思いがけない刺戟(しげき)を受けて毎日元気よく暮している。ずいぶん単調平凡な生活だからなあ。

　上京したらあらいざらい真実のことを告白しろ、その上で俺は汝に対する態度を一層明白にする積りだ。俺は遊んでいる心持をもちたくないと思っている。

　なんしろ離れていたのじゃ通じないからな、出て来るにもよほど用心しないと途中でつかまるぞ、もっと書きたいのだけれど余裕がないからやめる。

（十五日夜）

　いろいろなすべての光景が一度になって過ぎて行く。今まではまるでわからなかった国の方のさわぎもいくらか分るような気もするし学校での様子などもありありと浮んで来る。

ここから上京するまでの間に見つかるなどいうことも今まで少しも考えなかったのに、急に不安に胸を波打たせたりしながら読み終って登志子はしばらく呆然としていた。

「結婚した、」といわれるのが登志子には涙の出るほど口惜しかった。しかしやはりしたといわれても仕方がなかった。登志子自身の気持ちではどうしても結婚したということは考えられないのだけれど——彼女はその時から今日を予想してそれが一番自分に非道な強い方をした者に対する復讐だと思った。しかし今自分の気持の何処をさがしてもしかえしをしてやっているのだというような快さはさらになくてかえって自分が苦しんでいるように思われる。登志子は手紙を読んでしまうといろいろな感情が一時にかきまわされてときの声をあげて体中を荒れ狂うように思われた。だんだんそれが静まるにつれて考えは多く光郎と自分の上にうつっていった。そうして目は何時か姦通、という忌わしい字の上に落ちて行った。

「本当にそうなのかしら。」

考えると登志子は身ぶるいした。あの当時登志子の胸は悲憤に炎えていた。何を思うひまも行う間もなかった。「惨酷なその強制に報いるためには?」という問題ばかりが彼女の頭の中にたった一つはっきりした、一番はっきりしたそしてその場合に於けるたった一つの問題として与えられたのだ。もちろんこうした男の愛をそんなにもはやく受けようとは思いもよらなかったのだ。強制された不満な結婚の約を破ることは登志子にとってはいともやさしいことに思えた。そしてなお彼女は修学中であった。共棲するまでには半年の猶予があったのでその間にどうにもなると思っていた。

　帰校後の登志子はほとんど自棄に等しい生活をしはじめた。彼女と一緒にいた従姉は唯だ驚いていた。登志子は幾度かその苦悶をN先生に訴えようとした。しかし考えることの腹立たしさに順序をおうて話のすじ道をたてることが出来なかった。そうしてなるべく考えないことにつとめた。その頃は、もちろん光郎にはそんなことをむきつけに話せるほどの間ではなかった。煩悶に煩悶を重ね焦り焦りして頭が動かなくなるほど毎日そればかり考えていても登志子の考えはきまらなかった。日数は遠慮なくたって、とうとうN先生にも打ち明ける機会は失くなってしまった。最後に大混雑の中にようやく仕方なしに漠然と極めたことは嫌な嫌なあの知らない男や八ケましい周囲から逃れることが第一であった。見た計りでも自分よりずっと低級らしい、そして何の能もないらしい間のぬけた顔をしたあの男とどうして一時間でもいられるものではないと登志子はそればっかり思っていた。考えて見ると登志子は姦通呼わりする男が憎らしくなって来るよりも滑稽になって来た。あの男にそういうことをいえるだけの確信が本当にあるのかと可笑しくなって来た。「私妻」等と書かれたことの腹立たしさよりもれいれいしく書いた男が滑稽に思えて来た。寧ろ登志子は光郎に対して何か罪でも犯したような気がした。別れてからまだ半月とはたたない。もうしかし一年も間をおいたように思われるのだ。何でもいい早く上京したい。行ってみんな話してやる、本当のことをみんな話そう、N先生にしろ、光郎にしろ、自分の話はきっと解ってくれるに違いない。東京に行きさえすれば――そうだ、行きさえすればきっときっと………

登志子は目を据えてついたときのことをいろいろに想像してみた。唯だ彼女の気持を時々不快にするのは、光郎との恋のためばかりに家出した、と思われることだった。彼女は何となしにそれについて自分にまで弁解がましいことを考えていた。けれどもそれも一つの動力になっているると思えばそんなことはもう考えていられなくなって今日にも行くようにしたいのだった。

登志子はからっぽになった処に、はやく行きたいという矢も楯もたまらない気持がたった一つ一ぱいに拡がった何時にないたのしい気持ちで為替の面をじっと見つめながら鏡を出して頭髪にさしたピンを一本一本ぬいていった。

『青鞜』第四巻第二号・一九一四年二月号

『婦人解放の悲劇』について

とうに『恋愛と道徳』が単行になって出る筈(はず)であったが、あれだけでは一冊とするにはあまりに貧弱（量の上に於て）だという書店の意見から、その後雑誌（青鞜）で発表したエンマ・ゴオルドマンの『婦人解放の悲劇』と『少数と多数』になお新に『結婚と恋愛』とゴオルドマンの小伝を加えてようやく出すことにした。なお書店の要求を満足させるために自分は序の中に婦人問題変遷の歴史といったようなものを書く筈になっていたのだけれど、そんなことは今の私にはまだまだ荷が勝ち過ぎるし、それに書くといっても、自分一個の（たとえ独断にせよ）見識でも確立しての上で、その動かない立場から批評的に書けるとでもいうのならばとにかく、どうせえらい先生方の御本を参考してアチコチとぬき書きでもするくらいが落ちになりそうなので、それは止めることにした。それに未だ自分は実の処『問題の歴史』だとかなんとかいうことに興味を持ってはいない。自分に興味のないことはなるたけやりたくない。ただ私は現在自身が直接にブツカッタ問題として『恋愛』は女子の唯一の道徳であり、いわゆる『結婚』は恋愛とはまったくその性質を異にしたものだということをこれ等の論文に於て一層ハッキリ覚り得たのである。そして私のぶつかった問題はまた現今わが国の社会に生存する幾多の若き姉妹たちの問題である。最も痛切な根本問題である。これは是非とも覚醒した自分等から実行し始めなければならない。しかし自分等のすべてがほんとうに真実な深い相愛生活を送ろうと思うと、これは実に容易な問題ではなくなる。一歩―二歩―三歩―と次第に深く進むにつれて根底に横わる性の問題をはじめとして経済問題、倫理問題その他さまざまの社会問題に自然と自分の眼を転じなければならなくなる。そして『最近の将来が解決しなければならない今日当面の問題は如何すれば人は自分自身であると同時に他の人々と一つになり、全人類と深く感ずると共に各自の個性を維持してゆけるかということである。』といったゴオルドマンの言葉を今更繰返して考えなければならない。自分等（Tと私）は日常生活のモットーとして『出来るだけ自己に忠実に』ということを心懸け、そしてそのために努力している。自分等は自分等の生活中からあらゆる虚偽を追い出し、自由にして自然な生き生きした生活を営もうと努めている。自分達は今なるべく社会との交渉をさけている。自分等は時々心弱くなって無人島の生活を夢想する。自分等のようにわがままでじきムキになって腹を立てたり、癪に障ったり、苦しがったり、落胆したり、するものにはとても今の社会に妥協して、あきらめて easy-going な太平楽をいって生きてはゆけない。全然没交渉な生活をするか、進んで血を流すまで戦って行くかどっちかだ。しかし自分等は軽はずみに飛び出して犬死はしたくない。で、イヤイヤながら我慢してまず今の処なるべく没交渉の方に近い生き方をしている。しかし自分等は自分等のように考えているものがもちろん自分等ばかりではないと考える時、そこに非常な希望と慰藉とが与えられる。日本に於ける最初の真実の革命の曙光がもはや遠からず地平の上に現われると信じている――否既に現われている。微かではあるが確かに現われている。自分等は決して落胆や絶望をしてはならない。来るべき真実の生活の新生命は確かに自分等若き同胞の中に芽ぐまれている。やがて自分等はほんとうに立上って戦うべき日が来ることと思う。自分等はまず知らず知らず自分等にこびりついている無智や因習と戦わなければならない。世間の気の毒な人等はたまたま自分等を『新しい』と呼んでくれたけれど、自分などはその言葉を心から受取るにはまだまだ中々旧い。もっともっと新しくならなければならない。自分は近頃『サニン』を読み、高村氏の訳された『未来派婦人の婦人論』等を読んでただ面白いといってすましてはいられなかった。自分等の Vital force の如何に貧弱に見えたことよ! そして自分等の周囲にいるかの青白い顔付をして、猫背になって、『白魚のような』指先きでオチョボ口をしながら、碌そっぽ大きな声も出し得ずに琴を掻き鳴らす姉妹等の如何にミゼラブルに見えたことよ! そしてそういう姉妹等と生活すべき運命を有する若き男性の如何に御気の毒に考えられたことよ。自分の聯想はまたかの短髪の露西亜少女等を考えさせた。

自分は今この一小冊子を若き兄弟姉妹の中に送るにあたって、幾分なりとその人々の覚醒の糧にならんことを希望してやまない。『解放』というのは髪の結い方をちがえるのではない、マントを着て歩くことでもない、まして『五色の酒』とかを飲むことではなおない。しかし新しき服装を笑い、女が酒を飲むことを恐ろしき罪悪であるかの如く罵って高尚がったり、上品ぶったりしている人等には愈々解放などいうことはわかりそうもない。服装は個性ある者には趣味の表現であり、俗衆には流行である。酒は各人の単なる嗜好に過ぎない。いずれも真の解放とはなんのかかわりもない。『解放は女子をして最も真なる意味に於て人たらしめなければならない。肯定と活動とを切に欲求する女性中のあらゆるものがその完全な発想を得なければならない。全ての人工的障碍が打破せられなければならない。偉なる自由に向から大道に数世紀の間横たわっている服従と奴隷の足跡が払拭せられなければならない。』

『青鞜』第四巻第三号、一九一四年三月号

遺書の一部より

もう二ヶ月待てばあなたは帰って来る。もう会えるのだと思っても私はその二ヶ月をどうしても待てない。私の力で及ぶ事ならばすぐにも呼びよせたい。行って会いたい。けれども、もう二十二年の間、私は何一つとして私の思った通りになったことは一つもない。私の短い二十三年の生涯に一度として期待が満足に果たされたことはない。それは本当にふしぎなほどです。私は何時(いつ)だってだから諦めてばかりいます。またあきらめなければなりませんのです。あなたに会うことも出来ません。私は本当に弱いのです。私は反抗ということをまるで知りません。私のすべては唯(ただ)屈従です。人は私をおとなしいとほめてくれます。やさしいとほめます。私がどんなに苦しんでいるかも知らないでね。私はそれを聞くといやな気持です。ですけど不思議にも私はますますおとなしく成らざるを得ません。やさしくならずにはいられません。私は自分のぐずなことを悲しみながらますますぐずになって行きます。私は悲しいそして無駄な努力ばかしを続けて来ました。私は敵に生命をくれといわれてもすなおにさし出すような人間に生れているのです。私はまだ二十三年の間にただの一度だって不平をこぼしたことはありません。まだ人に荒い言葉を返したことはありません。私は教えている子供たちを叱ろうとすると自分の方が先きに泣き出します。私は小さい妹や弟たちからでさえも馬鹿にされて叱られます。それでも私はその弟たちにただ一言の口答えさえ出来ません。皆他人は私をほめてくれます。親しさを見せてくれます。けれども私は何時でも自分のふがいない矛盾を悲しむことで一ぱいになってしみじみ人と親しくなることが出来ません。私は怒るということが出来ません。現在私がこうして今死のうとしていてさえ誰も憎らしい人はないのです。私は生きていることに堪え得られない自分に対してさえその意気地なしに対してさえ腹を立てることが出来ません。私はただめそめそ悲しむだけです。私は自分自身を制御するだけの力さえ与えられていません。私は長く生存すべき体じゃないのです。当然与えられねばならない人間としての自由の何一つとして私は持ってはいません。たった一つ、それはただ神様がこの弱い私にたった一つの自由を与えて下さいました。私はそのたった一つの自由を生れてはじめてのまた最後の自由として、それを握ります。けれどその自由さえ実は今まで時期を許して下さいませんでした。私の長い間願った時期は近づいたようです。それにつけてもただあなたに申しあげたいのはあなたはそんなことは決してないことは知っていますが自分に負けないで下さいということです。私は前にも申しあげる通りに、自分が何時でも負けてはそのたびに一皮ずつ自分の上に被(かぶ)せていきました。此度(こんど)こそはこの被(おお)いを一思いにと思いますがそのたびに反対にかぶっていきました。今はもうまったく私の周囲は身うごきをするほどの余地も残ってはいません。何時かあなたは、私に、「死んだつもりでならどんなことも出来る。何故もっと積極的な決心にお出にならないのです」といいましたね。ですけれど繰り返して申します。私は弱いんです。私はその殻をつきやぶって出た後がこわくてたまらないのです。私に――この弱い私に与えられた自由は一つしかありません。私はもう私のすべてを被っている虚偽から離れて醜い自分を見出すことは私にとっては死ぬより辛いのです。私は今まで他の人のように自由がなかったことを思って下さい。私には一日だって、今日こそ自分の日だと思って、幸福を感じた日は一日もありません。私は私のかぶっている殻をいやだいやだと思いながらそれにかじりついて、それにいじめられながら死ぬのです。私には何時までもその殻がつきまといます。それに身うごきが出来ないのです。私の声の――真実な叫びの聞こえる処にいる人は誰もないのです。私はもう「よりよく生くる望み」などはとうていもてません。私はこの世に存在する理由を何処にも認めません。私は「自分」というものを把持(はじ)していることの出来ない弱者です。私一人の存在が何にもかかわりのないことを思いますと私はもう一日もはやく処決しないではいられません。人のことは誰にも分りません。私は毎日教壇の上で教えている時、また職員室で無駄口をきいている時、私が今日死のうと思っている心を見破る人は誰もない。おそらくは私の死骸が発見されるまでは誰も私の死のうとしていることは知るまい、と思いますと、何ともいえない気持になります。「それが私のたった一つの自由だ！」と心で叫びます。本当に私のこの場合にたった一つたしかめ得たことは、人間が絶対無限の孤独であるということです。私の死骸が発見された処で人々はその当座こそは何とかかとかいうでしょう。けれども時は刻一刻と歩みを進めます。二年の後、三年の後或(あるい)は十年の後には誰一人口にする者はなくなるでしょう。曾(かつ)て私というものが存在していたということはやがて分らなくなってしまうのです。よりよく生きた処でわずかにタイムの長短の問題じゃありませんか。人間の事業や言行などいうものが何時まで伝わるでしょう。大宇宙！　運命！　私の今の面前に押しよせて来ているものはこの二つです。私はもうすべての情実や何かを細かく考える煩(わずら)わしさに堪えられません。私は曾て少しは、自身の慰めにもと思って基督教というものを信じてみました。私は牧師や伝道師たちからのほめられ者でした。立派な篤信者だ。美しい人格だと讃められましたけれども自分にはやはり苦しくてたまりませんでした。やはり虚偽の教えということを感じました。私は遠ざかりました。それがこの頃になって漸くその教えの真髄をつかみ得たような気がします。運命なのです。それがその力が神という変化されたものになったのです。私は運命を信じます。その不可抗な力を信じます。今私の上に一ぱいにその力がかぶさっています。おそらく誰の上にもそうなのでしょう。私はいくらもがいた処でその力にかなわないことを知っています。不思議なこの大宇宙を支配する偉大なる力にも私は従順にしたいと思います。私はこうやって書いていて、ふと、やっぱり、私の今までの生活は虚偽でなかったのかもしれないということを考えます。私はやはり、その運命の支配するままに動いて来たのです。ですからうそではないようにも思えます。私ばかりでなくすべてのものが——ただ人間が運命というものを考えないでてんでん勝手にいろんなことを考えてはあたれば本当、あたらなければうそだといっているようにも思えます。思えば考えれば深く考えるほど分りません。善とか悪とかいうのもみんな人間の勝手につけた名称でしょう。ああ、私はもう止めます。まっくらになりました。何だかすべてのことのケジメがわからなくなります。私は今私の考えていることが一番正しく本当であることを信じてその通りを行います。私はよわいけれどぐちはこぼしません。あなたもそれを肯定して下さい。私の最後の処決こそ私自身の一番はじめの、また最後の本当の行動であることをよろこんで下さい。私のその処決がはじめて私の生きていたことの本当の意義をたしかにするのです。私は私の身をまた生命をしばっている縄をきると同時に私はすべての方面から一時に今までとり上げられていた自由をとり返すのです。どうぞ私のために一切の愚痴はいわないで下さい。

ああ、私は今まで何を書いたのでしょう。もう止しましょう。ただ私は最後の願いとして、私は本当に最後まで終に弱者として終りました。あなたは何にも拘束されない強者として活きて下さい。それだけがお願いです。屈従ということは、本当に自覚ある者のやることじゃありません。私はあなたの熱情と勇気とに信頼してこのことをお願いします。忘れないで下さい。他人に讃められるということは何にもならないのです。自分の血を絞り肉をそいでさえいれば人は皆よろこびます。ほめます。ほめられることが生き甲斐のあることでないということを忘れないで下さい。何人でも執着を持ってはいけません。ただ自身に対してだけは全ての執着を集めてからみつけてお置きなさい。私のいうことはそれだけです。私は、もう何にも考えません。私は今はじめて生れてはじめて自分の内心から出た要求を自分の手で満たし得られるのです。私の残した醜い死体を発見した時にどんなに人々はさわぐでしょう。どんな憶測をすることでしょう。私はもうすべての始末をつけてしまいました。誰も知りません、誰もしらないのです。知っているのは私だけ。この手紙が三日たってあなたの手に這入るまでには大方全部、私の望みが果されるでしょう。私ははじめて私自身の要求を自身の手に満たすのです。はじめてでそして最後です。愚痴をいわないで下さい。お願いします。私はもう、自分の処決をするよろこびに一杯になっています。けれどもあなたにだけはやはり執着があるのです。それがこれだけの手紙を書かせました。よく今まで私を慰めてくれましたね、本当に心からあなたにはお礼を申します。随分苦しい思いもさせました。すべて御許し下さい。もう一切の執着を絶って下さい。あなたと私とは今はなれています。ただ二、三ヶ月たってあわれる筈（はず）のが都合でもっと長くあえないだけだとおもえばそれだけですよ。ね、随分長く書きました。不統一なことばかりですけれど許して下さい。混乱に混乱を重ねた私の頭です。不統一なくらいは許して下さい。ではもう止します。最後です。もう筆をとるのもこれっきりです。左様（さよう）なら。左様なら。何時までもこの筆を措（お）きたくないのですけれど御免なさいもう本当にこれで左様なら。

『青鞜』第四巻第九号・一九一四年一〇月号

『青鞜』を引き継ぐについて

新しきものの動き初めたときに旧いものから加えらるる圧迫は大抵同じ形式をもって何時もおしよせて来るように思われます。

青鞜が創刊当時から今日まで加えられて来ましたあらゆる方面に於ける圧迫がこの種のものであることは今さらいうまでもないことですがさらに私たちの主張が従来の歴史的事実からあまりに離れていたということが――それはもちろん人々から圧迫を受けたり反抗されたりするも重なる原因ですが――予想以上に人々を驚かし惑わし不思議がらせました。そしてその懸隔があまりにひどかったために、私たちは容易に他の人々と近づくことが出来ませんでした。そうして誤解を重ねあやしつれ先入見のためにお互いにその間隔を近づけようとはしなくなりました。けれどもまたかえってそれが衆人の好奇心を呼びました。そして不思議にも私達は他の雑誌のようには経営の困難を感ずるようなことはありませんでした。しかし私たちの真面目な思想や主張は流行品扱いにされました。皮相な真似のみをしたがる浅薄な人たちの行為が私共の上にまで及びました。そして私達は世間でやかましくいえばいうほど自己の内部に向ってすべてを集注しようとしました。

それは私たちにとっては実に一番適当なまた真実な態度で御座いました。けれどもそれがために世間との隔たりはだんだん遠くなってしまいました。誤解はとけずにそのまま私たちに対する世間の人たちの固定観念となってしまいました。

けれども私たちはなお一層自分自身のことについて考えなければなりませんでした。実際それに私たちの私生活は社会とは没交渉であることが最も自然らしく思われました。それで出来るだけ社会との煩わしい交渉を止めようとしました。

しかし世間の人達の好奇心が何時までも続く筈はありません。私たちは必然に社会との隔たりにぶつかりました。私たちはまず経済的の苦痛を知らなければならないようになりました。そうして今やっと私たち、少くとも私だけは自然社会と自分を前にして考えなければならなくなりました。

私はまずここまでに至る私の気持を洗いざらいここに拡げてみようと思います。

最初青鞜を創刊する時の態度が第一に既に間違っていたように思います。私はその当時のことは本当に委しくは知りませんけれども少くとも今までに私の知り得たことから察しても平塚氏の仕事であったことは疑いのない事実だと思います。処がそれは全く違った形式で発表されました。社員組織だというのです。私はただ一概にそれを悪いとは思いませんけれどもそれはかなり根拠のない共同組織であったらしく思われます。或は私の臆測かも知れませんが——極く女らしい謙譲の心持から責任をもって確とした権威をもった経営者たることを辞して共同責任とされたことが第一歩のあやまちであったかもしれないと私は思います。それ故各自の人が自分の勉強とか仕事とかいうものと雑誌というものが何となく違ったものに思われた事がそれを証拠立てていると思います。そうして最初の創刊当時に仕事を執っていた人達は漸次に自分の仕事に去ってしまいました。創刊後満一ヶ年を経て私が入社して事務を手伝うようになったときは既に木内、物集、中野、保持の諸氏とは顔を合すことは全くなかったのでした。そして尾竹氏も去ろうとして居られる時で編輯は平塚氏を助けて小林氏と私と三人でした。経営は東雲堂に委してあった頃でした。子供のような遊びずきの尾竹氏がいろいろなものに向って好奇心をもってはそれに引きつけられては丁度子供が珍らしい見聞したことを話すような調子で無邪気に発表した楽屋落ちが意外に物議を醸した頃でした。それは尾竹氏や他人の人々にとっては何でもない事でした。吉原に行ったということは単にあの中のことを見たいという要求から何も別に行ってはいけないという制限もないから行って見たまでだ。お酒を呑んだとて罪悪とはいわれまいそれは各人の嗜好に属するものではないか、マントを着て歩こうとそれはその人の趣味だ何もそれがわれわれの生活中の重要な部分をなしているのではないという風に私たちは世間の人が何をいおうと耳を貸さなかったのです。私たちは本当に正直で世間見ずでした。私たちは世間というものをそうまで頑迷だとは思いませんでした。私たちはいくら何でもそれ等の些々（ささ）たる行為が私たちの全てだと見做（みな）して終われようとは思いませんでした。

やがて私たちは私たち自身を教育するために相当の智識を得る途（みち）を開こうとしてある計画を立てました。そしてそれは先きだってまず講演会を開きました。それは私たちの考えていたのとは全（まる）で反対の結果を得ました。私たちは重なる誤解のために各方面に同情を失いました。計画は見事に破れました。私達の努力はついに無駄になってしまいました。そうして私たちの行為にあらゆる障害を加えられるようになりました。また至る処であやまった世間の好奇の目に映じた外面的な皮相な行為を真似て得意らしく往来を闊歩（かっぽ）して人々の嘲笑的好奇心を集めて喜んでいるようなえたいのしれない女たちがぞくぞく現われました。そうして社員組織の禍いはここにも及んでそれ等の厄介な人達の行為の責任がすべて青鞜社に持ち込まれました。おとなしい内輪な平塚氏と純下町式娘の小林氏と小さな私と三人が生真面目な顔して編輯している青鞜社が女梁山泊（おんなりょうざんぱく）と目されるような滑稽なことになって来ました。私たちは腹の底から涙の滲み出るような口惜しさ情なさに幾度か遭遇しました。そして私たちはだまって各自勉強をつづけて充実を計るより他に道はなかったのです。

侮蔑されながらも好奇心でのお客様が多かったためか雑誌の発行部数はずんずんふえて行ったらしく思われます。経営の方もさほど苦労しなくてもよさそうに思われ出しました。それに社のために新らしい計画のために職を辞して来たY氏のために——その計画が破れて氏は職を失われた——何とか生活方法を立てなければならなくなったので氏が内部で働かれることになったのですが氏のともすれば感情に依ってのみ人を知ろうとする態度は書店との交渉に何時も嫌われ勝ちでした。そうしていろんな時を経て終にY氏の手によって経営されることになりました。そうして経営の方面にY氏がかかって私がそれを手伝い平塚氏を助けて小林氏が編輯することになりました。けれどもその頃からもうもとのままの発行部数では少し多いと考えられるようになりました。そうして素人の手にはなかなかうまくはゆかなくなりました。そうしてそのころから平塚氏は独立して家をお持ちになることになりました。社の当時の経済状態は二人の人の生活費を出すことはかなり困難らしく思われました。そうして私と小林氏は専ら書くことになってひとまず編輯の手伝いも経営の手伝いも止めてしまいました。私の生活もその頃からいそがしくなりました。子供のために大部分の時間を費さなければならなかったのです。その間かなり社の事情とは遠くなっていましたのでよくは知りません。けれど平塚氏とY氏の間に何かのことがあったらしいことは察せられます。その頃は平塚氏もまたY氏も自分自身の内生活のためにかなり苦しんでおられた時でしたしその頃のことは平塚氏によってもっとはっきり説明されるでしょう。私はとにかくその間の事柄はあまりよく知らない。種々な折衝があった後平塚氏が一人で経営されることになりました。

けれども漸く好奇の目が醒めて来ると、いままでとは経済状態もずっと変ったらしく思われますし一方にはまた重なる圧迫のために社員の大部分は退社を余儀なくされて残っている人達（ひとたち）も割り合いに周囲をはばかる人達の方が多く、沈黙してしまったりして雑誌の上にも生々したものが見えなくなって何となく寂しさが漂ったような風に思われて来ました。で経営の困難とその上たった一人で何から何まで小面倒な仕事を執るということは——また時間の余裕のないことと一緒に——平塚氏にとってどのくらい辛かったかという事は私にも充分お察しが出来ます。それはあまりに氏のどの点からいっても不適当な労働でありました。そしてそれはほとんど半年間続きました。私は氏のその仕事に出来るだけのお手伝いはしたいと思いましたけれど丁度私も前にもいう通りに子供のこと家のことに大半の時間は割かれそしてなお喰べることの労役にも服しなければならないというような忙しい生活の中からとてもお手伝いが出来そうにも思われませんでした。

しかし六ヶ月間の不当な労働が平塚氏を極度の疲労に導きました。氏は何とかしてもう少し時間を得ようと務められました。経営はさほどまでに苦しいというでもないのですがとにかく厄介なので何処か適当な書店にまかせようとなすったのでした。しかし何処も何処もとり合ってはくれませんでした。そしてそれらの商人との交渉に費された多くの時間がさらに氏を困惑させました。そうして氏は十月号の編輯を終ると旅に立たれることになりました。後は私が当分代理することにして。

その頃から私の思想の方向がだんだん変って来たのをいくらかずつ私は感じ出しました。今まではどうしても自分自身と社会との間が遠い距離をもっているように思われました。そして社会的になることはともかく自分自身を無視することのように考えられていました。それが何時の間にかその矛盾を感ぜられなくなって来たことです。私は幾度も幾度もそれを考え直してみました。けれどもどうも前の自分の考え方がまだ行くところまでゆきつかなかったのだとしか考えられなくなりました。そうして今まで一番適当な態度だと思っていた態度にあきたりなくなりました。今は社会的な運動の中に自分が飛び込んでも別に矛盾も苦痛もなさそうに思われました。ただ併しまだ考え方が進んだだけで私の熱情は其処(そこ)まではまいりません。

十一月号の編輯をしている間に私はいろいろなことを考えました。私は充分に働こうといたしましたけれど家のことや子供に大部分の時間をそがれてどうしても思うように動けませんでした。そうして遅れながら雑誌が出来上ったとき私は私の仕事の間抜さ加減がいやになってしまいました。そのみすぼらしさがかなしくなりました。私は何を考えるひまもなくすぐに御(おん)宿(じゅく)の平塚氏の処へ長い手紙を書きました。

それは重に雑誌が不出来なことととてもこんなことでは駄目だから十二月号の編輯もお断わりしたいということそれから私にはその少し前から平塚氏の生活と雑誌の仕事とが別々になっているような気がしてそれが平塚氏のためにもまた雑誌のためにもよくないと思っていましたのでその際私は思いきって平塚氏に雑誌をすっかりあなたのものにして――事実そうなんですから――そしてずいぶんいままで入っていた不純なもののために満されたと誤解されていることもそのままになっていますからこの際すべてそれ等を人々の前へ掃き出して隅々まで人々の目が届くようにあいまいなものなんかないようにして立派にあなたのものとしてとり入れそして経営なすったらどうでしょう。私はそれが一番最上の方法だと思います。けれどももしあなたの精力がそれを許さないでそしてまたいろいろ続けてゆく上にあなたが真実に苦痛をお感じになれば私はあなたから私に全責任を負わして頂いて私の仕事としてもよろしゅう御座います。しかし今のような状態では何となく私のやっていることがどっちつかずでそしていろいろな点にもあなたに対する心づかいが私自身を不快にしていけませんからとても十二月号は出来そうもありません。こういえばあなたはきっとそんな心遣いなんか止せと仰云るかもしれませんけれども私にはやはり駄目です。とにかく熟考なすって下さい。私は今自分のやった仕事のあまりのみすぼらしさに腹立たしさと悲しさとで一杯になっていますからまだ本当の考えでないのかもしれません。何しろ私も考えますがあなたも考えて下さい。というようなことを書き送りました。

折り返し氏から返事が来ました。それには自分はとにかく前から考えているがまだそれはきまらない。あなたのいう二つの方法についても考えるけれども十二月号だけはとにかくやって欲しいというのでありました。私も一たん約束したことではあるしするから編輯にかかることにしたのですけれど何をやっていてもそのことばかり頭にこびりついていて他のことを何にも考えることが出来なかったのです。

だんだん考えていますうちに平塚氏があんなにも苦痛に思うのならば或条件のもとに自分が続けて行ってみればやれないこともないだろうから行ってみようというような気になりました。それには私の生活の形式もすっかり違えなければならないし種々厄介なことはあるけれどもそのくらいは当然だと思いました。勉強する時間がどうかと思われましたが事実今まではまったく勉強を怠っていましたしまたそれを見出すことも困難でしたけれどももし私たちの日常生活の形式を更えるとすれば私は当然そのくらいの時間は見出せると思いました。そうしてとにかく雑誌をつづけている間は語学の勉強だけでも満足が出来る。私がこれから十年ひとりで忙しい思いをした処でまだ三十だ。まとまった勉強はそれからでたくさんだ。十年のうちには少しは手伝いをしてくれる人くらいは出そうに思われます。そう思って私は私の仕事にしてやってみる気になりました。そうして私は平塚氏が何時もまとまった勉強の時間のないことやまとまった仕事をしないことを苦痛にしていられるのを知っていますのでもし私がうまくやっていって平塚氏が安心して自分の勉強をしそして何かの仕事を仕出かされたら自分もどんなにかうれしいだろうと考えました。そうしてすぐに手紙を書いてその心持を伝えようといたしました。そうして私は私が雑誌を引きつがしてもらうとすればそれに添う条件なども考えました。すると私は常々私を快く思わない人たちのあることに気づきました。また何でも間違った早合点をばかりする人のあるのを考えました。それで私は其処に妙な誤解をされることになるとせっかく、さらに一歩切り開いて進もうとするのを妨げられるような気がいたしました。私はいろいろに考えました。けれどもとうとう私は私の心持をありのままに書きました。そうして私はいろいろな誤解をのぞくためすべての責任は私が背負います。ただ署名人にかかるようなことは決していたしませんから署名人にはあなたになって頂きたいということを書きました。私はその手紙を書いて出してしまってからもいろいろに迷いました。そうして平塚氏の返事を待ちました。それが十一月十三日だったとおもいます。そして十五日に思いがけなく平塚氏が訪ねて見えました。氏は御宿を立つとき私の手紙を見なかってこちらへ帰って来ると同時に廻送されて曙町のお宅で見たと仰云いました。

そうして氏は御宿を立つときまで私の手紙を見なかったので廃刊にするか休刊にするかの決心であったと仰云いました。何だか私はそれを聞くと意外な気がしたと同時にどうしても私がやるという決心はいよいよ堅くなりました。氏は今の処何にも書く気になれないしとても雑誌の経営などは出来ないからあなたにやってもらえば私も一番安神だけれどただだんだん経営は困難になっていくし先きに行ってあなたの困るのが見えているからそれをあなたにいってあげたいと思って来た。とても今のままではやってゆけないからと氏は私のためにもう一度考え直せとすすめられました。けれどもその時私はもう再び考え直すまでもなく何処までもどんな苦痛に会ってもやる処まではやってみる気ですといいました。平塚氏は繰り返し繰り返し私が考え直すことをすすめられました。けれども私が万一のいきづまったときの恐れのために止めるといい出せば氏はやはり御宿を出るときに考えられたとおりに休刊か廃刊になさるに相違ない休刊は廃刊よりもさらに愚な事だ止めるのならば廃刊の方がいいとなります。

　創刊後もう三年以上も続けて来てまだそういきづまったというほど迫ってもいないのに廃刊するのはいかほど考え直していても惜しい。殊にこの創刊後とやかくいわれ続けては来たけれどもそれでも幾多の若い人達を助けて来たことを思えばなおさら捨てられません。私自身がまず一番に青鞜によって育てられました。歌津ちゃん、がそうです数え出すときりのないくらいです。そうしてまだこれからがさらに長い大きな未来をもっているのです。これからどんな人が生れるかもしれません。私はそのことを思いますとても思い切って投げ出す気にはなれません。殊に私は或る時にふと目に触れた私共に対する批評の中に『彼等は人々の好奇心によって生れたものだ。人々の好奇心が失くなって存在しよう筈がない。』という言葉が雷のように私の頭を横切りました。私はあやうく涙が出そうになりました。『どんな苦痛と戦ってもやってゆく！』私は固く固く決心したのでした。

私は私のためにわざわざ、他人ならば困難な事実やなんかを覆いかくしても自分のいやなことをひとに押しつけようとする処に、私の処まで出掛けて来て親切にそれ等を話して考え直せといって下さる平塚氏のやさしい気持に感謝しながらもそう決心したのでした。そして私は大きな重いものを背負いました。けれど其処で私を最も暗い気持ちに誘ったのは私の年が若過ぎるということとそれから子供を充分に見ることの出来ないことでした。それから世間のいろいろな間違った取り沙汰に答えるのも一苦労でした。

世間の表面に立って仕事をするというのには私はあまりに若過ぎました。私はそのためにきっと知っている人からはたよりない不安を抱かれるだろうと思いました。また馬鹿にもされそうに思われました。あんな小供に何が出来るものかと思っている人達だってきっとあるでしょう。けれどもとにかく年の如何にかかわらず自分のやるだけのことはやってみます。助手の資格しかない田舎者の私がどんなことをやり出すか見ていて頂きたい。とにかく私はこれから全部私一個の仕事として引きつぎます。私は私一人きりの力にたよります。私は誰の助力ものぞみません。そうして今までの社員組織を止めてすべての婦人たちのためにもっと開放しようと思います。十一、十二と二ヶ月間やった私の経営では経営はさほど困難ではありません。この分ならどうにかやってゆけます。けれどももし私の力が微弱なためにもっと困難になって来たら私は或は雑誌の形式をもっと縮小するかもしれません。或はまたもっとひどくて雑誌の形式がとれなくなるかもしれません。併し私の力のつづくかぎりはたとえ二頁でも三頁でも青鞜は存在させるつもりです。或はそうなったときにその微弱な誌上にもっとも尊く真実な純なるものがきらめくかもしれないと思います。私はそうなることを望みはしませんけれどももしそういう場合に相遇したときの要心に今から断わっておきます。

平塚氏は半年もしたらまた書けるようになるかもしれないと仰云いました。私はその時に本当にいいものが頂けることを確信しています。

私は一方にそういう仕事のことで考えながらも子供を育ててゆかなければなりません。私はただあたり前に背丈が延びてさえゆけばいいというような育て方では気がすまない、私は出来ることなら一日子供についていてその一挙一動も注意して育児ということだけを仕事にしてみたいというような欲望もかなり強いのです。それで仕事のことにばかり時間をとられて子供のために空かしておく時間のないことがまた私は苦痛でたまりません。これまで一ヶ年以上私は少しも他手（ひとで）に委（ゆだ）ねずに乳も自分の以外にはやらずに育てて来ました。私は子供をおいて外出するようなことも全く稀（まれ）なのでした。此度は一々連れ出すことは出来ませんからおいてゆかねばなりませんけれども私にはそれがたまらなく苦痛なのです。時々留守の間に私を思い出しては子供が其処にかかっている私の不断着の傍にはい寄ってそれをながめては泣き出すなどいう話を帰って来て聞きますと涙がにじみ出ます。私の仕事の価値も疑わしくなるほどです。本当にそれは不思議なほど私を悲しませます。考えていますと私の最上のそして真実な一番尊い仕事といえば子供を育てる事らしくさえ思われて来ます。私はこんな幼い子供にたまらない寂しさを感じさせることを平気で忍ぶことが出来ないのです。そしてそれがいい結果を子供の上に齎（もた）らすとは思いません。けれどもやはり私は仕事をしなければなりません。私は子供に留守をさせることに慣らしてしまおうとして忍んでいます。幸いに子供は安心してなつくことの出来る小父（おじ）さんと小母（おば）さんを見出しました。私は漸く気安く外出することが出来るようになりました。

その次には私が雑誌を引きついだことについての世間の評判です。

最初私と平塚氏はこの話は二人きりのことにして一月に発表することにしようとしたのでしたが、思いがけなく意外の人から洩（も）れて噂はうわさを生んで私たちが知らない間にいろんな憶測がだんだんに誇大されてさも誠（まこと）しやかに話されていたのです。それで私は一層十二月号に発表してしまおうと思いましたが平塚氏からの注意でやはり十二月は止して一月に発表することになったのですが少々の誤解はそれで仕方がないとしておきました。しかしそれほどひどかろうとは思いませんでした。

或る日私の処へ読売新聞の記者が面会を求めました。会いましたらば此度あなたと平塚氏が何かあってお別れなすったそうですがどんなことがあったのですとのことでした。私は前のような事情をかいつまんで話してみましたが何だか信をおかないような顔していました。そしていろいろなうわさばなしをもちだしてあれもこれもと私に真偽をたしかめるのでした。それは一つも事実ではなくみんないい加減な捏造(ねつぞう)でした。それは平塚氏が懐妊されたということ、奥村氏と平塚氏は別れるということ、私と平塚氏と衝突したということなど重なことでした。私は一々否定しましたけれど、かなりしつこく聞きましたので私は笑ってやったのでした。私は実際世間の人たちのひとり合点な浅薄な取り沙汰に呆(あき)れました。私たちには何でもなくわかる平塚氏の心持を少しも理解することが出来ないです。本当にただもう表面に具体的にあらわれた事実より他に何にも見ることが出来ないでそれに依ってのみ物を判断しようとし、またそれを間違いのないこととのみしている人達の気持ちが私には寧(むし)ろ不思議に思われるのでした。

本当にこの広い世間に平塚氏の此度の態度を真実に理解し同情をもつことの出来る人が幾人いるのだろうと思うと私は何故か悲しいような気になりました。

私にしても平塚氏にしても雑誌をやることになったってならなくったって以前と少しも改まった気持ちにはなりません。いろいろな取り沙汰が新聞で紹介され続けていても私と平塚氏はいそがしさにはがき一枚もろくに取りかわさなくても私達の友情には何のかわりもなくおなじ気持ちでいられる程私達の間は平なのです。

聞けば時事新報の記者柴田氏はわざわざ御宿まで出かけて真相をただそうとなすったそうです。私は何といっていいか笑っていいか、怒っていいかわからなくなります。本当にただ妙な世の中だというより他仕方がありません。

其処で私はこの雑誌の経営を自分の仕事として引き受けはしましたが私は今までどおりの規則ではやりたくありません。

まず私は今までの青鞜社のすべての規則を取り去ります。青鞜は今後無規則、無方針、無主張無主義です。主義のほしい方規則がなくてはならない方は、各自でおつくりなさるがいい。私はただ何の主義も方針も規則もない雑誌をすべての婦人達に提供いたします。ただし男子の方はお断わりいたします。男子でももし婦人に関する事柄について重要なことをお書き下すったのならそして多数の婦人のためになることなら場合によっては掲載いたしますこともありますが しかしやはり主として婦人の専用であることは以前どおりです。立身出世の踏台にしたいかたはなさいまし、感想を出したい方はお出し下さい。何でも御用いになる方の意のままに出来るように雑誌そのものには一切意味を持たせません。ただ原稿撰択はすべて私に一任さして頂きます。私は書かれたものが何であるにしても真実な心で書かれたものならば本当に尊敬いたします。虚偽は一切排斥いたします。真面目に本当に自身を育てて行こうとなさる敬虔な婦人達の前に何かのお役にたつべく提供いたします。私の煩雑な労役の苦痛は例え一人の人でも雑誌の存在の無意義でないことを思って下さる方があればそれで償われます。否、否間違っていました。自分でその無意義でないことを見出すことが出来ればそれでいいのでした。私は間違っていました。

私は自分の仕事の価値については考えるだけ愚だと思います。理屈はどうにでもつきます。今の処私は自分が単なる一個の雑誌経営編輯の労働者で終ってもいいと思っています。しかし何時までも同じ処に考えが止まっているわけでもありませんからこの考えがまたどうかわってゆくかわかりませんがとにかく今の処では出来得るかぎり努力しようと思っています。

だいぶくどく書きましたが要するに平塚氏の仕事を私が引きついでやるということには何の曲折もありません。ほんとうに普通のいきさつです。私たちには世間でそういうことを何か大したいわゆる事情でもあってのことのようにいいはやすのがおかしくてたまらないくらいです。平塚氏ももっと静養し勉強なすったらまたきっと此度はいいものをたくさんおかき下さる筈です。

とにかくこれ以上に私はくだくだしいことをいおうとは思いません。今何をいってもわからなくても時はずんずんすべてを引つづいて進んで行きます。そのうちに自然に解る時が来ることを私は信じます。何時でも私は平塚氏に対しては私の手をとって歩けるようにして下すった先輩としてまたやさしい友人として能うかぎりの尊敬と親しみを持っています。何時までも何時までも平塚氏は私の唯一の離れがたい最も貴重な私の友人であることを信じます。恐らくは此度も私のこの心持を受け入れて下さるだけの愛を私の上に持っていて下さることと自信いたしております。

『青鞜』第五巻第一号、一九一五年一月号

矛盾恋愛論

現在の私達若い婦人を最も多く自分自身について考えるように導いたのは恋愛でありました。恋愛という言葉が真にいかなる実質を持っているかということを考えるよりさきに私達は知らず知らずの間にそういう言葉を平気で使用することすら慎しみのないものとして卑しめられるように教育されて来ました。それ故若い婦人達の多くの覚醒の緒が其処に在るということは極めて自然なのであるにもかかわらず社会から、また周囲の人々からはただ放縦なわがままな慎しみのない卑しむべき婦人のように嘲笑を浴せかけられるので御座います。

けれどもすべての僻見をすてて真に恋愛というものがいかほど人の心を純にし敬虔にし優しくするかということを考えてみると愚かな一般の人々の考え方がいかに浅薄で笑うべきかということは自と了解されるので御座います。

いずれの点からいっても男子と女子との結合が不自然だという理屈は有り得ないように思わ

れます。若い男と女とが何故愛をもってつながることが不都合なのでしょう。不都合という言葉は多くの場合に説明の出来ない不合理なことを覆って虚勢を張るのに用ゆるのには都合のいい言葉になっているようです。この場合にも辻褄のあわないいろいろなものを習俗という根底を持たせてうまく覆いかくした言葉に過ぎません。

すべての人々の多くの親は子供に偉くなれ優ぐれた者になれといいながら優れた者は信じないで標準を自己にとりしかも子供はよりずっと下に見下しています。こんな矛盾した態度がまたとあり得ましょうか、幸いに人類の目的が多くの親の態度いかんにかかわりなしに進められますからそれでいいのですがもしもそれらの愚劣な親々の態度通りに運ばれたら世の中は何時になっても進歩することはむずかしいでしょう。

皆親達はタイムのありがたさを知っています、貴さを知っています。そして自分達が私達若い者たちよりもずっと長い時間を生きて来たことをもって、その時が齎らした経験の豊富を私達への唯一の誇としています。また権威として持っています。けれども彼等の考えは本当に浅はかでたった目前のことと自分の実感とより他信じることの出来ない人達です。彼等にとってはまるで空想などいうものは価値のないものです。まして未来の時のみを信ずることなんかはほとんどありません。そしてまた彼等は自分の利害範囲だけしか考える価値のないものだと思っています。ですから自分の利害の観念を去って他の上を考えてみるとか自己の意志や行動を批判してみるなどいうことは全然ないといってもさしつかえはありません。それで彼等は時々刻々に新らしい何物かを建設しつつ記録を残しつつ永遠に向って同じ処を二度とは繰り返さずに未練も容赦もなしに進んでいることなどには気がつきません。彼等はただ彼等が私達より前にすでに持っていた時がその齎らした経験があるのみです。それと都合のいい時だけは歴史的事実が持ち出されます。けれどもその歴史というものが一貫した時の営みで今もそれがなおつづいていて自分がずっと取り残されているということにはどうしても気がつかないのです。それで親達は自分の子供達がすでに自分達の誇っている経験をすでに智識として取り入れた者をその上に新らしき時と共に新らしいものを発見しようという態度や心持がまるで解らないので御座います。彼等にはただ子供たちが形もないものに迷わされて追うように見えてあぶなっかしく不安なのであります。その不安や心配を理屈なしに不安や心配として子供たちの説明に心から耳を傾けて考えることが出来さえすればその心配は必らず失くなるにきまっているのですが妙な虚勢を張ったりつまらない権威を見せようとするためでその固い下だらない努力のために気持ちに隔たりが出来てついに誤解を生ずるのであります。それに彼等はただ教えられたことと自然にしみ込んだ習慣より以前には何物をも知らない、いずれが真実でどれが虚偽だという見さかいはさらにないのです。それ故彼等は自分の知っているものより他の者に向っては尊敬する何物をも持たないのです。だのに偶偶（たまたま）子供たちにより以上の理屈をいわれたり行為を見せられると彼等はその尊敬を害されて狭い彼等の真偽の判断すらあやふやな心はたちまちかき乱されて子供たちをまるで敵かなんかのように思い出すので御座います。

今の若い人達の恋愛事件に対する年長者の態度は以上私のいった処によって大抵わかるように思われます。彼等は旧い思想感情によって恋愛は罪悪だと考えているのでございます。しかしその罪悪視する理由は？　といえばそう大した理由はないのです。それは主として親の都合によって斯くの如く制限されたものらしく私には思われます。私たちの見なれた旧い芝居とか或は小説や脚本にしくまれた恋愛事件は私たちの親達の旧い道徳や習慣の真相をずっとたしかにはっきりと私たちに語ってくれます。自由恋愛が罪悪のように思われるのは、従来の結婚の手続きが他人すなわち媒介人や双方の両親或は親戚などいうものによってなされるのに彼等の真の恋愛が邪魔をする場合が多いからで御座います。故に世間の多数者はその不都合な結婚の形式を破ることをせずに自分たちの利害関係から本人達を無視して自由恋愛が親やその他の者に多くの場合に苦しい思いや不自由な思いをさせるのを理由として不孝の罪を必ず犯すものとして恋愛を罪悪視したのです。そうしてこの観念は年月と共に流れて多くの歴史的事実を添えて誇大されまた確実にされました。そうしてこの不都合極わまる道徳はこれまでに幾多の若き善良なる男女を苦しめまた失ったかしれません。それ等の幾多の事件は脚本にかかれ浄瑠璃となり芝居に仕組まれて今までは若き男女のいましめと称して見せたのです。けれどもその同じ芝居や脚本が私たちの前にはことごとくその道徳の魂胆が見すかすに何の努力も要しない程正直にまた明らさまにその弱点を書かれたのは何という滑稽なことで御座いましょう。またそれをいましめだと云って見ている人達さえその美しい恋のために若い主人公たちのために、その事件に教訓を得ようとする人たちにとっては主人公達よりも大切な主人公の親たちのためによりもっと多くの美しい同情の涙を注ぐというのは何という奇妙な現象でしょう。

恋愛を罪悪視するということは、今はもう私達にとっては無意味というよりは滑稽な事柄に思われます。そうして世間から私達が反感を買う大部分の理由は、其処にあるらしく思われます。男と女とが恋をするということが何故いけないことなのか、それならば何故世の中に夫婦関係というものが存在するのか私は了解に苦しみます。世間の立派な美しい賢明な奥様方はそれを何と説明あそばすでしょう。

何にも御存じない御嬢様方を親達の手から一生の扶養を約束で買いうけた男たちの前にもしも世間とかそれからまたいろいろな習俗や道徳や制裁するものがなかったら男子のわがままな要求がどのくらいあなた方を苦しめるかその暴虐がどのくらいあなた方を泣かせるかあなた方は御存じですか？　あなた方は何に依って結合してお出です。あなた方の結合は外面的です。親の承諾、他人の仲介、世間の公認それが果してそれだけの力があるのです。一歩内へ進んで、もまず子供という絆でしばられているくらいが関の山でしょう。もしもあなた方の前に好意をもっていた親や兄妹やもしくは世間が抗議を申込んでもあなた方はそれを峻拒するに必要な何の力も持ってはお出でなりますまい。それにくらべると恋愛によってつながっている男と女とはずっと立派です。彼等はどんな迫害が二人の前に押し寄せて来ても恐れません。何時も彼等は微笑んでいることが出来ます。彼等は外面的にいかほど多くの苦痛はもっていようとも堪えてゆかれます。彼等は純な親しみと尊敬を何時も相手に持っています。彼等は男と女と個々のものを持って守っているのではなくてお互いに能うかぎりのものを与え食って生きています。彼等には不安なものや恐ろしい者はないのです。ただ彼等きりの世界に彼等きりで生きています。彼等は彼等の権威をもっています。

けれども彼等が其処まで行くのにはずいぶん苦しまなければならないのです。皆が大抵の人が途中でまいってしまいます。私はこれから恋愛によって覚醒の緒を得てそれから彼等の苦痛と戦い圧迫と闘う径路を私自身の辿った気持ちに従って書いてみたいと思います。

『廿世紀』第二巻第一号、一九一五年一月号

貞操についての雑感

在来の道徳の中でも一番婦人を苦めたものは貞操であるらしい。

私は今までかなり貞操ということについては他人の考えを聞いたり教えられたりしたけれど私自身のちゃんとした貞操観というものは持たなかった。私は本当にそのことについてはそう考えるようなことに今まで出会わなかったし自分でも是非考えなければならないことであるとも思わなかった。併し今まで他の人々のいわゆる貞操観を聞くたびに多少の意見は持たないでもなかった。

このたびはしなく生田花世氏と安田皐月氏の論文によって私は始めて本当に考えさされたけれどもそれとてもやはり両氏のお書きになったものを土台としての自分の考えでまだちゃんとした貞操観にはなっていない。

十日頃平塚氏と会ったときその話が出ていろいろ話してみてまたさらに自分の考えを進めて

みた。けれども結局本当に痛切な自分の問題にはならなかった。そうして最後に私が従来の貞操という言葉の内容について考え得たことは愛を中心にした男女の結合の間には貞操というようなものは不必要だということだけであった。

在来の貞操という言葉の内容は「貞女両夫に見えず」ということだとすれば私はこんな不自然な道徳は他にあるまいと思う。

こういうとまた其処らでいろいろうるさい理屈をいう人があるかもしれないけれど例えばここに良人に死別れた婦人があるとしてもしもその婦人が死んだ良人に対して何時までも同じ愛が続いていてそれが動かすことの出来ないほど力強いものであるならばそれはその婦人にとっては独身でいることは不自然でなく普通な事柄であるといわなければならない。しかし多くの世間の寡婦達の間にはそう何時までも寡婦でいることを幸福だと思っている人ばかりはない。貞操という道徳観念をその人達の頭から取り去ってしまって欲するままに動かしたら屹度その人達がよろこんで相手をさがすことは必定である。またそれは決していけないことではないと私は思う。極めて自然な事柄である。

最も不都合なことは男子の貞操をとがめずに婦人のみをとがめることである。これは最も婦人の人格を無視した道徳であると思う。男子の再婚或は三婚四婚は何の問題にもならぬが婦人の相当の人達の再婚はすぐと問題になる、これは何という不公平なことであろう。男子に貞操が無用ならば女子にも同じく無用でなくてはならない。女子に貞操が必要ならば同じく男子にも必要でなくてはならない。ところがこの不公平な見解が一般の婦人達をして大変な誤まった考えに導いた。

　私はその誤まった考えを生田氏によって初めて知ったのだ。私は驚いた。けれどもそれは氏が世間一般の人達のその卑劣な考えに対して皮肉なあてつけをいったのだと思ったけれどもあの論文をいよいよ深く考える程それが生田氏の本当の考えであることを知った。私は私達のすぐ傍にいる人にさえそういうあやまった考えが染みこんでいることを悲しく思った。それはこうである。

　婦人が処女を保つということは最もよき結婚に一番必要な条件を保つことと同じだということだ。今ここにあの生田氏のお書きになったのがないから引照することは出来ないけれども確かにそうである。「いい幸福な結婚が出来ない」ということが処女を失くした女の損失である。と生田氏はいっておられる。そうしてこの処女性についての生田氏の単純な考えが食べるという目前に迫った要求との争闘になった。そうしていい結婚をあきらめさえすれば処女を失くしたって構わないのだという考えが勝利を占めてついに氏は処女を失くされた。しかし女が処女を失くするということは例えそれが愛人に依ってであってもなお多少の煩悶をしまた悲しみの情を感ぜずにはいられない。しかもそれが単にパンとの交換問題とではどうしても及びつかないような気がする。極く普通な境遇でそうだ。生田氏の境遇は本当に大変だったろうと想う。私は喰べられなかった経験はやはり生田氏同様に持っている。どんなにそれが苦しいかは充分知っているつもりだ。氏はまだ貧乏といっても若干の収入があってのことだ。私は無収入で苦しんだ。二ケ月も三ケ月も満足に御飯にありつけなかったことだってある。けれどもどんなことがあっても人間が餓死するということは生きよう食べようということ以上に苦しいむずかしい忍耐の必要なことだと私は思う。乞食になって物を貰ってたべたってはずかしくはないと私は思う。たべるくらいはいろいろなぜいたくな心さえおこさなければ本当に窮迫のどん底まで落ちてしまえば却って楽だと私は思う。生田氏は食べることに苦労したということを一種の誇にしていられるらしい。それはもちろん随分たべる苦労も大変だがどんな尊いこともたべることと交換が出来るほどたべるということが大切なことだとは思わない。生田氏は安田氏に向って喰べることについてはあなたより先輩だ、あなたはお膳立のととのった前にばかり座っていらしった。私は自分でお膳立したといって真先にそれを楯にされたが私から見れば氏はまだ三度三度お米の御飯をたべておかずがなくては生きられないと思ってお出になるようだ。ひもじい思いをしては生きられないと思ってお出になるらしい。氏は自分だけでなく弟がいる。といってお出になる。しかしそれが三つや四つの子供ではないのだから一通りの理屈はわかる筈だと私は思う。

氏が本当に自分の処女というものを大切にしようとなされればまだそうたべるということくらいに動かされずに済んだのだと思う。けれども氏は婦人の処女を保つということの意義を単なる利益問題にしてしまわれた。其処に氏の考えの落ち度があると私は思う。そしてこの考えは日本婦人の大半にそういう間違った考えを持たした。

氏はまた処女を失くしたことは自分の永久のかなしみだといっていられる。それはそうあるべきである。そうしてそのかなしみは吉原や千束町（せんぞくちょう）の暗い家にいる女達の持っているのとおなじかなしみだといっていられる、いかにも、氏のゆきかたとそういう女たちのゆきかたは同じだ。彼女達もまたいい結婚をあきらめてパンと処女を交換した。氏もそうだ。氏の彼女等に対する同情の涙は氏自身への涙である。私は氏のその涙をけなしもしない笑いもしない。私は真実にいたましく思う。けれども氏のその苦しい涙はむしろより安価に買うことが出来たのだ。氏がわずかな餓さえ堪えられたらその苦い盃はのまずとも済まされたであろう。無教育な唯たべることと着ることより他に何物も持たない彼（あ）の吉原や千束町の女たちならまだ仕方がないけれどもとにかくひと通り物もよみ、書き、道理も解る方が何故もう少し考えられなかったかと私は遺憾に思う。自分には良人が有るからもう再びそんなことはないと氏はいっていられる。併し氏が「あの頃はまだ誰も自分の貞操を所有していた人はなかったから」といったようなことをいわれたことから見れば全然ないともいえない。その頃は夫も恋人もなくて他にそういうことをしても済まないなど思う人はなかった。しかし今は良人がいるから良人に対して出来ないといってお出になる。それは普通の理屈だ。良人があって愛人が食べるに困るからと身を売る女が何処にあろう。しかし何ういう事情で夫からまた愛人から去ろうも知れぬ。その時はまた所有主がないから食べるに困って同様なことをするだろうという理屈の成り立つことに氏はお気がつかないのであろうか。氏のことについてはこのくらいで止める。以上私の述べたことは私自身の思想感情によってのことである。だから私はこれが絶対の真理であるとはいいかねる。何故なら私はまず何故に処女というものがそんなに貴いのだと問わるればその理由を答えることは出来ない。それはほとんど本能的に犯すべからざるものだという風に考えさされるからと答えるより他はない。だから私は私のこの理屈なしの事実をすべての人に無理にあてはめるわけにはゆかない。もちろんつければいろいろな理屈もつくが無理にそういう表面的な理屈をつけた処で根本的な道理が解らなければやはり駄目である。で私の考えは以上の通りとしてまた他にこういうことも考え得られる。処女とか貞操とかいうことをまるで無視することである。そういうこともないとは限られぬ。またそれが悪くも何ともないことだということも考え得られる。もし生田氏がそういう態度ではじめから無視してかかられたのならそれはまた問題は自から別になるわけである。そうして私はもはや生田氏のその態度についていうべき何物も持たない。欲をいえば私はああいう弱い態度よりもこうした確信のある態度でいて貰いたかった。

氏は貞操を超越しようと思ったといっておられるけれど決して超越したのではなくて余儀なくさせられたのである。それもあくまで結婚をあきらめたという範囲を出でないで——である。独身生活をしようと決心したとはいうもののそれはあやふやな決心である。そう決心でもしなければ処女を捨てたいいわけが自分に対してたたなかったからである。それは決心でも何でもない。自分に対するはかない慰めであった。氏はただ徹頭徹尾女性の弱さを失わなかった。らいてう氏が生田氏のあの論文を読んで男子に同感され同情されそうな文章だと評されたのはもっともだと思う。男性を引きつくる女性の弱々しさが遺憾なくその根本の思想に表わされている。氏は何処までも従来のたおやかな弱々しい涙をたたえた婦人である。親のために身を売る婦人である。氏が単独で男子と同じ社会の表面に立って自活の生活に堪えられなかったのはもっともである。そうしてああしたことになったのも氏としてはすべてが自然であるには相違ない。

私がもしあの場合処女を犠牲にしてパンを得ると仮定したならば私は寧ろ未練なく自分からヴァージニティを逐い出してしまう。そうして私はもっと他の方面に自分を育てるだろうと思う。私はそれが決して恥ずべき行為でないことを知っている。現在結婚しつつある、また、したこれからしようとする男子のうちに真に結婚するまで純潔を保っている人が幾人あるかということを考えてみると私はそれにくらべて女子のしおらしさをおもうと腹立たしくなる。彼等にはそう婦人の貞操を云々といえる資格のある人はない筈である。彼等はそのことをまるで当然のことのような顔をしている。そしてかえって婦人の節操については往々甚だしい矛盾した侮辱が加えられる。

私はそれをいいことだとはもちろん思わないけれども傲慢な彼等の前に弱々しい涙のみを見せていないで強い態度を見せ得る人もあって悪くはないと思う。むしろ自分の行為に強い確信と是認の閃めきを見せる壮烈な女を見たいと思う。そして一方に処女を失うということについても前に述べたような単純な誤まった考えを打破することは必要である。そんな誤まった考えのために捨てなくてもいいものを捨てる女がどのくらいいるか知れないと思う、前にいったように生田氏の吉原や千束町の女たちと同じ悲哀だというようなことをいって自分を慰さめている間は何時までたってもその日蔭の女たちを明るみへ出す日はない。それ等の女たちと同じだと自分で叫べる程に徹底することの出来る氏が何故処女を捨てては結婚が出来ないかとまで考えをお進めにならなかったことを私は残念に思う。

私はさきに処女を大切なものだといった。けれどもそれは万人にあてはまる真理ではないといった。併し最近に私の聞いた処によると女が一度男子と接触すれば血球に変化が起ってもはやその婦人の純粋のものではなくなってしまう。だから此度他の男子との接触の場合にはやはりその女の血球は第一の男によって影響せられた上にまた第二の男の影響を受けるのでもし第二の男との間に子供が出来るとしてもその子供は純粋な第二の男と女との子ではなく幾らか第一の男の影響がある。という理屈がある。そう聞けば処女を許すということもよほどきびしい理由が付くがまた他の人に聞くとそれはまだ俄かに信ぜられないことだという。それは千人が万人のうちには左様な例がないとも限らないが併しその僅かな例を持ってすぐにそれが動かすことの出来ない真理だとは考えられないとその人はいう。それもそうらしく思われる。何しろ何故処女を犯されるということがそんなに女にとって大事であるかという理由は私にもはっきりとはわからない。私は左様な道理をさがすほどにまだ熱心にはならなかった。だから私は処女を失くしたものがいい結婚の出来ないという理由はきっとないだろうと思われる。ただそのことだけが結婚の最も必要な条件であるとはいわれまいと思う。いうまでもなくそれは結婚しようとする男女両人の愛のいかんによって定まるのである。もしその結婚しようとする婦人の処女が既に犯されているということが相手の男子をして悩ます場合は仕方がないとしてもしも男子がそのことを是認しさえすれば何でもなくいい結婚が出来る訳である。現に生田氏はそうして幸福な結婚をなすったではないか。私は女が処女を失くしたからといって必ず幸福な結婚の出来ないという理由はないと考える。何故もっと婦人達は強くなれないのだろう。もう一つ例を挙げれば正直な人たちはそうして処女を失ったことを涙と共に告白してかなしい独身生活とかいうあきらめの陰にかくれている。けれども不正直ないわゆる悧巧な人達は処女を失ったということ等は知らぬ顔で立派な結婚をして幸福らしく暮している。私のわずかな知人の間にすらそういう悧巧な人達はどのくらいあるかしれない。そういう人達よりはまだ正直な人々の方がどのくらい尊敬する価値があるかしれない。不正直な女、傲慢な男にはいくら幸福らしく見えても真に幸福な結婚はむずかしい。ただ正直な真実な心を失わない女とその価値を認めることの出来る男とは幸福な結婚が出来る。生田氏もまたその幸福な結婚をなすった一人だ。なぜ氏はあんな弱々しい涙のかわりに虚偽な貞操観の下に屈伏せずに堂々と失われたものよりもさらに自分を幸福にした自分の誇りで安田氏におむかいにならなかったろう。さらに私は思う。世間の寡婦たちがつまらない貞操観に囚われて味気ないさびしい空虚な日を送りながら果敢（はか）ない習俗的な道徳心にわずかになぐさめられている気の毒さを——。何というみじめなことであろう。

　ああ、習俗打破！　習俗打破！　それより他には私達のすくわれる途（みち）はない。呪い封じ込まれたるいたましい婦人の生活よ！　私達は何時までも何時までもじっと耐えてはいられない。やがて——、やがて——。

『青鞜』第五巻第二号、一九一五年二月号

私信——野上彌生様へ

八重子様

本当に暫く手紙を書きませんでした。この間の御親切なお手紙にも私はまだ御返事を上げないでいました。御病気はいかがです。私はやはり落ち付かない日を送っています。もうすっかり新緑になりましたね、この頃は毎日染井が思い出されます。本当に彼処の晩春から初夏にかけての殊に夕方のよさったらありませんね、私たちもまた、彼処へかえってゆきたくなりました。去年の今頃は毎日のようにあそこの垣根から声をかけてはよく立話をしましたっけね、読んだものの話、それから書いたものの話ね、興味につられて何時までも何時までもはなしていましたね、丁度あの頃あなたはあの窓の下でソニヤを一生懸命にやっていらしたんですわね。そして、私にいろいろな興味深い話を聞かして下さいましたのね、私たちはあの垣根越しに、他の人たちがお座敷で三年もなじんだ人よりももっと親しく気安くあんな興味のある、そして、普通の垣根ごしに話される話とはずっとちがったはなしを随分しましたわね。

　それにくらべると私のこの頃の周囲のさびしさったらありませんのよ、不精でちっとも出かけませんので無論来て下さる方もないしそれにお友達をそんなにたくさんもちませんので時々聞いて頂きたいような話があるときはさびしくなります。私のお友達ったら、まあ、あなた、平塚さん、哥津ちゃん、くらいなものでしょう、話したいと思ったときに聞いて貰える人があればば本当にいいと思いますわ、Tが大抵の話は聞いてくれますし、解ってもくれますからそれでどんなに助かるかしれませんけれどもある特異なことになると一向男の興味が向かないことがよくあります。私はかなりおもしろいと思って熱心に考えていても話している人に興味が乗らないくらいおもしろくないことはありません、そんな時には、家の中に座っていてよんでも聞こえるくらいだったあのあなたに近かった家を思い出します。私の不精はだんだん昂じて来てこの頃でははがき一本かくことでさえおっくうなのです、ですから無論誰ともはなしもしませんし、聞きもしません、ただ話たいことだけがやたらにあります。けれど自分のはなしたい事を話すまえにお答えしなければならないことがありましたっけね。

　私はあのお手紙を拝見してどうしてそんな噂があなたのお耳に這入ったのかと思いましたわ、そりゃ噂ですもの、とんでもない処にでも聞こえるのがあたりまえですけれどもね、でも私はそう考えるとすぐあとからどうしてそんなうわさが出来たかふしぎになりましたの、だって私たちは別に何でもないのですもの、もとのままの二人ですもの、ちっともかわってやしませんのよ、ですから誰がそんな途方もない事をいい出したのだろうと思いましたの、でも、それもすぐと分りましたの、あなたは噂の内容をくわしくいって下さらないから分りませんけれど多分Nという、今は旬刊雑誌の『D』にいる男に関係したことなのでしょう。それだとわかります、本当に何時も何時もいうことですけれどどうしてこうありもしないことを事実にしていい立てるのが皆うまいのでしょうね、しかもそれが一かどえらそうな顔をしている人達ですからね。

　私はあのNという人は大嫌いなのです。それだけ申あげれば私の性質を御存じのあなたはあなたのお耳に這入った下らないうわさを立派に否定して下さると信じます。実際私はあの人の批評をよんでいて、頭の明晰なことや観察の緻密なことには感心します。けれどもどうも何となく虫の好かない人なのです。それに、あの人は以前どんな人の作品だって決してほめませんでしたね何かしら、けなしつけていたでしょう、それに私に会ってから急に私を賞(ほ)め出しました。続けざまに賞めました。でも私は、それよりも『D』に書けとすすめられるままに書く約束をしてしまいますと、何かにかこつけてその人が度々来るのがいやでたまらなかったくらいです。全く理由もなしにいやなのです。私はその人が来そうだと思っただけでも気が重くなる程でした。好きだとか嫌いだとかいうことは実際自分ながらどうすることも出来ませんわ、向うの人にそういうそぶりを見せることをしないようにしようとすればますます自分が不快になるばかりですから、私はとうとうその人にいってやりましたのよ、どうしてもあなたが嫌いですってね、するとその人はそれは自分も知っているし自分のうまれつきにもよるからただ理解して頂きさえすればよいといって来ましたの、でもやはり近かづこう近かづこうとしているのが私には感じられるので随分いやでしたの、そのうちにだんだん不遠慮なことを書いては手紙をくれましたのよ、そして、初めとはちがってあなたの理性によるよりも心から親しみをもって貰いたいなんていい出して来ましたの、それから何かにつけて自分だけしか男には理解のないような顔をするのでしょうそれも私にはいやでしたの、そして私の家が無理解な人ばかりだから交渉のない人たちばかりだから嫌いだとか、かなり私の家庭生活を侮辱するような事も書いてありました。そしてTのことなんかよくも知らないで無理解な一人にしているんでしょう、私は随分はらが立ちましたから思いきって書いたひどい手紙をやりましたの、そしたらおどろくでしょうその弁解の手紙はね、まるで前の手紙とは矛盾しているのですもの、で私はそれっきり手紙をかきません、随分催促が来ましたけれど。何しろあの人は私の一番嫌いな性質の人らしいのです。これだけは私の理解性をいくら働かしても好きにはなれそうにもありません、そんなわけですから、もちろんそのためにTと私がどうとかこうとかいうことはちっともありません。世間の人は、ちっともそんなことは考えないでただ賞められればすぐに好意をもったり親しくなるものと簡単にきめているのですね、ですから何卒その事は御安神下さい。

それからこのたびは、私のおしゃべりになりますが、私はこの号に出ている原田皐月さんのお作をよんで毎日あの中に取り扱ってある問題について考えています。これは本当に真面目に考える価値の充分にある問題だと私は思っています。子供のことについては二人でずいぶんいろいろおはなしをしましたのね。

私は皐月さんの仰云るように親になる資格のないものが子供を生むということは、これは本当に考えものだと思います。併し私は資格ということについてはやはり別に考えなければなるまいと思います。本当に深く考えれば考えるほど私は未成熟のものでないかぎりまた或る欠陥を持っている者とか無能力者、白痴、狂者など、或る種の疾病をもつもの以外にすなわち普通の生活に堪え得るものであって生理的にも充分発育を遂げたものならば資格はまずあるものにちがいはないと思います、あなたはそうお思いにならなくって？　しかしどうしても子供の出来るということが苦痛であったり、恐ろしいと思う念を払い退けることが出来ない時には、その場合避妊をするもいいでしょうけれど一旦妊娠してからの堕胎ということになって来ればそうはいかないと思います。私はそれは非常に不自然なことだということが第一に感ぜられます。とにかく、それがどう育ってゆくか枯れるかは未知の問題ですわね。しかし、生命が芽ぐまれたことは事実でしょう、その一つの生命がどんな運命のもとに芽ぐまれたかどうかは本当は誰にもわかりはしませんわ、それをいろいろ自分たちの都合のためにその『いのち』を殺すということは如何に多くの口実があろうともあまりに、自然を侮辱したものではないでしょうか、『生命』というものを軽視した行為ではないでしょうか。

　皐月さんが仰云るようにひと月のうちにでもどのくらい無数の卵細胞が無駄になっているかしれないうちから、その一つが生命を与えられたということだけでも私たちの目に見えない微妙な何物も持っている与えられたこの命にまつわる運命というものを思います。その運命がどう開けてゆくかはまえにもいいましたように誰にもわからないのですものね。それを、その生命を不自然な方法で殺すということは私ならば良心のいたみを感じます、あなたはどうお思いになって？　皐月さんは自分の腕一本切ったのと同じだと仰云っています。腕は別に、独立した生命をもちません、人間の体についていてはじめて価値のあるものですものね、それを切りはなしたといって法律の制裁をうけるようなことはすこしもないのです。また必要もありませんわ、自分で困るのですもの、そんな馬鹿なことをする人があるでしょうか、それは自分自身で仕出かしたことではありませんか、ところが腕を一本他人のを切って御覧なさい、それこそ大変ですわ、すぐ刑事問題になるでしょう。それと同じですわ、たとえ、お腹を借りていたって、別に生命をもっているのですもの、未来をもった一人の人の生命をとるのと少しもちがわないと私は思っています。皐月さんはお腹の中にあるうちは自分の体の一部だと思っていらっしゃるらしいんですけれど私は自分の身内にあるうちにでも子供はちゃんと自分の『いのち』を把持して、かすかながらも不完全ながらも自分の生活をもっていると思います。其処(そこ)に皐月さんの考えと私の考えの相異があるのですわね。

　それから、自分達の生活の窮迫ということもあの問題にかかわらしてありますわね、それは私自身にも経験のあることであるだけに非常にもっとものことに思いました。私もあの子供が私の身内に息をしているのを感ずるたびにそのことは非常な苦痛でした。あなたも御存じのように私たちはその時窮乏のどん底にいました。私は子供のためにただそれのみ苦にやんでいました。けれどもTは、私が苦しがるたびにいいました。

『こんな生活に堪えられないような抵抗力のない子供ならば生れて来る筈(はず)はない』と。

　本当にそうだ。と私は思いました。まだそれに満足に生れるかどうかさえ分りはしない。私たちの明日の生活さえ分らないのだもの。子供はやはり子供自身の運命をもって生れて来るのだ。貧乏だということが決して不幸なことではない、こんな処へ生れて来るのも子供の運命がそうなんだ、もし子供が富有な運命をもっていれば生れるまでには自分たちの生活もいくらか窮乏からまぬかれるかもしれない、もしまたそういう生活に堪えられないなら自然に生命が消滅するより他に道はない。すべては未知の問題なのだとそう思いましたのよ、そうして私は平静に子供を産むことが出来ました。それから自分に子供の教育をする能力をもたないということも苦痛の一つでした。けれども私はこの頃子供の発育やそれから智慧のつき方をじっと見ていますと其処にも私たちの力のおよばない偉大な力を見出します。人間が人間を教育するということのとうてい不可能なことをしみじみ思います。あなたが何時か私にお話なすったわね、子供が食べ物でなんか育つのではないと思うってねえ、本当に、私は始終あのことを思い出していますわ、教育なんていくらいってさわいだところで自然の導きを私達がどう阻みましょう、綿密な注意も観察もただ子供自身で行う教養を手伝いするくらいですわ、自分の理想をえがいては、その通りにそだてようなどと思うのはもっての外のまちがいだと思います。人間の智慧というものも私にはあまりありがたくはなくなりました。何だか話がすこし横道へはいりましたわね、とにかく、私は、皐月さんの堕胎の説には賛成することが出来ません、もちろん私はこれは皐月さんの思想か或は想像の上の創作であるかは知りませんけれどもとにかくあの作に現われた思想に対してはそうです。あなたはどうお思いになりますか、これもやはり子供をもったものの、子供のための思想だと其処らで笑われるかもしれませんけれども私は本当に長い未来をもつ「いのち」には心からある尊敬の念をもちます。「芽」といってもやはり私は同一の意味で大切にしたいと思います。

　私は子供のことを深く考えれば考えるほどどうかしたはずみに知らず知らず子供の上にのし

かかってゆく自分が情なくなります。私は被教育者としての位置にいたときから教育に対するたくさんの不平をもっていました。今はまた子供の育つのをじっと見ていてさらに深いおそろしい教育の欠陥をまざまざと見せつけられます。

静かなあなたのような方にはそんなことがないかもしれませんけれど私のように感情の動揺のはげしい者には殊にかなしい情ない子供に対して申しわけのない絶望の時がちょいちょい見舞います。殊に、ひどくヒステリックになっている時などに、執念くまつわりついたり何事かねだったりする時私の理性はもうすこしも動きません、狂暴なあらしのように、まつわりつく子供をつき倒してもあきたりないようなことがあります、けれどもすぐ私は、自分でどうすることも出来ないその、狂暴な感情のあらしがすぎると理性にさいなまれるのです。そのかなしい感情をどうすることも出来ないということが私には情なくも腹立たしくもあり絶望させられるのです。そして子供が可愛そうでたまらなくなります。子供がそれをどういう風に感受するかと思いますと、私は身ぶるいが出ます。けれどすぐ私はそんな時に思います。ああ、私はまた間違った教育者を衒おうとしていると。私のこの突発的な感情を今によく理解させさえすればいいのだ。そのうち子供の方で理解するようになる、と思い返します。自分の醜い処を覆おうとするような卑劣なまねは子供に見せたくないと思います。ただ醜い自分の欠点に対して自覚を持っていないと子供に卑しまれると思います。何だかとりとめもないようなことを随分書きましたがまだまだ書きたいことはあとからあとから湧き出て来るようです。

この間、ストリンドベルヒの「痴人の懺悔」を読みましたの、あんなにも私は女に対して憎悪のこみ上げて来たことはありません。前に私はストリンドベルヒのものは三つ四つ読みましたけれど私はあとで何時までも何時までも気持がわるくてたまりませんのでまずきらいという観念がさきにたって読もうとしませんでしたの、それに何時かあなたにもお話しましたわね、土曜劇場で「父親」を見てからというものは一層あの人の作物がいやになりましたの、あの人のものでたった一つ私のよんだ三、四のうちで今までそう憎悪の念をもたずによめたのは「女学生」だけでした。ところがこのたび「痴人の懺悔」をよみましたら、私のストリンドベルヒに対する考え方は一変しました。私はあの人があんな女性観をもつようになったのに何の無理も見出せなくなりました。私は無自覚な無知な女の醜さをしみじみと見せつけられました。そうして、私自身の中にもそうした、無自覚な、女の習性がたくさんうごめいているのを否定する勇気はどうしてもありませんでした。一人の女の生活が一瞬にすぎた考えまでが真面目な最も率直な筆で隅からすみまで描き出されています。そうして私はそれが決して少数に属する特異の女でなく多数を占めた普通の女でしかないと思ったときに、本当に、しみじみ嫌な気持になりました。そういう女が一ぱいうようよ世界に充満していると思って御覧なさい、本当に、たまりませんわ、けれども普通の男達にはやはりそれがさほどの苦痛にはならないのでしょうね、とてもあんなに辛抱づよく寛い心で女をがまんしている程深い、強い愛を注ぎ得る人は一寸（ちょっと）ありませんわね、それに少しでもいやな処が見えればすぐさようならにしてしまうんですものね、だから大抵の男には本当に女のねうちがわからないし、女にもわからないのですわ、男のねうちが――みんないいかげんの処でおしまいになってしまうんですね、本当に、私ストリンドベルヒという人を、えらいと思いましたわ、「痴人の懺悔」は確かに誰でも一度はよんでみてもいい小説ですね、何といっても真実なものには叶いませんのね、だらだらしまりのないことばかり書きました、もう止めましょうね、とりとめのないことばかり書きまして。

　このたびの編輯（へんしゅう）がすみましたらきっとお伺いします、そのときまたいろいろおはなしいたしましょうね、染井の田圃（たんぼ）でも歩きながら。

『青鞜』第五巻第六号、一九一五年六月号

傲慢狭量にして不徹底なる日本婦人の公共事業について

現在の日本に於いて上中流階級に属する教養ある多数の婦人連によって組織される団体がかなりある。そのいずれも権力ある後援者並びに多数の会員と相当の財源をもち等しく公共事業のために働くことを目的としている。しかしてそれ等の各団体の存在は鮮かに各人に認められている。しかしその目的とする事業は？

甚だ鮮明に事業に向って注がるべき力の団結は認められながらその事業はすべて誠に微々たるものである。憐れむべき不完全なる状態に在る。これは何という不合理なことであろう。私は今の処それ等の諸団体は事業などいうことはただ単に社会的な信用を得る口実の一つであっていずれも婦人連の虚栄心——言葉をかえていえば、彼女等が相当の婦人としての価値を贖う(あがなう)ための一交際機関としてより他に存在の理由を認め得ない。世の多くの人もまたこの理由を無意識の間に認めているのである。何故ならそれ等の婦人の団体の会合について、その華やかさを、または名誉ある貴婦人連の列席を諸新聞、諸雑誌は筆を揃えて報道する。しかし私は、その会合がいかなる趣旨によってなされたか、或はいかなる用法がなされたかについてかつて内容ある報道に接したことはまあないといってもいいくらいである。会合に於ける余興についての委しい報道はあるが会の事業とか或はその事務の内容について洩されたことはない。会長、幹事、或はその他の職員の改選とか或は会計の報告がそれ等の会合の唯一の事務報告である。それ以上のことについては何事も洩されたためしはないようである。

たまたま、何かの機会に多少目立つ仕事がそれ等の団体によってなされるということがないでもない。併しそれはそれ等の団体が存在する以上手を束ねていることを許されないような場合――すなわち手を束ねて傍観しているということは彼女等の一番大切な名誉というものの価値を割引されるような場合――なのである。だから決してその団体の事業としてのみ見らるべき性質のものではないと私は思う。例えば戦争がはじまる、慰問袋を造って兵士達に送るとか金を出すとか飢饉に際して金をとか品物を送るとかいうことは普通の人にも気のつくことであってあえてそれ等の団体がことごとしく大騒ぎをしなければならないほどのことではない。これ等は一つの臨時の仕事としての価値しかない。戦争がはじまった時に繃帯を巻いたり慰問袋をこしらえるためにのみ、ふだんからそういう団体の用意をしておくというのは手まわしがよすぎて無駄なことだとしか私には思われない。

もしも真実にそれ等の婦人連が公共事業というものに対して興味をもち働く心があるのならば寧ろそういう臨時の慈善事業は自家のそれぞれの仕事として充分である。もっと社会には暇と金とを持つ人が真意をもって無償で働こうと思えばどのような仕事でも待っている。真実に彼女等が自分たちの暇と金とを利用して社会のために働こうと思えばじっとしていられない程いろいろな処から手招きされるのが見えるに違いない。

ところが彼女等の第一の自己に対する信条は貴婦人だという自負の心である。彼女等は自から高く社会の上位にあるべきものだとの心をかつて忘れたことがない。彼女等が多くの人に向って与うるものとはただ物をほどこすということ以外の何でもない。彼女等はそれを自分の位置に附属する一の義務として——税を払っているつもりなのである。この場合彼女等のいわゆる慈善は彼女自身をも他の者をも侮蔑する最も傲慢な態度である。彼女等は教養あり思慮ある人々と見做されているがその実は彼女等は社会というものについての——もっと深い意味でいえば人間の生活というものの根本義について全く無智である。傲慢と無智とは何時も道連れである。彼女の場合もまたそうである。彼女等のわずかな物質的の補助がそれほど多くの人を幸福にしているか？　彼女等は得々としていかにも大なる善行をしたかのような顔をしている。しかし肉体的の一時の満足が人間の幸福のすべてではない。あまりにそれは複雑な人間の生活を無視しすぎる。

私はかなりの立派な後援者と会員と財源をもった一公共団体の事業が行われているのを知っている。其処(そこ)には幾人かの児童が引きとられて教育されている。しかし私はそれ等の子供達の生活を他所(よそ)ながら見るたびに子供たちのために悲しまずにはいられない。もとより出資者たる団体は慈善を標榜しているのではあるがただ例によって会員は会費をおさむるということをもって慈善が完全に行われているかの如く考えている人達である。時々は華々しいバザーや音楽会も催す。そして彼女等はその団体の一員であることを誇として得意になって働いて金を儲けて基本財産をふやす。もとよりその役員なる婦人たちは一かどの立派な世の讃美の的になる、彼女たちは自分の仕事に対して充分満足である。そしてそれ等の金によって若干の子供たちが養い育てられる。けれどもその金の功能が子供たちの上に果して和(やわ)らかに注がれているであろうか？　子供等の保姆(ほぼ)は雇われた事務員である。彼女等は月給を貰うために、子供の世話をする。彼女等は雇主の恩を讃美する。雇主と雇人の間には相変らずな傲慢と媚以外の何物もない。雇主の傲慢に対する無智な雇人の反抗は小さなみじめな子供たちの上にもたらされる。「他人の慈悲によって育てられる」多くの可愛想な子供たちの上にあらゆる侮蔑が降りかかって来る。なるほど彼等は慈善家の手に救われなかったら或は満足な着物であつさ寒さをしのぐことが出来なかったかもしれないし、三度三度御飯にありつけなかったかもしれない。しかし乞食をしてひもじい目にあっても彼等はいたましい涙をより少く流したであろう。もしもこれ等の可憐なる子供達の保護者をもって任ずる貴婦人達に、真実に子供に対する憐憫(れんびん)の情があるならば子供はさまで不幸ではないかもしれない。もう少し周到な保護者の注意があれば子供はもっと丁寧にあつかわれなければならない。不徹底な婦人連の態度は慈善がかえって子供たちには呪わしいものと思わしむるであろう。

彼女達は悧巧(りこう)らしく自分達の児女の教育だとかその幸福については立派な意見を述べている。しかし不幸な同情すべき子供たち——自分たちの保護の下に育ってゆく子供たちの上にまで同じ考えを向けてやっている人が果して一人でもあるであろうか。恐らく彼女等はその子供たちがどんな待遇をうけつつ育っているかさえも見に行くひまは持たないであろう。

要するに彼女等の慈善は虚栄のための慈善である。事業の如何(いかん)は問題ではない。会の存在がすでに彼女等の満足であり誇りである。その上にその財産の一部をもって仕事をするということはさらに大した仕事でなくてはならない。彼女等は真実に自己の心の中に起る憐憫や慈悲の心によって仕事をするのではなくてただ外見のために、自分の位置のために、この讃美と尊敬を強いるべくひまにまかして事をするのである。その最後まで意志が徹しないのは無理もないことと云わねばならない。まして傲慢な彼女等にその方便としての事業に興味や熱情を求むることは愚に等しい業でなくてはならない。彼女等には、すべてのことをなすにもっとも大切な誠意というものの欠けていることがそれ等を救うことの出来ないものにする。彼女等がいわゆる名誉職のために内訌を起したり種々な紛乱をおこしているのは無理もない話である。私は寧ろ彼女等が外見のための慈善などを看板に集まるよりももっと彼女たちにふさわしい気のおけない集まり方をして彼女の最も手近かな事柄からさきに考えたり研究したりしてもっと真面目なそして自然な立場から日常生活の形式やその他婦人の手にまつべき種々な家庭の仕事について社会に模範を示すことがどのくらい立派なことか知れないと思う。不徹底な表面的の仕事はややもすれば虚栄心を誘き出したり傲慢にする。事業というものは誠意と熱情とを欠く、ことに狭量なものには出来ない筈である。現在の我国の上流婦人にして多くの婦人連の団体の首脳になろうとするような人の間には真実に事業に興味をもってやろうというような人はまずないように思われる。何時もこれ等の公共事業は献身的な熱情をもったすべてのことに向って飛び込んでゆくような婦人でなくては出来ない。

前に述べたような種類の団体とは少々色彩を異にした婦人の団体が他に一つ二つ存在する。それは宗教によって――信仰によって団結を一つにする団体である。そしてその宗教の信条によって公共的な事業をしているのである。

これは前述のに競べては誠意も熱情も充分に持って他人に対する情緒も美しいものが見られるし事業というものにも真面目であり徹底的であるらしく見える。しかるに、現在のどの宗教にも同じ弊として見られている欠点は教義の固定――いいかえればその教義が極端に形式化し具体化していることである。これがために、真の教義が往々教職にある人々にさえ誤解されて伝えられる場合すらあるという一事である。その教義をもって社会に起る百般の事柄にあたって行こうとすれば必ず矛盾を見出すことになる。もし真にその教義の主点を理解している者にとってはさまで困難も窮屈も感ずることはないがややもすれば形式化した寺院や教育会の空気はそれ等を異端視するものである。彼等はただ形式によってのみ行こうとする。だから彼等は不自然なことにばかりゆきつく。そしてその不自然を忍ぶ大なる苦痛をもって教義に対する忠実の証明にしようとする。

右のような傾向をもった宗教の中にあらゆる信を、熱誠をもってかけている婦人の心はその形式に向って寧ろ頑迷に見ゆる程度にまで固執する。この宗教家の婦人の偏狭はやがてその社会的の事業に向ったときに著しい欠点となって諸人の反感をかうことになるのである。

基督教徒たる婦人の大半は教養ある人々である。そしてもっとも「高尚な精神」というような事を口にする婦人たちである。しかるに私の目からもっともキザにして軽薄な偽善的階級に属する婦人はこれ等の人の中に最も多く発見する。彼女等は謙遜らしく振舞ってはいるが実は非常に傲慢で寛大らしく見えて実はもっとも狭量で偏屈で苛酷である。一番彼女等が不用意にそういう欠点を現わす場合をあげてみると彼女等がその宗教の教徒以外の人に対する時である。

彼女等は、まずこの宗教のありがたみを知らぬ者に対して可愛想だという。不幸だという。そして導き入れようとする。それが未だ宗教を信ずることを知らぬ者であったときには当然のことではあるが反対に既になんらかの信条を自分で把持して立派に宗教をもっている人に対してすら彼女は彼女たちの神様をしらぬ者はかあいそうだというようなことをいう。併しこの場合は彼女は自省を欠いている。そして相手を侮辱しているのである。既にそれさえ他人の信仰を侮辱するものであるのになおその信仰をすてさせて自分の信仰に絶対の権威を認めさせようと努力する。もしそれに反対し、多少ともに彼女の虚をでもつこうものなら彼女は全く思慮を失い教義も忘れ、相手に充分の敵意を含んだ軽侮を示して冷笑する。しかも彼女は表面だけはきわめて寛大さを示そうとする。併し彼女の心は決しておだやかではない。何かにつけて彼女たちは神様を讃美しては序(つい)でにきっと異教徒の悪口をいう。彼女たちは異教徒の悪口は寧ろ当然で自分の神様を賞(ほ)めてさえいればそのつぐないはつくように思っている。これは婦人だけでなく男子にもそうであるのは事実である。しかしこれは万人を等しく愛する神の目からは許しがたい事実であるに相違ない。しかもこれは基督教徒の人々のみの場合でなくすべての教徒に等しくいい得ることであるが最も教養あり見識ある基督教の婦人たちの著しい半面であることも争われない事実である。

　さてこういう婦人連の団体としてもっともその偉なるものの一例を挙げれば「婦人矯風会(きょうふうかい)」

という会である。この会は人道とか、社会道徳とかいう方面に向ってその事業を発展させて行くという主義の上からかなり社会の表面に出ていて事業というものも他のいわゆる貴婦人連の団体から見ればずっと実際的であるだけに会員の多くが興味も持ち力も主としてその方面に注がれてはいるらしく見える。併し実際に於いては決してそうではない。貴婦人連の単純な誰にも分る虚栄心からの事業経営とは非常にかけはなれて立ちまさって見えながら彼女達が事業経営というものから得ようとするものは同一性質のものであってやや一般の目からは複雑に見えるだけのものである。彼女達もやはり事業そのものに興味をもつのではなく事業経営者としての自己を、より多くの人に知らしめたいという名誉心で、そういう団体の存在を社会に認めさせるような経営方法をとっている点に於いて他の団体と少し差異をも認められない。もし彼女自身の名誉心という言葉が彼女を侮辱するものであるならば彼女の宗教のために——といおう、それでも少しもちがいはないけれど。要するに事業のための事業ではなくて手段のための事業である。殊にこの団体により多くの同情を失わしめる理由は彼女等の宗教的偏狭である。彼女等はほとんど人間性というものには全く盲目であるといってもよいくらいである。彼女等は形式化した愚劣な魂のない宗教の信者の常として全く融通のきかない杓子定規の上に凡ゆる信をおく迷信者である。彼女等の信仰が度を高むるほど彼女等の人間らしい情緒は削がれ狭められ圧しつぶされていく。そうして次第に彼女等は神の最も尊き本然の意志——乃ち愛から遠ざかり寛容を忘れて遂に小さく狭き高慢なる最も神に遠い人となるのである。

一例はこのたびの御大典にあたってかなりの問題となった芸娼妓の奉祝というが如きことも彼女等の態度を遺憾なく現わしている処に私はかなりの興味を持つ。「賤業婦」と彼女等は呼んでいる。私はそれだけで既に彼女等の傲慢さを、または浅薄さを充分に証拠だてることが出来る。

社会百般の事象がたとえどんな微々たる事象にもせよ、それが表面に現われて来るまでには必ず確たる根を持ちある立派な自分だけの相当なプロセスを持っているものだと私は思う。殊にそれが人々の間に一つの社会問題として認められ取り扱われる事柄のすべては僅かばかりの力では動かすことの出来ない根を持っているものと見なければならない。また歴史を持っているものと私は思う。時間とか空間ということについて私達は間々その僅かな断片の価値しか目前には見えないためにかなり馬鹿にするような心持を持つことがないでもないが、実は偉大なる自然力の最も力強い支配の下にある不可抗力である。それはとうていわずかな人間の意力や手段ではごまかせない正真正銘のねうちを失うことのない力である。そしてこのくらいの事柄は誰でも百も承知の上でなくてはならない。もしも彼女たちのいうままにあの花柳界の女たちのしていることが賤業であるとしてもああした業が社会に認められてるのは誰でもがいう通りにやはり男子の本然の要求と長い歴史がその根を固いものにしている。それは必ず存在するだけの理由を持っているのである。彼女たちがたとえ六年間をちかったとて十年間をちかったとてそれを全廃するということがどうして出来よう? けれども彼女たちはこう答える。「ですからそういう種類の商売を全然なくしようとしたってそれはとても駄目だということは知っております。ですから私たちはそれを根絶させようというのではありません、ただ公然とああした商売があるということは日本の国家が外国に対してははずかしい事ですから公娼だけを廃止させたいのです。」と。私はこの不徹底なお悧巧な議論をとても真面目に「さようですか」といって感心しては聞いていられない。公娼は外国人にみっともなくて私娼はみっともなくないという理屈が果して成り立つであろうか? 理屈はとにかくとしてみっともないとかみっともなくないとかいうことがあの婦人達の唯一の論拠であるなら私はその愚を笑うよりも寧ろかなしまずにはいられない。彼女は外国人に対する外見のために事業をしているのであろうか? 公娼制度が恥かしく私娼制度が何故に恥かしくないか? 私はかかる些々たる彼女達の弁解に多くの矛盾がまつわりついて彼女を苦しめていることを感じないではいられない——もしも彼女が本当にそれだけの理由でいうのならば——。だが彼女達のこの問題に対する態度をただこれだけの根拠を持って観ることは出来ない。彼女たちはいわゆる「賤業」を営んでいる人達の「賤業」が社会の風俗を乱すからということを一方に何時もいっている。で私は思う。もしもそれをも彼女たちのモットーとして見るときには前の弁解との間に何をもって連関させるか?

私の考えでは公娼よりも私娼は一層その社会の風俗を乱すことになるであろう。不幸なこの商売につきもののいまわしい恐るべき病毒の伝染ということ、それから世間の子女をたやすくそういう商売に導き入れるということ、一寸考えただけでもよほど社会に悪影響を及ぼす力は私娼の方にありそうに私には思われる。これは私の粗笨な頭で一寸かんがえただけのことでその実もっと公娼の方にたいした悪いことがあるのかもしれないけれど、其処で此度は私の頭には社会に貢献するという趣旨からまたは矯風会というその名前の意義にまで遡って考えてみて外国人にみっともながられているのを——実は外国人はみっともないとも思っていはしないのかもしれなくてあの婦人たちが推察でそう思っているのかもしれないけれど——そう思わせないようにするのと、それを第二の問題としてまず日本の社会の内味をなるべく奇麗にするのとは社会のためにどちらが本当の貢献でしょうねと聞いてみたい。虫のいい婦人達は私たちは双方いいように働きますと答えるであろう。そして私は冷笑を捧げるであろう。矯風会の会長は明らかにこの事実を承認しているのである。私はそれを知っている。彼女は私娼がより多くの害毒を流すという事実を認むることを人に語りながらなおかつ吉原の存在が——吉原という一廓をなして公然と商売をしているということで——外国人に対する屈辱として全廃を主張している。なおも彼女たちの心理を疑わしむるものは、賤業を営む分際として普通の家なみに軒をならべて附近の子女によからぬことを教えるという不都合をなしながら、それも外見のためには忍ぶべしとするにいたっては私はもはやいうべき言葉を持たない。彼女等の事業は徹頭徹尾虚栄のためであるといいたい。社会への貢献とは社会に認めることを強いるためのごまかし手段と見做すより他はない。彼女等は殊更に六年間をちかって公娼廃止を実現させると社会に公表した。それが果して出来得るか否かは甚だしい疑問である。社会がその公表に一時にしろ耳をかたむけたことだけで会の存在を認めさすということには成功したのだ。しかし私はそれで済めば笑ってもいられるけれどももし彼女たちの六年の努力が公娼を廃止さした場合に彼女達の努力はえらいにちがいない、そして社会はそれに眩惑されるだろう、矯風会の功労は感謝されるであろう。併し私は眩惑されはしないつもりである。彼女達は知りながら自分達のために、自分たちの力を信じさせてほこるために社会に貢献すると口にしながらまちがった努力は社会の幸福を犠牲にするのだ。もちろん私は公娼の存在も私娼の存在も決していいことだとは思わない、けれどもこのような日の来ることを願わない。もしも彼女たちが真実に社会のためを思いそれに貢献しようと思うならばそして功利的な心がないのならばそのような表面に出て不徹底な理屈をならべるよりもむしろ長い未来のために土台石となる堅実な意志と謙譲な心持を持ってその目的に向っての生き甲斐を見出すのが当然の態度であろうと私には思われる。すべての社会問題にたずさわる人はこの志がなければとうてい駄目だと私は思う。目前の功利にばかり汲々しているものに本当にその人が渇仰しているような永遠の名誉は決して与えられるものではない。しかし私は何方（どちら）を向いてもこの謙遜な態度を持して真に自分を把持して仕事をしている婦人をあまり見かけない。婦人だけでなく男子でさえもそうではあるが。私がまず彼（か）の矯風会の人たちに望みたいことは、そうした大きな問題として現われたものを対象にするよりももっと根本的なたとえば第一に教育というような方面に閑却されてある大切なことがかなりあると思う。そういった方面から真実に貢献して欲しいと思う。社会に貢献することを看板にしながら社会の幸福をぬすむような誠意を欠いたことをして貰いたくないと思う。公共事業というからには本当に公共のためにやって欲しい。

　傲慢な者は何時でも自省力を欠いている。しかし彼女たちが考えることの出来ないほどプアな頭をもっているのではない。彼女たちは充分聡明であり思慮もある。何が彼女をそんなにも傲慢にするか？　それは彼女等の間違った自負心である。彼女達が物を観たり考えたりするときに彼女たちは何時の場合にでも自分を標準にして考えたり観たりする。そのくせ彼女たちのすべての事象に対する智識が申し分なく行き届いているかというに彼女等は決してそうではない。一人の女が生活難のために「賤業婦」におちてゆく。それを彼女たちにいわせると何時でも考え方が足りないとか、無智だからとかいっている。なるほどそれに相違はないが彼女たちはその可愛想な女の無智な苦悶やそこにまで考えのおちてゆくプロセスも考えず、一概にその無智を侮蔑するような傾きをもっている。もしも彼女等が本当に「賤業婦」たちを可愛そうに思うならば、今それを「止めろ」だなどというよりもその無智な女たちが物を正しく解することの出来るような方法を講じてやるがいい、その方がどのくらい立派なことだかしれない。もしも私が彼女たちに向って私の純な個人主義的立場からこの問題を論ずるならばその私の議論の前では団体とかその事業とかいうことさえ存在の価値を失くしてみせることが出来るのだが私は、今それ程までには論ぜずにおく。「賤業」という言葉に無限の侮辱をこめて彼のバイブルウーメンが「一人一人の事情については可愛そうに思うが――」などと他聞のよさそうなことをいいながらまだその「賤業」という迷信にとらわれて可愛そうな子女を人間から除外しようとしている。それだけでも彼女たちの身のほど知らずな高慢は憎むべきである。まして彼女たちは神の使徒をもって自から任じてたつ宗教婦人ではないか？　博愛とは何？　同情とは？　友愛とは？　果してそれ等のものを与え得る自信が彼女たちにあるか？　おそらく彼女たちの全智全能の神キリストは彼女等が彼の名を口にしつつかかる偏狭傲慢の態度をもって人の子に尽すことをかなしんでいるに相違はないと私は思う。

いくら繰り返しても限りはない。私はもう筆をおこう。ただ最後に、もう一度いいたい。私達日本婦人が何故こう高慢で、偏狭であるかということだ。「それは深く物を考えないから」と私は答えたい。彼女等は自分のわからないことに出会すと自分でそれを考えようとは決してしない。すぐ他人の処に相談として持込んで他人のいい加減な意見をきいて批判も何にも一切ぬきにしてすぐそのままそれを自分の考えとして取り入れてしまうような軽々（けいけい）な風がある。そうして自から考え処決しようとするけなげな者に向ってかえって高慢だとか生意気だとかいう嘲笑をあびせる。これが一番大きな欠点だと私は思う。本当に物の根本をひとりで考える程人間はずっと謙遜にならずにはいられない。世間に起る出来ごとのすべての背景をなしている大自然の偉力というようなものに目をつけるようになればいかなる人間でも自分の微少な力をふりかえらずにはいられない。そうして最も真面目な自分の道というようなものが見えるようにならねばうそだと私は思う。

　願わくば我日本婦人の一人でも多くがこの境地にまで自分を引き出してゆくことを切にいのる。そうして私はそうした日の後にはじめて起る一人一人の心の底からしみ出した立派な意見のもとに堂々たる事業のはじまるのを待つ。現在の日本の婦人の公共事業はすべての点において最も明かに日本婦人の欠点を露（あら）わしているものであることを公言するに憚（はばか）らないのである。

　まだ私としては充分に何物をもいいつくせない不満があるが他日また稿を改めて詳しく書いて見るつもりでひとまず筆を擱（お）く。もしもこの不充分なる一感想に対してでもお気づきのことがあれば私は何時でも喜んで御説を拝聴するものであることを附加しておく。

今宿にて

『青鞜』第五巻第一一号、一九一五年一二月号

青山菊栄様へ

青山菊栄様

あなたの公開状は本当に、私にはありがたいものでした。私は幾度も幾度も読み返しました。もちろん、不服なこともありますがそれはおいおい申上げることにして、まず公娼廃止についてのあなたの考え方は正当です。私はそういう方面に全く無智なのです。私はまだそういう詳しい事を調べるまでに手が届かなかったのです。その点では私はああいうことをいう資格は全くなかったのかもしれません。あれは私は或田舎の新聞に頼まれて書いたものなのです。別に深い自信のあるものでもなんでもありませんでした。けれども全く、私はあなたのお書きになったものを拝見してはじめてそういうことを気づいたのです。もちろん、私はそういう娼妓の生活状態について無智な者ではないのです。私はかなりあの人たちの生活についてはもっと子供の時分から知っていましたのです。そうしてそういう処に気のつかなかったのは私の自重のない態度がそうさしたのです。私はあなたにそのことを気をつけて下すったことを感謝いたします。そして、あなたのような考え方から見れば公娼廃止ということも尤もなことです。もうそのことについては何にもいわない方が立派な態度かもしれません。こんなことをいうのは卑怯な負惜しみと見えるかもしれませんが、私があれを書いた時に主として土台にしたのは矯風会の人たちのいい分でした。私はそれ以外に深く考えることをしなかったのは私の落ち度ですがあの人たちからはそういう深いことは聞きませんでした。もしもあの人たちが本当にそういう、あなたのような意見を以て向うのなら、私だとてあんなことを書きはしません、私は矯風会の人たちからはまだそんな立派なことは聞きませんでした。それで、根本の公娼廃止という問題はあなたの仰っしゃるような正当な理由から肯定の出来ることですが、私は矯風会の人達のいい分に対してはやはり軽蔑します。あの人達のいう事はあなたのの程徹底してはいないと私は思います。

　さて此度は、私とあなたの思想の差異になって参りますが、私はすべての議論が何時でもどの人達のでもおしまいにはつまらない言葉のあげあしとりになって、水掛論になるので議論ということは本当に嫌やなのです。そういういやなことをしまいと思えば一々その言葉の内容からしてさがして行かなければならないという面倒なことになって来ます。そうしますと、だんだんに本来の問題よりも枝葉のことに渡って来るという順序になります。私は今私の考えを述べる前に、どうかこのことがそうしたなりゆきにならないように出来るだけお互いに丁寧に、あつかいたいと思います。

まず、何よりも先きにあなたに申あげなければならないことは、私が公娼廃止に反対だという風にあなたが誤解してお出になるらしいことについて、私はそうではありませんということです。私はもちろん肉の売買など決して、いいことだとは思いません。悲惨な事実だと思っています。そういうことをしないでも済むのならそれに越したことはありません。細かしいことはおいおいいってゆきますがまず大ざっぱに、私の見たあなたの、私のいったことについての御批評は、あまりに表面的で独合点でいらっしゃいます。それは、あなたが私の書いたものにこれまであまり注意して頂くことが出来なかった故かもしれませんが。

あなたは私が売淫ということが社会に認められているのは男子の要求と長い歴史がその根を固いものにしているので、それは必ず存在するだけの理由をもっているから彼女たちが六年をちかったって十年をちかったってどうして全廃することが出来ようといったのを、私が絶対に全廃することが出来ないとでもいっているかのようにむきになっていらっしゃるようですが、なるほど私の言葉の足りなかった処もありますけれども私は、それを絶対の意味でいったのではなかったのでした。私はいろいろな深い根本のことを考えていますと、すべての「存在」ということについて深い不審をもっていますが、そういう「存在」という事実がある以上、局部的にはその理由を一つ一つ認めることが出来ます。あなたの態度からいいますと立派なものでなくては存在の理由がないような風になりますが、どんなつまらないことでも「存在」する以上相当の理由と価値とは必ずあります。ただ価値と理由が、その存在を長くしたり短かくしたりするだけだと思います。根、というものはそんなに絶対のものではありませんよ、浅かったりゆるかったりすればたちまち引っこぬかれます。どんなに深く這入ったものでも固いものでも生命がなくなれば駄目ですし、相当の労力と時間を費せば掘り出すことも出来ます。長い歴史が根を固くしているということは正しい存在の理由を構成しないとあなたは仰云ってます。そうですとも正しい存在でないものには正しい理由のある筈がありません。もちろん惰性と同義だということはあまりに分りすぎています。それがおわかりになって何故私が公娼廃止が絶対に行われないように考えているなどと誤解なさるのでしょう。ここではあなたの方がかえってその存在にもっと正しい理由があることのように是認してお出になるように見えますよ。で、私が全然そのことを不可能だなどという馬鹿な考えを持っていないことをおわかり下さいましたか?

さて、此度は要求ということの側になりますが、あなたはそれを男子の身勝手という簡単な言葉で片づけてお出になりますが、私は男子の本然の要求が多く伴っているという主張は退けることが出来ません。もともと売淫制度が不自然である以上、不自然な制度に応じて出来たものであることはいうまでもありません。其処(そこ)で、あなたのお調べになったことがますますその売淫制度というものが男子の本然の要求を満たすために存在するものだということを完全に証拠だてます「女子の拘束の度に比例して売淫が盛んになる」という事実が。

私にあなたはその事実を承認するかと詰問なさる。「私はこれは惨(いた)ましい事実だと思います。」という以上に立ち入った言葉でお答えしたくはありません。そういうことを簡単に承認するとかしないとかそんなことで片づけようとなさるあなたは人間の本当の生活というものがそんなに論理的に正しく行われるものだと思っていらっしゃいますかと私は反問したい。あなたはあんまり理想主義者でいらっしゃいます。「いかに男子の本然の要求であろうとも女子にとって不都合な制度なら私は絶対に反対いたします。」というあなたの言葉はあまりに片意地に聞こえすぎます。あんまり物事を極端にいいすぎます。もう少し冷静に考えて頂きたいと思います。

あなたは前に、女子の拘束が売淫制度を盛んにすると仰云いましたでしょう？　その不自然な拘束が男子の自然な要求を不自然に押えなければならないようにするに相違はないのですけれどもそうした要求が長く忍んでいなければならないことでしょうか、また出来ることでしょうか、そんな不自然な抑制は体をいためたり素直な性質をまげたりする他何にもいいことはありません、そんなにまでして忍ばなければならないという理由が何処にありましょう。私は私自身としてはかなりコンヴェンショナルな考えとして非難は受けましたが誇りとか何とかいうことよりも何よりも私自身の一種の潔癖からヴァージニティを大切にするということを主張しました通りにやはり同様に男子にもそれを要求したいのです。そしてそれを苦痛を忍んでも抑制するという気持に美しい一種の感激をもちます。けれどもそれは私一個の考えであり望みなのです。普通の場合としては前にいった通りそれはまず不可抗性を帯びた要求ですからそれを是非押えなければならないということはあんまり同情のない考え方だと思います。まして男女の人口が不均衡になり、ますます結婚が困難になって来るような不自然な社会にあってはどうしても売淫を避けることは出来ないと思います、その不自然な社会制度を改造するまでは。

「男子の本然の要求だからといって同性の蒙（こうむ）る侮辱を冷然看過した」とあなたはお責めになるけれども、看過（みすご）せない、といってどうします。私は本当にその女たちを気の毒にも可愛そうにも思います。けれども強制的にそうした処に堕ち込んだ憐れむべき女でさえも食べるため、生きるためという動かすことの出来ない重大な自分のために恬然（てんぜん）としています。彼女等をその侮辱から救おうとするには他に彼女等を喰べさせるような途を見付けてからでなくては無智な、何にも知らぬ女たちにとってはその御親切はかえって迷惑なものではないでしょうか？　公娼廃止ということはなるほどあなたの仰有（おっしゃ）るような理由で出来るかもしれませんが売淫という侮辱から多くの婦人を救うことはまずこの変則な社会制度が破壊されるまでは不可能なことではないかと思います。それだけは私たちがいくらもがいても時が来なくては駄目だとおもいます。あなたは看過することの出来ないと仰有るほどまたそれを看過するとはあるまじきことだと私をお責めになるくらい熱心にそのことにたずさわっていらっしゃるらしいようですからそんな手ぬるい考えではあきたらないとお思いになるでしょうがそれは各自の考え方の相異、歩き方の相異です。あなたは何をおいてもそのためにお働きになることに一番意義があるとお思いになるのも尤もですし、私はまだ何をおいてもそういう運動をして大いに婦人のために尽そうと思う程その仕事に生き甲斐を見出し得ませんからまず自分のまわりから先きに片づけて行きたいと思うのです。あなたにとっては私のこの態度はあんまり自分のことばかり考えすぎている手前勝手者のようにお思いになるでしょうがそれが私とあなたとの違っている処ですから仕方はありません。序でに、公娼が廃止になれば私娼も少くなるという事実は少し私には首肯が出来かねます。吉原が衰微に傾いた今日市内の私娼の増加は驚くに足るという事実を何で証明して下さいますか？　公娼が公然挑発、誘惑の設備を許されているから青年の情欲を刺戟して堕落させるが私娼は公然挑発しないと仰有るのは少し変だと思います。私は浅草の十二階下辺の私娼がさまざまに変粧してまで男子を誘惑するという話をかなりたくさん聞きましたし、彼処の客という者が学生が多数を占めているというたしかな事実も聞きました。要するに公娼も私娼も大した違いはないと思います。売淫という点はどちらも同じなのだと思います。今の日本の私娼というものも同じく他人に抱えられて借金をして稼いでいる点では公娼と大したちがいはないように思われます。外面的にはずっと私娼が勝れているように見えても案外情実のからみついた彼れ等の社会はやはりそうたやすくぬけられるものでもないように思われます。

あなたが廃止運動が大切だと躍起におなりになるのにも、私が知りながら呑気らしい顔をしているように見えるのにも相当の理由があるのです。あなたはあなた、私は私なのですから、お互いに他人の態度を気にするよりも、まあ自分のことをした方が結局お互同士のためです。あなたは万事にあんまりむきに、大げさに考えすぎて、私には何だか滑稽になって来ます。外国人への見栄を、私は決して悪いことだとはいいません、ただそれだけの理由ではあまりに浅薄だといったまでです。あなたのそれについての比喩はあんまり真面目すぎて、「他人を馬鹿にしている」と怒りたくなるような馬鹿馬鹿しい理屈です。頭がどうかしてるんじゃありませんか？

それから私がすべての事象は表面に現われるまでには必ず確たる根をもち、立派なプロセスをもっているものであり、自然力の力強い支配のもとにある不可抗力で、それは僅かな人間の意力や手段ではごまかせないといったのに対して疑いをおかけになりました。そうしてすべての歴史を通じての革新や制度が人間の手に作られたり随時にこわされたりするものであるからこそ女に不都合な世の中を改革しようとしていらっしゃるじゃありませんかとの仰せ、もっともですと申上げたいのですが、どうもあなたの頭はよほどおかしいと思わずにはいられません。人間が造ったりこわしたりするといった処で、偶然に作ろうと思って造ったりこわそうと思ってこわしたり単純に出放題なことは決してやれるものではありません。子供が粘土細工をするような訳にはゆきません。必ず其処までゆくには行くだけの理由とプロセスがあって人間の意力を其処まで導いてゆく他の力があるに相異ないと私は信じます。破壊にも建設にも必ず相応な理由があります。それを運んでゆくプロセスがあります。それをそう導く力は何でしょう。時はすべての問題を支配します。その時を駆使する力は何でしょう。偉大なる自然力の前に人間の意力はどんなに小さいものかお考えになったことはありませんか。人間の意力で百般のことを左右し得なければ私たちの戦は徒労だと仰有る。御心配下さいますな。私たちは何時でもその自然力の味方である真理に後を向けませんから大丈夫です。私はその不可抗力を知っていますから決して無謀な反抗に生甲斐を見出し得ませんから、静かにまず自分だけのことからやってゆきます。自分の意力の届く範囲だけで出来るだけ立派な道を歩いてゆきます。私の小さな意力は他人にまでも強制的に及ぼすことの出来ないことを私は知っています。あなたの私に対する反問は皆上走っていて少しも核に触れてはいません。「人間の造った社会は人間が支配する。」というお言葉は尤もに聞えますがその人間を支配するものがありますね、その人間を支配する者がやはり社会も支配しはしないでしょうか。社会は人間が造ったのでしょうけれど人間は誰が造ったのでしょう？　はたして人間は何から何まで自分で自分の仕末の出来る賢い動物でしょうか？　まあちょっと考えてみても人間は時というものに駆使されています。気の毒なほど、ところが利口な人間は時を利用することは知っていますが自由に駆使することは出来ないでしょう？　それだけでもまだ人間はそんなに威張る資格はありませんよ、権力者の造った制度が不可抗力だなどといった覚えはさらに私にはありません。権力者たちの造った制度のなかなかこわれないのはせいぜい時の問題くらいなものです。時が許しさえすれば何時でも破せます。そら、其処でもやはりいくら人間がもがいたって時が許さなければ駄目でしょう。それだけの制度の根を固めるためには権力者たちも相当な犠牲を払い骨折をしているのですからいくら不自然だって何の償もなしにその株に手をかけることは許されない道理でしょう？

私は公娼問題のことはもうおしまいになったのかと思えばまたですか？　本当に頭がどうかしていはしませんか？　其処でお答えするだけは充分しておかないとまた二度繰り返すようではいやですから。

さて公娼廃止は私もまず可能と信じます。それで今度は「誰でもがいうように」売淫制度の存在を是認したということのお責めにあずかる訳ですね、まずそうですね、誰でものいっていることが真実だと思えば私はいくら「誰でもが」いっていても真実だとしますよ、私は衆人が口をそろえていっているからあれはうそだなどいう理屈はないと思います。「誰でも」は決してまがったことばかりいって正しいことをいわないとかぎっていないことは百も承知でしょう？　いくらあなただって！　あなたは本当につまらないあげあしをとっていますね、煩さいじゃありませんか、傲慢だとか傲慢でないとかそれが私の態度なら面倒臭いからどちらでもあなたの下さる方を頂戴しておきますよ、どっちだって私に変はありやしないから。もうあとのことにいちいちお返事するのは面倒だから止めます。仰有る通りに折りがあってお目に懸ったらまたお話しましょう、私はあなたのお書きになったものは翻訳を除いては初めてですからどうかしたら感ちがいをした処があるかもしれませんからそんな処がありましたら御注意下さいまし。ただし大抵これで私の考え方はお分り下さる筈と思いますからもうこれ以上この問題についてご云々することは御免蒙りたいと思います。失礼なことばかり申上げました。おゆるし下さいまし。

『青鞜』第六巻第一号、一九一六年一月号

アナキスト時代篇

野枝が大杉栄に初めて出会ったのは、一九一四(大正三)年七月のこと。アナキストとして活躍する大杉からの影響を受けながら、野枝も独自の活動を展開するようになる。本篇では、野枝が一九二三(大正一二)年に二八歳で亡くなるまでに書かれた作品を紹介する。

乞食の名誉

一

深い悩みが、その夜も、とし子を強く捉えていた。予定のレッスンに入ってからも、Y氏の読みにつれて、眼は行を逐っては行くけれど、頭の中の黒い影が、行と行の間を、字句の間を覆うて、まるで頭には入って来なかった。払い退けようと努めるほどいろいろ不快なシインやイメエジが、頭の中一杯に広がる。思い出したくない言葉の数々が後から後からと意識のおもてに、滲み出して来る。其処に注意を集めようとしているにもかかわらず、Y氏が丁寧につけてくれる訳も、とかくに字句の上っ面を辷ってゆくにすぎなかった。

レッスンが済むと、何時ものように熱いお茶が机の上に運ばれた。子供はとし子の膝の上に他愛なく眠っていた。快活なY氏夫妻の笑顔もその夜のとし子には、何の明るさも感じさせせなかった。小さなストーヴにチラチラ燃えている石炭の焔をみつめながら、かたばかりの微笑を続けている彼女は、そのとき惨めな自分に対する深い憐憫の心が、熱い涙となって、今にも溢れ出そうなのをじっと押えていたのだった。

外は何時か雪になっていた。通りの家々はもう何処も戸を閉めて何処からも家の中の灯は洩れて来なかった。街灯だけがボンヤリと、降りしきる雪の中に夜更けらしい静かな光りを投げていた。無理無理に停留所まで送ってくれたY氏と、言葉少なに話しながら電車を待っている間も、とし子の眼には涙が一杯たまっていた。やはりあの家に帰ってゆかなければならないと思うと情なかった。もうこのままに帰るまいかとさえ思って来た家に、どうしてもトボトボこの夜更けに帰ってゆかなければならない。

『こんな時に、親の家でも近かったら――』親の家――それもとし子には思い出せば苦しいことばっかりだった。三百里も西の方にいる親達とは、もう永い間音沙汰なしに過して来た。それも彼女自らが叛いて、離れて来たのであった。真っ直ぐに、自分を立て通したいばかりに、親達の困惑も怒りも歎きも、すべてを知りつくしていながら、強情にそれを押し退けて再度の家出をして後は、お互いに一片の書信も交わさなかった。そして全くの他人の中での生活に、とし子は迫害され艱難に取りまかれた。けれど、すべては最初から覚悟していたことであった。彼女は本当に血が滲むほど唇を嚙みしめても、その艱難には耐えなければならないと思った。

その苦しい生活がもう二年続いた。そして、この頃とし子は自分の生活を省みるたびに、其処に余りに多くの不覚な違算を発見しなければならなかった。その上になお思いがけない他人の、何の容赦もない利己心の餌であることを忍ばねばならぬ奇怪な、種々な他人との『関係』が、この頃よく肉親という無遠慮な『関係』の人々を思い起さすのであった。けれども、そうした境界におしつけられて思い出すことも、とし子には辛(つ)らいことの一つであった。それでも、今こうして、本当に嫌やでたまらないあの他人の冷たい家の中に、頑(かたくな)な心冷たい気持で帰って行かねばならぬ情なさに迫まらるれば、やはり深夜であろうと何であろうと遠慮なく叩き起せる家の一軒くらいは欲しかった。

漸くに深夜の静かな眠りを脅かす程の音をたてて、まっしぐらに電車が走って来た。運転手の黒い外套(がいとう)にも頭巾にも、電車の車体にも一様に、真向から雪が吹きつけて、真白になっていた。電車の内は隙(す)いていた。皆んな其処に腰掛けているのは疲れたような顔をしている男ばかりであった。なかにはいびきをかきながら眠っている者もあった。とし子はその片隅に、そっと腰を下ろした。電車はすぐ急な速度で、僅かばかりな乗客を弾ねとばしてもしまいそうな勢で馳け出した。とし子は思わず自分の背中の方に首をねじむけた。背中ではねんねこやショオルや帽子の奥の方から子供の温かそうな、規則正しい寝息がハッキリ聞きとれた。とし子は安心してまた向き直った。そして気附かずに持っていた傘の畳み目に、未だ雪が一杯たまっていたのを払いおとして、顔を上げた時にはもう四ッ谷見附に近く来ていた。

四ッ谷見附で乗りかえると、とし子は再び不快な考えから遠ざかろうとして、手提げの中から読みさしの書物を取り出した。けれど水道橋まで来て、其処で一層はげしくなった吹雪の中に立っている間に、また取りとめもなく拡がってゆく考えの中に引きずり込まれていた。刺すような風と一緒に、前からも横からも雪は容赦なく吹きつける。足元には、音もなく、後から後からと見る間に降り積んで行く。

『何処かへこのまま行ってしまいたい！』

白い柔かな地面に射すうっすらとした光りをじっと見つめながら、焦れているのか、落ちついているのか、自分ながら解らない気持で考えているのだった。

『何処へでも、何処でもいい。』

ここにこうして夜中たっていても、今夜出がけに苦しめられたような家には、帰って行きたくない。腹の底からとし子はそう思うのだった。けれど、背中に何も知らずに眠っている子供を思い出すと、とし子の眼にはひとりでに、熱い涙が滲んで来た。

『自分だけなら、他人の軒の下に震えたっていい。けれど――』

何にも知らない子供には、ただ温かい寝床がなくてはならない。窮屈な背中からおろして、早くのびのびと温かな床にねかしてやりたい。そして可愛想な母親が子供に与えるたった一つの寝床は、やはりあの家の中にしかない。とし子の眼からは熱い涙が溢れ出した。

漸くに待っていた電車が来た。ふりしきる雪の中を、傘を畳んで悄々と足駄の雪をおとして電車の中にはいった。涙ぐんだ面をふせて、はいって来たただ一人の、子を背負ったとし子の姿に皆の眼が一時にそそがれた。けれど座席は半ば以上すいていて、やはり深夜の電車らしくひっそりしていた。

春日町でまた吹雪の中に取り残された。長い砲兵工廠の塀の一角にそっておよそ二十分も立っている間には、体のしんそこから冷えてしまった。

二

因習的な家庭の主婦たるべく強いられる多くの試練に対する辛らい忍耐、一人の子供に強奪される終日の勤労、それはとし子にとっては全く思いがけない違算であった。

ただひたすらに、忠実な自己捧持者でのみあるべき彼女は何時の間にか、不用意のうちに、他人の家に深く閉じ込められてしまっていた。その家のあらゆる習慣と、情実を、肯定しなければならなかった。そうしてまたその上に不用意な愛によって子供という重荷を負わねばならなかった。若い、無智な、これから延びてゆかなければならない、とし子にとって、この二つの重荷は、彼女の持つ、すべての個性の芽を、圧しつぶしてしまう性質のものであった。彼女自身もそれはかなりはっきり意識していた。けれど、もし彼女が本当に強くその意識を何時も把持し、それに悩まされていれば、彼女はどうしても、その重荷から逃れなければならなかった。しかし、彼女はその意識と共に、また、その重荷から逃がれることは出来ないものだという、あきらめをも持っていた。その重荷から逃げることは、卑怯な一つの罪悪だとさえ思っていた。『あきらめ』ということは忠実な自己捧持者にとっては一つの罪悪だと不断主張しているとし子も、自分の実生活の上に来た矛盾の前には『あきらめ』で片附けるより他はなかった。すべてを、『運命』という最高意志にまかせるより他はなかった。

　しかし、とし子は自分のその『あきらめ』を決して『あきらめ』だとは思っていなかった。それには、彼女自身では、それ相応な理屈をつけていた。彼女は、どんな難儀な重荷を負わされようとも、そのために決して自己を粗末に扱うというようなことはしないという自信、それから、その重荷も決して、他から強いられた重荷ではなく、どうしても自分の意志からいっても背負わなければならないものであるということがその理由であった。殊に、子供に対する重荷はほとんど重荷とは感じない程だった。

　ただわずかに呼吸をし、食物を要求すること等の生きているというのみの状態から、人間らしい智能がだんだんに目覚めてくるのや、一日一日とめざましく育ってゆく体を注意していると、何ともいえない無限な愛が湧き上って来るのであった。この小さい者のためには何物も惜しまないという感激が不断に繰り返されるのであった。彼女の子供に対して与えるものは無制限に拡げられて行った。

しかし、それでもなお、彼女は決して彼女自身の生活を忘れはしなかった。彼女はどんな重荷を背負わされても、自己を忘却したり、見棄てたりするようなことはしなかった。それはまた、彼女自身を省みる都度、そのいい訳に役立つ所の、唯一のプライドでもあった。

他人に強いられる重荷を背負って他人の満足を買い、そして忠実な自己捧持者たろうとする欲ばった考えが、もし他人のことであったら、とし子は真っ先に立ってでも、嘲笑しかねなかった。しかし、今は彼女自身がその欲ばった考えに夢中だった。

彼女の第一の重荷は、男の家族への奉仕であった。その母親、弟妹、その連れ合い、そういう人との毎日の交渉に、身も心も細って行った。それに彼女は普通の場合よりさらにその人達に対して引け目を感ずるいろいろな事情を持っていた。

とし子は、家族の人達の考えによれば、かれ等の生活の支持者である男を失職せしめた。そうして彼等から生活の安定を奪った。かれ等は、口に出して責めるようなことは、為なかったけれど、それだけにとし子は、もっと意地の悪い、いやみのあてこすりでいじめられた。

実際に、男の失職は、とし子のことがもとになっていないではなかった。しかし、そんなことよりも彼はもうとうから、その仕事に倦きていたのだった。彼は機会を見て、教職などは退いて、他の仕事に転じたかったのであった。それは家族のものたちも知っていた。しかし、思った程、仕事はすぐに見附からなかった。そして必然に窮迫が襲うた。とし子にとっては辛らいことの数々が日々にせまって来た。

若い時から家族のために働きつづけて来た男は、体の自由だけでも、どんなにか呑気だった。少々の窮迫くらいは何んでもなかった。彼は一切のことを、何とかしなくては済まぬ位置におかれたとし子にまかして、いい加減に怠惰な日を送っていた。家族の者にとっては、それは大変な損失だったことはいうまでもない。彼等はしきりに彼に就職を迫った。とし子はそうした場合何時でも辛らい板ばさみになった。彼女は男をかばう代りに、家族のものに対しては、彼の代りになって重荷を負わねばならなかった。

一つの遠慮が、とし子のすべての考えを内輪に内輪にと押えた。家の中の情実や習慣を何処までも通そうとする母親、気の強い妹、それ等の人達と、出来るだけ不快ないさかいをせずにすまそうとするとし子の努力は、大抵なものではなかった。母親は、年老った人としては、まだ物わかりのいい穏やかな人であった。しかしそれでも家の中の情実に対しては多くの無駄を固持していた。窮迫がはげしくなるといろいろな愚痴がとし子の前に、一つ一つならべられた。妹は本当に勝気な無遠慮な女であった。彼女に会ってはとし子は、とても勝身はなかった。理屈などはまるで通らなかった。どうかすると、母親さえも彼女には極(き)めつけられて困ることがあった。とし子はそれ等の人々の機嫌を気にしながら、どんな侮辱をも無理な皮肉をも黙って忍ぶように、何時の間にか馴らされかけて来た。

しかし、彼女は決して自身から他へ目をそらすようなことはなかった。彼女はその自身の忍従に対してしみじみとひとりで涙ぐみながら、その気持をいとおしんでいることもあり、また或(あ)る時は、自分のその意久地(いくじ)なしに焦れていることもあった。しかし、大抵の場合は、反抗心にみちみちた、我意の強い自分が、そうした家族人達の中にあって、よく忍んでいることに対して、淡い誇りを持っていた。それにはまた彼女が家の外の仕事としてやっている雑誌の同人を中心として集まる女達に対する世間の批難がその頃随分激しかった。そして、その批難の大部分は下らない、外部に現れた行為によることが多かった。しかもその批難の的となる、多くの突飛(とっぴ)な行為は、大抵彼女等の与(あずか)り知らぬことのみであった。とし子は、それ等の種々な批難を聞くたびに、傍の人達に笑われるほど、むきになって憤慨した。そしてそういう世間に対する憤慨が、ここにも及ぼして、彼女は強いられた忍従を、自ら進んで努めるのだと考えて、それに誇りをもっていた。

けれど、それを折にふれては馬鹿らしく、くだらないことに考えることが、度々あった。殊に、一歩後へ引けばその一歩がすぐに、対手(あいて)のつけ目になって、ずんずん無遠慮にふみ込んで来られるのには、どうにも我慢のならないことがあった。そういう時に、彼女の苦痛を知らないではない男の、何とか一言の口出しで、どうにか喰いとめることが出来るものを、彼はあくまでそういうことには素知らぬ顔をしつづけた。とし子には、彼の気持はわかっていた。どっちに口添えをしても煩い、黙ってなるままにまかすがいいという風に、彼は何時でも考えているらしかった。けれど、それにしても、これから、ただ一生懸命に勉強して、自分の持っているものの芽をのばそうと心がけているとし子に理解を持っている彼なら、とし子のすべてをうち砕いてもしまいそうな、重荷の上に、さらに多くの譲歩を強いられる場合、もう少しくらいは、かばってもくれそうなものという不平は、よくとし子の心に起った。でも彼女はすぐとその気持を引っこめた。彼女はたった一度だけ、その不平を彼の前に出したことがあった。そのとき、彼は一言のもとにはねつけた。『自分のことは自分で何とでも始末するがいい。』そして、とし子には、それで充分だった。そうだ、どんなことがあっても、他人をたよりにするものじゃない。自分で困ることは自分で始末するより他はない。とし子は、反射的にそう思い、またそれが何処までも真実なことだと信じた。それでも、一方ではまた、そういう理屈を楯に、やはり煩さいことから成るべく遠ざかろうとする、男の利己的な心が何かしら不快な影を、とし子の心に投げるのであった。とし子にはその影が何であるかは、ハッキリとは解らなかった。しかし、彼女は他人を頼ってはならぬという男の言葉が本当だと思いながら、真に快よくそれを受け容れることは出来なかった。何処かにそれをそのまま受け容れることを渋る気持があった。そしてその気持を納得させる努力が、彼女に何となく、淡(あわ)いたよりない悲しみを抱かせた。そしてその気持の下から二度と再び彼にそんなことはいうまいという反抗心が起った。

三

『こんな生活を何時までもしているのは馬鹿馬鹿しい。』

彼女はだんだんそう思う日が多くなった。重(かさな)り合って迫って来るいろんな家庭内の迫害を、甘受していることの恐ろしい不利益を考えては、どうかして立ち直って、自分を救い出したいと思って努力した。けれど、それが、どうしても、少々の努力では追い付くことが出来ないと気がついてからは、彼女はもうその家庭から逃げ出すより他はないと思った。

けれど、そんな気持が根ざしかけた頃には、彼女は母親になった。一人の子供の出生によって其処に小康が保たれた。子供は母親の限りない愛の対象となった。そしてまた、とし子の愛の対象でもあった。暗い家の中はその小さいものの出現によって、急に賑(にぎ)やかに、明るくなった。皆んなが、その一人の子供にのみ注意と興味を持って行った。不快な雲がひとまず晴れた。

みんなは歓びのうちに日を暮らした。殊にとし子は、この小さな者によって家の中が明るくなったことに、どのくらい感謝をしたかしれなかった。けれど、それはとし子をさらに大きな苦悶に導く前提だとは彼女自身すら、まるで気がつかなかった。子供は、とし子と男との関係を束縛した上に、他の家族の人達との間を一層面倒にした。

日を経るままに子供は育って行った。そして子供についてまるで無経験なとし子は、すべてを母親の指図どおりにするより他はなかった。たまに、いくらか彼女が、多少育児に関して知っていることを持ち出しても、『経験』を楯てに、一々おし退けられてしまった。多くの無駄や不自由を少しでも除こうとして、母親の流義とは違ったことをしようものなら、母親はむきになって怒った。母親は、とし子が、子供のためにかける手数や時間の無駄を、少しでも除こうとするのを、子供に対する不親切な面倒くさがりだと解釈した。そうして、反抗的に、子供を大切にかけてかばいたてた。その結果は、みんな容易ならぬとし子の骨折りになるのだった。子供は終日、大人達の手から手、膝から膝と渡された。家中の者が子供にかかり切りになっていなければならなかった。殊にとし子は、一時間も子供を離れている訳にはゆかなかった。

さらにまた、その上のとし子の苦しみは、子供が育つに連れて、その一枚のきものにも、出来るだけの派手を見せたい母親の止みがたい見栄から、一層経済上の窮迫に対する不平が昂じて来たことであった。しかも男はもうこの頃は、自ら職業に就こうとする意志は、まるでないのだとしか、とし子には思えなかった。

『何んとか、せめて自分だけでも積極的に働く方法を講じなければならない。』

とし子はそう思っては、あれか、これかと働けそうな仕事を物色した。けれど、母親は子供を抱えたものが、外で仕事をすることには一切不賛成であった。とし子がそうした覚悟を見せる程母親は息子を責めたてた。そして子供の世話については、やかましく指図するだけで、手を貸すのはほんの、お守りの役に過ぎなかった。とし子が止むを得ない用事ででも、外へ出たときの半日の留守は、母親にとっては大変な重荷であった。

だんだんに、とし子は、子供のために、自分を束縛されて来たのに気がついて来た。子供は可愛くて堪らなかった。けれど、一日中、また一晩中、子供にばかり煩わされて、時間の余裕というものが少しもないのには、苦痛を感じない訳にゆかなかった。どうかして、せめて読書の時間だけでも出したいと焦った。このままにゆけば、やがて子供を一人育てるために、自分というものを、殺しつくしてしまわなければならないようなはめになるかもしれない。そんなことがあっては大変だ。すべての苦しみが、みんな自分を活かしたいためなのだもの、それを殺してどうなろう。そう思っては彼女は、しきりに始めから志した読書や、語学の素養を心がけた。けれど彼女が子供を寝かしつける間や、授乳の間を見ては、また折々は台所で煮物の片手間にまで、書物を開いているのを見ると、母親はきまって、彼女が何か道楽なまねでもしているように苦い顔をした。

『私なんか子供を育てる時分には、御飯をたべる間だって落ちついていたことはない。』

などと口ぐせのようにいった。母親は、彼女がただ間断なく、子供のために働き、家のことで働いて、疲れれば機嫌がよかった。実際また、読書をするひまに、他の仕事をする気があれば、することは、母親のいうとおりに山ほどあった。

けれど、とし子には家の中のことを調えて子供の世話でもしていれば、それで女の役目は済むという母親達とは，違った外の世界を持っていた。その役目を果すことを決して厭やだとは思わなかったけれど、そしてまたそれにも相応の興味をもって果すことは出来たけれど、そればかりでおしまいにしてしまうことは出来なかった。

一歩家の外に踏み出すと、彼女は、自分のみすぼらしさ、意久地なさを心から痛感した。うかうかしてはいられないという気が頻りにするのであった。友達のHもNもSもそれからYも、皆んなが熱心に勉強している。そして、一番若い、一番無智無能な自分が何にも出来ずに家の中でぐずぐずしているのだ、と思うと、何ともいえない情なさ腑甲斐なさを感ずるのであった。何の煩いもなく自由に勉強している人の上が羨ましかった。束縛の多い自分の生活が呪わしかった。といって、今さら逃れることも出来ないのをどうすればいいか？　彼女は本当に、それを考えると、たまらなかった。

けれど、とにかく彼女は、家族の人達からは批難されようと、少々くらいな厭や味を聞かされようと、自分の勉強だけは止めまいと決心した。たとえ、まとまった勉強らしい勉強は出来なくとも、せめて、普通の文章くらいは読みこなせるだけの語学の力だけでも養っておきたいと思った。

四

その頃とし子は、友達のHから雑誌の仕事を全部ひきついでいた。彼女がその雑誌を引きつぐことになったのも、Hからその仕事を持っていては勉強が出来ないから止めるという決心を話されて、折角持ち続けて来たものを止めるということが惜しいのと、他の一方にはこの仕事を利用して、自分の勉強の時間を、仕事の時間から出そうという魂胆もひそんでいた。そして、その雑誌の同人の一人であるY夫人の処を訪ねたとき、其処でY氏が夫人のために、いま大きな社会学の書物を読む計画があるから勉強する気ならと誘われて、毎週二回くらいずつ其処に通うことになったのであった。Y氏は、その書物を手に入れることがむずかしいために、毎週読む筈の幾ページかの部分をわざわざタイプライタアで写さして送って寄こした。とし子は、その親切を、本当に、心から感謝しながら、少しでも、そうした勉強の機会を外ずさないように心懸けていた。

けれど、とし子が家の外に仕事を持つことになったのは、家族の人には、大変な迷惑でも振りかかったように感ぜられた。この頃になって、子供は前より手がかかるくらいであったけれど、それには、W夫婦という人達が親切に大抵毎日来ては面倒を見てくれた。汚れたものの洗濯、掃除、そういうことにまで働いてくれた。妹などには別に何一つ重い負担がふえる訳でもなかった。それでも此度は、そういう人達に、よけいな手伝いをさせて、毎日のように出入させることに対して、いろいろな批難がやはり、とし子の仕事の上に降りかかって来た。ことに書物をよみに他所まで出かけてゆくなどと、家持ち子持ちのすることではないという激しい反感が切りに起された。とし子はもう、そんなことに対しては一切無関心な態度でいるより他に仕方はないと思った。

その夜のとし子の悩みは、やはりそれに関連したことだった。母親は例のとおりに、子供を持った女が、始終出歩くことの不可をしきりにいった。そしてだんだんに、家の中のきまりのつかないことをならべたてているうちに、とうとう総てが男の怠惰が原因だという処まで押して行った。母親に、露骨にいわせれば、彼が遊んでいるために、主人としての男の権威が踏みつけにされるのだというのであった。そして、男が踏みつけられているために、自分までが、とし子自身がそうした我ままをしたいために、総ての家の外のことまでを自分で背負っているのだということにもなった。ふたりはその夜さんざんに母親のために愚痴をいわれ、口ぎたなく罵られた。そして母親のいう処は、せんじつめれば、彼女を家庭の内にとじ込めて、彼女の仕事をうちの中だけのことにして、自分の手ごろに合うような嫁にするように、それは早く何かの職業につくようにという息子への注文であった。けれども、ふだん思っていること、不平に耐えないことを、何も彼も、順序なしに、一度に出してしまおうとするので、滅茶滅茶なものになってしまった。

とし子はそれを黙って聞いていた。彼女は母親の気持には理解も同情も出来た。如何に口汚く罵られても、いやみをいわれても、別に腹立たしい気は起らなかった。しかし、どうしてもこの家族の人達と一緒に生活することは我慢がならないということだけは不断よりも一層強く感じられた。例え男に何かの収入の道がついたとしても、彼女は決して母親の希(ねが)うような、嫁になりおおせることが出来ないことを思うほど、そうして、母親が必然に自分の思う通りになるものと極めている気持を考えれば考えるほど、これから先きの長い双方の暗闘が、とし子の心を暗くするのであった。

とし子は坐っていればいるで、何時までも、一つことを繰り返されるのがいやなのと、丁度Y氏の処にゆく晩なので、子供のことを頼むのも面倒と思って、子供を背負うて家を出たのであった。途に母親の言葉を思い出すと今度はその無反省な、虫のいい、または悪感にみちた母親のいい分に対して、先刻その前でしたような冷静な気持での同情などは出来なかった。不断忍んでいる多くの不快が、一時に雲のように簇々と頭をもたげ出して、その一つが、彼女のそれに対する憎悪をそそるように、明瞭に思い出させるのであった。そして、自制を失った感情は一斉にその記憶によびさまされて躍り上って来るのであった。そうなると、とし子はもう家族の人々に対して、何ともいえない憎悪を感ずるのであった。どうしていいか分らないような、ふだん抑えているすべての感情のために、一時に苛まれた。

しかし、やがて、その感情が引いてしまうと、後はどうすることも出来ない事実に対する深い悩みと、それに対する底しれぬ哀しみが残るだけであった。

男と別れさえすれば、それ等との関係は片づいてしまう。本当に、何の雑作もなく片附いてしまう。それは分り切っている。けれど今、あの男と別れることが出来ようか？　あの男に対しては愛もある、尊敬も持っている。そして、今あの家を自分が出れば困るのは男ばかりだ。自分が、少々不実な女と見られるくらいは仕方がない。けれど、あの男を、自分のようなものにだまされる、馬鹿な、ウスノロな男だとあの母親の口から罵らせることは辛らい。けれど、それもまんざら忍べないことはない。前にはそう決心したこともあった。けれど今は子供がいる。子供がいる。これをどうすればいいのだろう？　ああ、やはり、子供のために出来るだけのことは忍ばなければならないのだろうか？　前には、意久地のないことだと思いもし、いいもした、その子供のためという口実を、自分も口にせねばならないのだろうか？　仕方がない、仕方がない。とし子は一生懸命に目を瞑ろうとした。その下からすぐ、深い悔恨が湧き上る。不用意に、こうした家庭生活に引きずり込まれた自分の不覚が恨まれる。思うまいとしても、自分の若さが惜しまれる。自由な自分ひとりの意志で自分を活かしたいばかりに、何時も争いを続けながら、すぐまた次のものに囚われる自分の腑甲斐なさがはがゆい。どうすればいい自分なのだろう？　ああ！　本当に、何物も顧慮せずに活きたい。ただそれだけの望みが何故に果せないのだろう？

　多くの気まずさと、冷たい反目が待っている家！　もう帰るまいか、逃げてしまおうかと思った家！　其処に向ってかえりながら、とし子は、じっと思いふけっていたのであった。

五

　頭の上には、真青な木の葉が茂り合って、真夏の焼けるような太陽の光りを遮ぎっていた。三、四間前の草原には、丈の低い樫の若木や栗の木が生えているばかりで、日蔭げをつくる程の木さえなく、他よりずっと高くのびた草の、深々とした真青な茂みの上を遠慮なく熱い陽が照って、草の葉がそよぐたびによく光る。とし子は、森の奥から吹いて来る冷たい風を後ろに

受けながら、坐って、草の葉の照りをうつむいた額ぎわに受けながら、じっと書物の上に目を伏せていた。それは、

『伝道は、或る人の想像するように、「商売」ではない。何故なら、何人でも奴隷の勤勉を以て働らき、乞食の名誉を以て死ぬかもしれないような「商売」には従事しないだろう。かくの如き職業に従事する人々の動機は、ありふれた商売とは違っていなければならない。誇示よりは深く——利害よりは強く——』

という言葉を冒頭においた、エンマ・ゴオルドマンの伝記であった。とし子は、その筆者の調子のいいしかし熱情のこもった文章にひかれて熱心によみ進んでゆく。それは主に、一女工として移住して来た若いエンマ・ゴオルドマンが、知名な無政府主義者としてアメリカの公生活中に異彩を放つようになった今日までの、多くの障礙(しょうがい)と困難に戦った目ざましい彼女の半生が描いてあった。

其処には、あらゆる権力の不正な圧迫がいかに彼女を殺そうとしたかが、また、理解を遮ぎられた彼女の仲間でさえもがいかに彼女の霊魂をかきむしったかが明白に描かれてあった。そして、彼女はそれ等のすべてに打ち克ち、知名の伝道者として、何処までもその不屈の精神と絶倫の精力と多くの人の持つことの出来ない勇気をもって、絶えず困難な彼女の仕事を続けているのだ。とし子は、その彼女のいかなる困難に出遇っても屈することを知らぬ強い精神に、

その困難に出遇う程燃えさかる真実に対する愛の情熱に心を引かれるのであった。同時にまた、彼女を迫害する諸権力の陋劣な手段も悪まずにはいられなかった。さらに、深い理解と友情の必要な場合程、俗衆と同じ見地にまで成り下る暗愚な仲間に対する侮蔑を禁ずることが出来なかった。

『革命思想の代表者は二つの火の間に立つ。一方に於いて社会状態から生ずるあらゆる行動に対して彼に責を負わす現在権力の迫害。他方に於いては、狭い見地からしばしば彼のあらゆる活動を判断する、彼自身のもとにある同主義者の理解の欠乏。斯くして主動者は、しばしば彼を囲繞する群集の中に、まったく孤立する。彼の最も親しい友人すら、いかに彼が孤独寂寞を感じているかを理解するものは稀れだ。それが公衆の眼に顕著な人の悲劇である。』

筆者も彼女の、半生の苦悩を描く前にまずそう書いている。とし子は、そうした一句一句にも強い同感を強いられるのであった。

彼女は一八六九年にロシアのコブノ地方で生れ、七歳までカランドのある土地で育った。両親とも猶太人で、父は其処で官吏をつとめていた。七歳から十三歳までは東プロシアのケニヒスベルグの祖母の許で育った。その当時の小さなエンマはまったくドイツの雰囲気になずんでいた。彼女の好んで読んだものはマルリットのセンティメンタルロオマンスであった。また彼のルイ女王の非常な称讃者であった。しかしやがて、彼女の重要な最初の一転機が来た。一八八二年に、彼女の両親は彼女を伴って、セント・ペテルスブルグに移った。其処でエンマは全く違った世界を発見した。

当時のロシアは、国中に大きなあらしが吹きまくっていた。専制政治と智識階級の間の死物狂いの闘争が国中に漲っていた。一八八一年にはアレキサンダア二世が斃された。そうして、彼女がペテルスブルグに到着した八二年には、その暴君の死刑を執行したソフィア・ペロヴスカヤ、ゼリアボフ、グリネヴィツキイ、リサコフ、ミカイロフ、その他の勇敢な人々は既に不死のワルハラに、はいっていた。世界はかつてまだこのような、自由のための戦いを見たことはなかった。虚無党殉教者の名が万人の唇に上った。そして、幾千の若い追随者がその戦いの中に飛び込んで行った。革命的感情が、全露西亜のあらゆる階級に滲透した。露西亜語の研究につれて、若いエンマもまた革命思想の伝道者とその新思想に接近した。マルリットの位置は忽ちにネクラソフやチェルニシェフスキイによって奪われた。そして彼女は自由のための戦いに一生を捧げようと決心する程の、炎ゆるような熱心家になった。

しかし保守的な両親には、この新思想は理解することが出来なかった。魂をかきむしるような家庭内の争いが続けられた。そして彼女はとうとう彼女自身で生活の途を立てようと決心した。そうして他の多くの人々が、『人民の中に』這入った例にならって、彼女も或るコルセット製造の工場の女工として這入った。もしも彼女が、そのままそうしてロシアに止まっていたら、他の人々と同じく早晩、シベリアの雪中にうずめられてしまうのであったかもしれない。然し彼女のために、さらに、新しい局面が展かれた。彼女が十七歳になったとき、姉のヘレンと共に、大きな、自由の国、新らしい光明の世界の、アメリカを慕ってロシアを後ろにした。

しかし、アメリカに対する理想的概念は、すぐに破られた。ザアもいずコサックもいず、チノヴニクもいない、共和国、自由平等の国では、一人のザアの代りにその数人を発見した。コサックは重い棍棒を持った巡査に代り、チノヴニクの代りにもっと苛酷な工場奴隷使役者がいた。そうして、彼女はロシアのそれよりもずっと、組織立った、不自由な、些の慰藉もない苛酷な工場に仕事を見つけた。彼女はまるで、牢獄に等しいその工場生活に、その暗い冷たい雰囲気に窒息しそうになった。しかし、彼女のためにさらに重要な場面が、それからそれへと展けてゆく。

若いエンマの前に展かれる、彼女を一層正しい処に導いてゆく多くの社会的事実が、さらに深くとし子の心を捉えた。一八八〇年代のロシア、その頃の革命運動については一エピソオドでも、のがさずに知りたいとおもう程、とし子はそれ等の話にふれると興味をそそられるのであった。エンマは、その運動を目撃し、そして直接にその洗礼を受けた。その上に、さらに彼女を自覚した伝道者につくり上げる多くの都合のいい局面が彼女の前に展開されるのだ。とし子はその若いゴオルドマンと、彼女をとりまく周囲に、その周囲の生きた事実に導かれるゴオルドマンが、心から羨ましいような気持で、読み進んで行った。すべての事実が、それを読むだけのとし子を興奮さす程にも、ゴオルドマンにとっては、都合のいい、試練であった。

六

エンマ・ゴオルドマンが、セント・ペテルスブルグで洗礼を受けた一八八〇年代の革命運動に従事した人々は、その当時、西欧羅巴(ヨーロッパ)やアメリカに起りつつあった社会的観念に対する知識は、ほとんどなかった。その人達の最終目的は、専制政治の破壊で、その手段は人民の教育であった。その人達には社会主義や無政府主義の名さえも知られてはいなかった。

ゴオルドマンがアメリカについた時には、丁度、彼女がペテルスブルグに着いた時とおなじような社会的政治擾乱(じょうらん)の時代であった。労働者はその労働状態に反抗した。同盟罷業者と巡査の間の闘争の轟(とどろ)きが国中に反響した。そして、その闘争の極点が、シカゴのハアヴスタア会社に対する大同盟罷業となり、罷業者の虐殺となり、労働者の首領等の死刑執行となった。しかし、何人もこれらの事件の真相を知ろうとはしなかった。

『アメリカの大抵の労働者のように、エンマ・ゴオルドマンも非常な興奮と心配をもってシカゴ事件を注目した。彼女もまた、平民の首領等が殺されようとは信ずることが出来なかった。一八八七年十一月十一日は彼女に全く違ったことを教えた。彼女は、権力階級からは何等の慈悲をも期待することが出来ず、ロシアのザリズムとアメリカの資本家政治との間には名義以外に何等の差異もないことを是認した。彼女の全身はその罪悪に激昂した。そして彼女は、彼身に厳粛な誓をたてて、革命的平民階級に結びつき、賃銀奴隷状態から彼れ等を解放するために、全身全霊を捧げようと決心した。』

彼女は非常な熱心をもって、社会主義無政府主義の文学に親しみはじめ、同じ主義の傾向をもった労働者と懇意になった。そしてやがて、ジョン・モストの『自由(フライハイト)』によって、無政府主義者としての自覚を得、さらにアメリカの最上知力者によって、無政府主義の思想を学びはじめた。

それから、彼女が無政府主義者の集会の演壇に立つようになり、演説者としての伎倆(ぎりょう)を認められるようになったのはすぐであった。病気で一たん、ロチエスタアの姉の処に帰ったエンマがニユウヨオクに出たのは、彼女が二十歳の時であった。そしてさほどの困難なしに、ジョン・モストと親しくなった。さらに彼女にとって一層重要な役割をもったアレキサンダア・ベルクマンとの親交もこの時にはじまった。そうして、それ等の人々と一緒に彼女はその火のような熱誠と雄弁をもって、一方に絶えず労働しながら煽動者として活躍した。また一方にはロシア革命の亡命家等と親しくなり、その人々が彼女に与えた霊感も小さいものではなかった。ロバアト・ライツエルに会ったのもこの時分で、彼によってエンマは近代文学の第一流の著者に親しんだ。

彼女の全身全霊を挙げての火のような主義に対する熱誠は、休息ということを知らなかった。幾許(いくばく)もなく、知名な無政府主義者として目ざましい活動を始めた彼女の上には、いろいろな迫害が来た。彼女は勇敢に大胆に戦った。彼女の熱心と勇気と精力とは何物をも恐れなかった。しかし、やがて恐るべき試練の時が来た。

一八九二年に、大同盟罷業がピッツパアグに勃発した。ホオムステッドの闘争、ピンカアトンの敗北、そして国民軍の出動によって散々に蹂み躙(ふにじ)られた労働者の様子に心の底まで動かされたアレキサンダア・ベルクマンは彼れの生命を賭して、実行的無政府主義者が労働者と如何に密接な行動をとっているかという実物教示を、アメリカの賃銀奴隷に見せようと決心した。彼はピッツパアグの労働者の敵たるフリックを斃そうとした。が、それは失敗に終って、二十二歳の彼れは二十二年の処刑を申渡された。

エンマ・ゴオルドマンがこの事件によって受けた迫害は非常なものであった。九年後にレオン・ツオルゴオズが大統領マッキンレイを暗殺した時に受けた迫害と共に、それは彼女の霊魂を引っかきむしった。資本家の新聞雑誌の陋劣な讒誣虚報や、警察官等の法外な迫害はさほど彼女を傷めはしなかった。しかし、自分達の仲間からの攻撃は彼女にとって堪えがたいものであった。誰も、ほとんどベルクマンの行為に理解を持たなかった。その理解を妨げる程同主義者に対する迫害が、ひどかったのだ。そして同志の、公私の集会でひどい責罪と攻撃が続いた。彼女はベルクマンと彼の行為を弁護し、革命的の行動をとったというのであらゆる方面から迫害された。彼女は寝る場所さえも失くして公園で夜をあかすことをさえ忍ばねばならなかった。彼女やベルクマンと一緒にいた青年は、この状態に堪え得ず自殺を企てた程であった。

マッキンレイ暗殺事件から受けた迫害も同一のものであった。それはベルクマン事件よりはさらに苛酷なものであった。その事件に対する彼女の説明は一層迫害の度を増さしめたのみであった。彼女は実際野獣のように到る処で逐われた。そうした社会の迫害と同志の無理解は彼女の伝道を妨げた程であった。

しかしそれ等の迫害に打ち克って、彼女は間断なく運動を続けて来た。どんな迫害も彼女の進む道を防ぎ止めることは出来なかった。むしろ困難に出遇う程、彼女の情熱は炎え上る。よしベルクマン事件ツオルゴオズ事件の後のように一時隠退を余儀なくされるような場合があっても、彼女は決してそれ等の時間を無為には過さない。それ等の時は彼女の貴い知的修養の時間であり、再び闘場に帰るべき準備の時である。

こうして彼女は二十数年以上も主義のために戦い続けている。今では彼女はアメリカの社会的、政治的生活の強力な要素となっている。そしてあらゆる不法な迫害を受けた彼女の真実が知識階級から一般人へと、だんだんに認められて来た。

七

多くの人間の利己的な心から、全く見棄てられた大事な『ジャスティス』を拾い上げることが現在の社会制度に対してどれ程の反逆を意味するかということはとし子も前から、いくらか理解はしていた。けれど、そういう社会的事実に対しては殊にうといとし子には、一人の煽動者に対して、大共和国の政府がとったあらゆる無恥な卑劣な迫害手段は不思議なほどであった。始めて知り得たそれ等の事実に対して、とし子は彼の数多の人々をシベリアの雪に埋めた旧ロシアの専制政治に対してよりも、もっと違った、心からの憎悪を感じないではいられなかった。

しかし、それよりもさらに一層強くとし子の心を引きつけたものは、何よりもゴオルドマンその人の勇気であった。燃ゆる情熱であった。何物にも顧慮せずに自己の所信に向って進む彼女の自由な態度であった。読み進んでゆく一頁ごとに、彼女の立派な態度は、敵の陋劣な手段と対して、どんなに、とし子の眼には輝やかしく映ったろう？　とし子は静かに自分達の周囲をふり返って見た。

ここでも、すべての『ジャスティス』は見返りもされなくなっていた。すべての者は数百年も、もっと前からもの伝習と迷信に泥んだ虚偽の生活の中に深く眠っていた。偶々少数の社会主義者達が運動に従事しようとしても、芽ばえに等しい勢力ではどうすることも出来ない。束縛のむすび目の僅かなゆるみをねらって婦人の自覚を主張し出した自分達にしても、何一つ満足なことは出来ない。そして必ず現われなければならない新旧思想の衝突が本当に著しい社会的事実となって現われることすら、まだよほどの時をおかなくてはならないのではあるまいか、とさえ考えさされるのであった。

とし子はそんなことを考えながらも、すばらしいゴオルドマンの生活に対して、自分達の生活の見すぼらしさをおもわずにはいられなかった。

『生き甲斐のある生き方』は、とし子が自分の『生』に対する一番大事な願望だった。何物にも煩わされず、偉きく、強く生きたいということは、常に彼女の頭を去らぬ唯一の願いであった。その理想の生活が、ゴオルドマンによってどんなに強くはっきりと示されたことであろう？

本当に、それ程の『生き甲斐』を得るためになら、『乞食の名誉』もどんなに尊いものだか知れない。その『名誉』のためなら、奴隷の勤勉も何んで惜しもう?

だが一体、何時になったら日本にもそういう時が見舞ってくれるのだろう? そう考えると、とし子は急につまらない気がした。そうしてしみじみと、人間の個々の生活の間に横わる懸隔を思わずにはいられなかった。


とし子達が、その機関誌『S』を中心としてつくっている一つのサアクルは、在来の日本婦人の美しい伝習を破るものとして、世間からは批難攻撃の的になっていた。みんなはムキになってその批難と争った。けれどそれがどれほどのものであったろう? ただみんなその『S』誌上に僅かな主張を部分的に発表するのが仕事の全部であった。集って話すことも、自分達の小さな生活の小さな出来事に限られていた。そして、みんなが与えられたものを着、与えられた物を食べ、与えられた室に住んで、小さな自己完成を計っていた。実際に社会的生活にふれているものはほとんどなかった。

『S』誌に向っての攻撃の一つは、物好きなお嬢様の道楽だというのであった。実際そう見られても仕方のない程、皆んなの生活は小さかった。皆んなが自分達の生活の弱点に気がねをしながら婦人の自覚を説いた。けれどそれは決して道楽ではなかった。皆んな一生懸命だった。けれど、まだ自分達の力をあやぶんでいる皆は、本当に向う見ずに種々な社会的事実にブツかるのが恐いのだった。しかし彼女等の極力排している因習のどの一つでも、現在の社会制度を無視して残りなく根こそぎにすることが出来るであろうかということになれば、どうしても『否』と答えるより他はなかった。けれど、その点には出来るだけ触れたくもないし、触れずにいればそれで済ましてもいられるのが、皆んなの実際であった。

　けれど、とし子だけは、そのサアクルの中でも、ちがった境遇にいた。彼女は一たんは自分から進んで因習的な束縛を破って出たけれど、何時か再び自ら他人の家庭にはいって、因習の中に生活しなければならぬようになっていた。彼女はその最初の束縛から逃がれた時の苦痛を思い出す程、その苦痛を忍んでもまだ自分の生活の隅々までも自分のものにすることの出来ないのが情なかった。彼女はただそれを、自身の中に深くひそんでいる同じ伝習の力のせいだとおもっていた。そうして彼女はそれを理知的な修養の力によって除くより他はないとおもっていた。しかし、彼女の生活は、他の友達よりは、他人との交渉がずっと複雑にされなければならなかった。そしてその他人の意志や感情の陰には、とうてい、彼女の小さな自覚のみでは立ち向うことの出来ない、社会という大きな背景が厳然と控えていた。彼女は、それを思うと、どうすることも出来ないような絶望に襲われるのであった。自分ひとりが少々反抗してみたところで、あの大きな社会というものがどうなろう？　と思った。けれど、といって、自分の握っている『ジャスティス』を捨てる訳にはゆかない。『要するに、皆んなが自覚しなければ駄目なのだ』そう思いながら熱心に、やはり自己完成を念じていた。けれど、いつかは一度は立ち直って、その大きな力にぶつかる時があるにちがいないとはそのたびにひそかに考えていた。

けれども今、とし子に示されたゴオルドマンの態度はまるで違っていた。彼女は社会の組織的罪悪を、その虚偽を、見のがすことが出来なかった。彼女はその人間の心をたわめ、冷くする社会組織に対して激昂した。そしてその虚偽や罪悪に対する憎しみの心を、そのままそれにぶつかって行った。本当に何物も顧慮する隙を持たなかった。ただ、正しい自己の心を活かすために、多くの虐げられたもののために、全身全霊を挙げてその虚偽に、罪悪に、ぶつかって行った。其処に彼女の全生命が火となって、何物をも焼きつくさねばおかぬ熱をもって炎え上っているのだ。とし子の頭はそれを思うとクラクラした。今にも何か自分もそうした緊張した生活の中にすべてを投げ棄てて飛び込んで行きたいような気持に逐われて、じっとしてはいられないような気がするのだった。

彼女が、そんな回顧に耽りながら、沈み切った顔をうつむけて家に帰りついた時には、雪はもう真白にすべてのものを包んでしまっていた。

子供を床の中に入れると、そのまま自分も枕についたが、眼は、どうしても慰め切れぬ心の悩みと共に、何時までも悲しく見開いていた。電灯の灯のひそやかな色を見つめながら果てしもなく、一年前にゴオルドマンの伝を読んで受けた時の感激を、まざまざと思い浮べて考えつづけていた。

それは、最近に彼女の心の悩みが濃くなってからは、殊にしばしば頭をもたげて彼女を憂鬱にするのであった。そして、一年前よりは一層複雑になった現在の境遇に省みて、諦めようと努めるほど、だんだんにその感激に対する憧憬が深くなってゆくのが、自分にもハッキリと意識されるのであった。

『乞食の名誉』聚英閣、一九二〇年五月二八日

階級的反感

　ここに越して来てからは、今までとは周囲に対する勝手が、まるで別になった。家を一歩踏み出すとこの近所では、私はかつて知らなかった一種の圧迫を感ずる。家の中にいる時の安易な取りつくろわぬのとはまるで別の、一種の畏縮を感ずる。何か多勢の眼が、私のすべての行為を看視でもしているような窮屈さを感ずるのである。

　私の家のすぐ傍の空地の井戸がこの近所の二十軒近くの共用になっている。朝早くから夜おそくまで、そのポンプの音の絶え間がほとんどないといってもいいくらいによく繁盛する。私もまた其処(そこ)に水を汲みに行かなければならない。しかし、私はその井戸端に、四、五人の人がいれば、とても其処にゆく勇気はない。四、五人どころじゃない一人だって行きたくないほどだ。私が其処に出て行こうものなら、其処に居合わせる人が皆んなで私一人を注意する、まるで、人種の違った者にでも向けるような眼で。

買物にゆく。其処でも私はいろいろな人たちから退(の)け者にされ、邪魔にされる。そうして品物を買ってからは、「私は馬鹿にされてるのじゃないかしら。」と、時々不安になる。

今までは、人がどんなに注意しようが平気だった。どんなに、妙な顔をしようが変な顔をしようが平気で威張って通って来た。それだのにここではどうしたというのだろう？ みんな、無智で粗野な職工か、せいぜい事務員の細君連だ。本当なら私は小さくならないでも大威張りでのさばっていられる訳なのだ。でも私にはそれが出来ない。私はその細君連に第一に畏縮を感ずるのだ。圧迫を感ずるのだ。私はその理由を知っている。

私はあの細君連にどうかして、悪い感じを持たれたくないと思っている。悪い感じどころではない、どうかして懇意になりたく思っている。けれどそれには私のすべてが、あの細君連からあんまり離れすぎている。そしてそれがもう黙っていてもそれ等の細君連に決して気持のいいものでないことを、私は知りぬいている。それだから、一寸(ちょっと)井戸端を通りかかっても、水を汲みに行っても、その注視に出遇うと、私は急いで逃げ帰って来る。家の中に這入(はい)ると始めて楽々とした自分にかえる。もう越して来て一ヶ月になる。私はいまだに一人の人とも口がきけない。人のいないのを見すまして行っては大急ぎで出掛けて水を汲んでは逃げ込んで来る。

炊事の合の時間には、井戸端に、七、八つのたらいが並ぶ。皆んな高声で何か話ながらジャブジャブやっている。

「彼処にたらいをもって行って仲間入りをしなきゃ駄目ですよ。彼処へ行って、お天気がいいとか悪るいとかいってりゃすぐ懇意になりますよ。此方で遠慮してちゃ、何時まで経ったって駄目ですよ。向うの方が余計に遠慮をしているんだから。」

Mさんが玄関の横の窓の障子にはめこんだ硝子ごしにそれを見ながら教えてくれるのだった。でも私にはとても其処までの勇気は出て来ない。私は庭にたらいをおいては毎日ひとりで洗濯した。

「ね、其処のお湯屋は夕方から夜にかけてはモスリンの女工で一杯ですとさ、私どんなだか行ってみようかしら。」

「ああ、行って御覧。」

私はそんなことを或る日Oに話して、その晩好奇心から出かけて行ってみた。

大変だった。脱衣場から、流し場から、湯槽の中まで若い女で一杯だった。こんでいるお湯には我慢のならない私も、好奇心から着物を脱いで流し場に降りた。だが桶一つ見つからない。すると丁度桶に湯を運んで来た番頭が、目早く見ると頭を下げて、

「どうぞこちらへ。」

といってから、

「おいお前さん達少しどいてくれ、鏡はほら向うにもかかってるよ。」

番頭は其処に一とかたまりになっている二、三人の女工を追いのけて、湯桶をおいて私の場所を拵(こし)らえてくれた。ありがたかったけれど私は気がとがめた。私が手拭を桶の中につけるかつけないかに、私の後では三人が猛烈に番頭の悪口をいいはじめた。

「何だい人を馬鹿にしていやがる。鏡は向うにもありますだなんて、鏡なんか誰が——あんなもの見ようって湯になんか来やしないや。人をわざわざ恥かかしやがった。本当にあの野郎——」

「何んだい、たった一銭のことじゃないかよ、こちとらだって、何時でも一銭くらいであの通りが出来るんだよ。だけどたった一銭で威張ってみたって仕方がないやね。」

「全くだね、一銭二銭惜しい訳じゃないけどあんな番頭の頭下げさしたって——えっああ何んだいあれゃ。」

「女優だよ。」

「女優なもんかね御覧、子持じゃないか。」

「あら女優にだって子持はありますよ、何んとかっていう。」

「お前さんよくいろんなことを知ってるね。何んだっていいやね。えっ、そうともさ、済ましてる奴が一番キザだよ、ほらあの人みたいにね、ちょっとくすぐってやりたいね。」

私は早々に逃げて帰った。自分のことを後で散々いわれたばかしじゃない、何方(どちら)を向いても

十七、八、二十二、三という若い娘達が、聞いているだけでも顔から火が出そうな話を平気で、高声で饒舌っているのがとても聞いてはいられないのだ。
二度目にはもう好奇心ではなく仕方なしにその時間だというのは承知していたが行った。やはり一杯だった。本当に女工さん全盛だ。他の者はうっかり口もきけない。女工でないものは隅っこで黙っているより仕方がない。

「まあ本当に、おいもみたいだわ、お湯の中にはいっても外に出ても、もまれていて。」

可愛らしい娘さんが連れの人にいった。その言葉が終るか終らないうちに、傍にいた女工がたちまちその娘さんを尻目にかけながら
「たまに風呂に這入りに来た時くらい、いも同様は当り前の事だった。こっちらなんかはねえ、朝起きるとから夜寝るまで――寝るんだって芋同様なんだ。」

他の連中とつっかかるようにいった。娘さんは驚いて、連れの人の傍によって黙って見ていた。

流しに上る。私はしゃぼんをたくさん使わないと気持がわるい。体も桶の中もしゃぼんのあぶくで一杯になる。しまいには仕方がないから睨まれるくらいは覚悟で桶のあぶくをあけた。

「ちょっとちょっとしどい泡だよ、きたならしいね、どうだい、豪儀だねえ、一銭出せばお客さまさまだ、どんなことだって出来るよ。」

隣りにいた女工はいきなり立ち上って、私を睨みつけながら大きな声で怒鳴った。

「すみません。」

くらいは私もいうことは知っていたがその時のその女工の表情はあんまり大げさで、憎らしすぎたので黙っていた。

この敵愾(てきがい)心の強いこの辺の女達の前に、私は本当に謙遜でありたいと思っている。けれど、私は折々何だか、堪(たま)らない屈辱と、情けなさと腹立たしさを感ずる。本当に憎らしくもなり軽蔑もしたくなる。


『文明批評』第一巻第二号、一九一八年二月号

書簡　後藤新平宛（一九一八年三月九日）

前おきは省きます
私は一無政府主義者です
私はあなたをその最高の責任者として、今回大杉栄を拘禁された不法について、その理由を糺（ただ）したいと思いました
それについての詳細な報告が、あなたの許（もと）に届いてはいることと思いますが、よし届いているとしても、もしもあなたがそれをそのまま受け容れてお出（いで）になるなら　それは大間違いです。
そしてもしもそんなものを信じてお出でになるなら、私はあなたを最も不聡明な為政者として覚えておきます
そして、そんな為政者の前には　私共は何処（どこ）までも私共の持つ優越をお目に懸けずんは（ママ）おきません

しかし、とにかくあなたに糺すべきことだけは是非糺したいとおもいます
それには是非お目に懸ってでなければなりません
あなたは以前婦人には一切会わないと仰言ったことがあります。しかしそれは絶対に会わな
いというのではありませんでしたね。
つまらない口実をつけずに此度は是非お会い下さることを望みます。
お目に懸っての話の内容は、
一、今回大杉拘禁の理由、
一、日本堤署の申立と事実の相異、
一、日本堤署の始終の態度、
一、日本堤署及び警視庁の声明した拘禁の理由の内容、及ひ日本堤署の最初の申立てとその
矛盾について
一、警視庁の高等課の態度の卑劣、
一、大杉と同時に同理由で拘禁した他の三名を何の理由もいわず未決檻より放免したこと、
まあそんなものです。
まだ細々としたことはたくさんあります。おひまはとりませせぬ
但し秘書官の代理は絶対に御免を蒙りたい。それほど、あなたにとっても軽々しい問題では

決してない筈(はず)です。

しかし、断っておきますが、私は大杉の放免を請求するものではありませぬ　また望んでもおりませぬ
彼自身もおそらくそうに相異ありません。彼は出そうといっても、あなた方の方側で、何故に拘禁し、何故に放免するかを明らかにしないうちには素直に出ますまい。

また出ない方がよろしいのです。こんな場合には出来るだけ警察だの裁判所を手こずらせるのが私たちの希(こいねが)う処なのです。彼は出来るだけ強硬に事件に対するでしょう、
私共も出来るだけ彼が、処刑を受けて出てからの未来を期待したいとおもいます。彼は今、日本堤署によって冠せられた職務執行妨害という罪名によって受ける最大限度の処刑をでも平気で予期しているでしょう。私はじめ、同志の悉(すべ)ても同じ期待と覚悟をもって居ります。彼の健康も充分にもう回復しています。

そして、彼はだいぶ前から獄内での遮断生活を欲していました。彼をいい加減な拘禁状態におくことがどんなにいわゆる危険かを知らない政府者の馬鹿を私たちは笑っています。よろこんでいます。

つまらないことから、本当にいい結果が来ました。

あなたはどうか知りません

警保局長、警視総監二人とも大杉に向って口にされたほど、大杉から同志の人々が離れたことをよろこんでいられたそうです。

しかし、今こそ、それが本当に浅薄な表面だけのことにすぎなかったことが、解ったでしょう。

そして、私はこんな不法があるからこそ私どもによろこびが齎らされるとおもいます

何卒大杉の拘禁の理由が出来るだけごまかされんことを、浅薄ならんことを。

そしてすべての事実が私共によって、暴露されんことを。

あなたにとっては大事な警視庁の人たちがどんなに卑怯なまねをしているか教えてあげましょう。

灯台下くらしの多くの事実を、あなた自身の足元のことをたくさん知らせてお上げします。

二、三日うちに、あなたの面会時間を見てゆきます。私の名を御記憶下さい。

そしてあなたの秘書官やボーイの余計なおせっかいが私を怒らせないように気をつけて下さい。

しかし、会いたくなければ、そしてまたそんな困る話は聞きたくないとならば会うのはお止しになる方がよろしい。その時はまた他の方法をとります。

私に会うことが、あなたの威厳を損ずることでない以上、あなたがお会いにならないことは、

その弱味を暴露します。
私には、それ丈けでも痛快です。どっちにしても私の方が強いのですもの、私の尾行巡査はあなたの門の前に震える、そしてあなたは私に会うのを恐れる。一寸（ちょっと）皮肉ですね、
ねえ、私は今年二十四になったんですから、あなたの娘さんくらいの年でしょう？でもあなたよりは私の方がずっと強味をもっています。そうして少なくともその強味は或る場合にはあなたの体中の血を逆行さすくらいのことは出来ますよ、もっと手強いことだって――。
あなたは一国の為政者でも私よりは弱い。
九日　　伊藤野枝
後藤新平様
書簡は奥州市立後藤新平記念館所蔵、『日本古書通信』第六八巻第八号、二〇〇三年八月号

喰い物にされる女

一

先だっての本誌の『婦人の敵』号に於ける多数の婦人方の『売るべからざるものを売る』女達についての御意見は、種々な意味で非常に興味深く読みました。それにつけて私は、その多くの婦人方に、披露したい一つのお話を持っています。そして、それによって、またあの問題について、もう一度御考慮を煩わしたいと思います。

去年の秋頃、私の家で女中代わりに置いた一人の老婆がありました。ある日私が一人で午飯の食卓についていていますとき、

『ね、奥様、あのこの月の晦日から二、三日お暇が頂けますまいか。実はこのたび爺を千葉

の息子の処まで送り届けて来たいと思いますから。』

と私の顔色を覗いながら切り出しました。

『そう、二、三日ならなんとでもなるから行って来るといいわ。』

私は快よく承知してやりました。

『何卒お願いします、何しろ、爺がいては私も大抵ではありませんし、お小夜も困るんです。爺は下谷の方にいる息子にかかることになっているんですけれど、やはりどうしてもお小夜にかかる気になっているんですよ、ですから、早く千葉に逐いやってしまうのです』婆さんは下卑た笑いを浮べながらそういって説明しました。

お小夜というのは婆さんの末娘で、婆さんと爺さんの大事な唯一の財産なのです。お小夜はこの貧乏な両親によって十二、三から工場で激しい働きを強いられ、十四という年には私共には嘘としか思われないような十二階下での客商売をさえ強いられていたのです。両親はこの可愛相な幼い娘から、出来るだけの幸福を吸い取ろうとしていたのです。でも、お小夜は、十六の年からある男の手に移って、その両親の手に僅かな小遣いが月々這入るにすぎないようになりました。婆さんはそれが不満でたまりませんので、どうかしてその娘を取りかえそうとしていました。私の家に来た時分、ある機会から、婆さんは頻りとまた魂胆をめぐらしていたのです。

娘を喰い物にする――それは随分もう聞き古した言葉ですが、私は婆さんのそうした露骨な話を聞いていると恐ろしいような気がしました。婆さんの生い立ち――彼女は、昔東京の場末の町の小屋に掛る安芝居の下座の三味線弾きの女の私生児だそうです。彼女の五十年以上の生涯がどんな風に経て来たかはそれだけでも想像するのにむずかしくはあるまいと思います――や、東京の下層社会の一般の風習からは、そんなことは普通のことで羞ずべき何物でもなかったに相違ないのですが、でも本当に平気で、いささかの羞恥もなしに露骨に私に向って話す婆さんの態度には驚くよりは寧ろ呆れていました。私の知っている範囲での貧乏な親達は思う存分のことを娘にしてやれないことを苦に病んでいるような人達でありました。ある親は、娘に満足な着物も拵えてくれないと恨みをいわれて涙ぐんで娘をなだめているような親でした。けれどこのお婆さんは違っていました。それこそ出来るだけ娘に金になることをさせなければ損だというような態度でありました。そうして息子達の家で嫁に気兼ねをしながら台所を手伝ったり子守をすることを、どんなにか厭がっていました。そして、その自分達の幸福のために爺さんと婆さんはお互いに邪魔にし合っていたのです。

婆さんは、爺さんを千葉へやる理由として、ひとしきり種々私に爺さんの悪口をいっておいて、それから、少々金の無心を切り出しました。それにもまた長々としたいい訳がついたのです。その理由は、爺さんを千葉に連れて行く前に、川崎にある死んだ娘の墓まいりを二人でしてゆきたいというのです。

『川崎とは大分妙な処にお墓があるのね、他所（よそ）へお嫁にでも行ったの。』

私はそういって聞きました。

『いいえ、そういうのなら結構ですけれど、彼処（あすこ）の遊廓で商売をしているうちに死んだのです。本当に、その娘だけは、今考えても可愛相で仕方がないのですよ。』

婆さんは急にしみじみとした調子でその娘の話をはじめました。

二

それはやはりお小夜同様に、十五の年に、埼玉の田舎のある料理屋に奉公にやられたのです。其処では、早速その娘にお客を取ることを強制したのだそうです。娘はそれがいやさに幾度も逃げ出そうとしたそうですが、見張りが厳重で、どうしても逃げることが出来ないので、とうとうあきらめて、その商売に従事しました。けれど、そのつらい商売は娘にとっては何の特別な報いもありませんでした。彼女は辛い思いをして得た金のただ一割を手にするに過ぎませんでした。

『こんな馬鹿気た話があるものですか。もともとそんな商売をさす約束でもなかったのですから表向きに談判すれば、少々の借金はあっても娘を引き取って来るくらいは出来るのですから、私はとにかく娘を連れて来ようと思って其処に談判にゆきましたんです。けれども、何しろ、警察で、向うに肩をもってアベコベに「貴様はそんないいがかりを拵えて借金を倒そうというんだろう」なんていわれるんですもの、とても叶いませんから、他の家にかわって其処の借金を片附けて、その新しい家で私も一緒に台所を手伝ったりして半年くらいいたんですよ。』

婆さんが帰ると娘はすぐにまた他の処にかわって此度はまたひどい家にブツかったというので、婆さんは娘に脱走をすすめて、自分で迎えに行きました。けれど婆さんのいわゆる『意気地のない』娘は恐がってどうしても逃げようといわないので、そのままにして、此度は、婆さんが浅草の十二階下のある家に話をして娘を連れもどして来ました。そして娘は二ヶ月ばかりの間に百円ばかりの借金を稼いで返してしまったのだそうです。

漸く婆さんが、楽になろうとした時には娘の体は取り返しのつかない病毒に侵され切っていました。衰えた体を病院から運び出す時に、医者は彼女に、今までの処にいて、商売を続けては、とても生きてゆける体でないということを厳重にいい渡しました。

けれど婆さんの貧乏は、その弱った娘の体をさえ遊ばしてはおけなかったのです。娘は病院から出るとすぐ、東京よりはずっと楽だからという口入屋の口車に乗って、上総の勝浦のある料理屋に連れてゆかれました。

『私は勝浦という処は知りませんけれどなんでも海辺で、楽な仕事をしているのなら病気の保養にもなるからというので行って、二年近くもいましたが、それですっかり病気はなおって、体も丈夫になったのですよ。』

婆さんはそういってそのことを信じているようでした。けれど私の見る処では、その勝浦という処も大変な処です。私は勝浦の少し手前の御宿（おんじゅく）の海岸に三ヶ月ばかりいて、勝浦の町も知っていますが、あの辺一帯の海岸の料理屋という名儀の家はもちろんのこと、宿屋の女中でさえも、あの辺の漁夫達のために無惨に身も心も痛めつけられないものはないくらいなのです。殊に勝浦はあの辺での唯一の港ではあり、他の漁夫町（りょうしまち）よりは一層ひどいのです。私のいた宿の女中達は、他の料理屋の女中よりは一層みじめでした。朝は早くから泊り客のために起され、昼間も絶えず働かされて、夜は夜でいつまでも飲み客の相手をして、なお一層の不摂生をやるのです。私の室（へや）は、打ちつづく疲労と睡眠不足で始終ボンヤリしている女中達が、苛酷な主人の眼をぬすんでする唯一の休息所でありました。そしてそれ等の女達の三人までは、勝浦からここに住みかえたもので、彼女達に、よく勝浦の話を聞きました。

私の考えでは、その病身な娘もやはり同じようなことをしていたに相違ないのであります。そして、ずんずんその病毒は根強く体に喰い入っていたに相違ありません。その娘は二年ばかりの後に、とうとうだんだんに嵩（かさ）んで来る借金に堪えきれなくなって、自分から娼妓になることを両親に申出ました。そうして彼女は、川崎の遊廓のある家に入りました。けれども彼女の体はもうどうにも仕様がないようになっていました。とうとう一年あまりすると其処で死んだのです。四、五年の間に、彼女の体は恐ろしい病毒の巣になって滅びたのです。

三

婆さんは、その娘を本当に可愛相で仕方がなかったといっています。けれど、どうしてそんな可愛相な死に方をさしたかということについては何にも考えないようです。婆さんにとっては、娘のした商売とその病気がどんな関係を持っているかということについては全然無関心なのです。

『まあ可愛相に。だけどそんなにひどい病気のものを病院から出るとすぐにまた勝捕なんかにやるってことはないわ、あすこは、どうかすれば東京よりはもっと酷い処なのに、だから寿命を縮めてしまったのよ。なんとか他にする仕事はなかったの。』

『それが私は少しも知らないものですから、楽なのだとばかり思っていましたけれど、やはり随分ひどいお客もとったそうですから。ですけれど、川崎へうつる時に遇いました時には行く時とは違って丈夫そうになっていたのですよ。』

そういって婆さんはまた唸くように

『何もまわり合せですから仕方がありません。私共のような貧乏人の子供に生れて来たのが彼奴の不運です。』

といって何か考えるような顔をしました。私は何だか妙に胸を圧されるような気がしました。

それから婆さんはまた、その不運についてたくさん話をしました。彼女の貧乏はその長女をそんな可愛想な病気で殺し、次女もまた信州でおなじような境涯に追いおとされているのでした。そして末娘のお小夜も前にいったような可愛想な暮しをしていたのです。それでも婆さんは、どうかして貧乏からのがれようとして、その末娘をものにしようとしているのでした。私は婆さんの、その娘に対する野心を見せつけられると何だか恐ろしいような浅間しいような、また哀しい気がしました。

お小夜の良人は私達の知人でした。彼はある酒場でお小夜を見つけて、その苦しい境涯から救い出したのです。婆さんは機会があるごとにその男の手からお小夜を取り返そうとしていましたけれど、男の方でも、婆さんのその魂胆を見ぬいて容易に返そうとしませんでした。

婆さんは、その私達の知人のことを散々に私達の前で悪口することを憚りませんでした。そして、その私達の知人が、もしお小夜を婆さんに返したら早速醜い商売をさすのだろうと思うと返せないということを婆さんにいった時には、婆さんは、とても聞いてはいられないような毒口を叩いて、親が娘を喰い物にする正しい所以をまくし立てたのでした。

私は、ここでその婆さんの理屈を披露しようとは思いません。けれども、私は婆さんの持っている人生観なり道徳観が、まさしく私共のそれとは全然違ったものであり、そして、婆さんのそれは全く、彼女自身の生活から直接得た教訓と、彼女と同じ生活を続けて来た多くの下層社会の人々の古くから持ち伝えた人生観であることを知りました。婆さんと、私達の生活程度に相違があると同様に、否それよりも以上に、その人生観にも道徳観にも相違があることを知りました。

かれ等は無智だから——とそういう人があるかもしれません。そうです。無智だからです。しかし、何故に無智なのでしょうか？　かれ等は、何よりも餓えているのです。まず食べなければなりません。自分の最善をつくして食べなければならないのです。彼が餓えている間は、どんな権威ある道徳律も彼等の上には何の影響を及ぼすことも出来ないに違いありません。

今まで、直接間接に私の知っているそういう種類のいわゆる『商売』をしている人達は、世間で、それ等の『商売』をどういう風に観ているかということを多少とも知っている人達でした。そして自分の行為に対しても明らかにある理由を持っていました。ですから私はまだ普通の道徳というものの遍在を信じておりました。しかし、私の家にいた婆さん等はもう全く私共とは違った世界に住んでいました。彼女達にとっては食べるためには、どのようなことでも許されるのです。世間の道徳とか制裁とかいうことはまるで眼中にないのです。若い女が売淫をすることや賭博くらいは彼等の社会では普通のことです。恐らくある場合にはより以上の許し難い犯罪でさえもが、彼等の眼にはあたりまえにしか見えないかもしれません。彼等は本当に無智なのです。現社会にいろいろな渦を巻き起し、或は種々な道徳の規範を絶えず破るものはまず彼等の無智に相違ないのであります。

四

そこで、随分そうした貧民の教育にも力を入れている人がありますけれど、その割合に効果がないのはどういうものでしょうか。

私達は、絶えず私共の周囲に二重生活の苦痛ということを聞きます。自分の第一目的の仕事と、食べるための仕事とが両立しないという苦痛の声を聞きます。そして、その大部分の人々が、みんな食べることのために、自分の心からの憧憬を捨て去って、とうとう天分を涸（か）らしてしまって、本当に、物質的生活の迫害に堪えて自分をいつくしむという人はまずないといってもいいくらいなものです。実際また、たとえそれに対してある侮蔑の観念を持っているとしても、その迫害に堪える不快を忍ぶということは容易なことではありませんし、かつまた、よほど自分の生活に対しての自信がなくては出来ないことなのです。まず普通には、実際生活に負けて行くのがよほど自然なくらいなのです。

貧民教育がやはりそれと同じ筆法なのです。なるほど、彼等は学校などでいろんなことを教わります。善悪の判断や、種々な理屈を教わります。教わればなるほどそうだと思うでしょうけれど、彼等が実生活の上で会得することがそれと何の矛盾も生じないかどうかです。私の知った、やはりそういう『商売』をした一婦人は、彼女が十七の時にその年老った父親が病気になり、母親は死んでしまい、あとにはやっと五つになったのと三つになった弟を残されて、途方に暮れて、とうとうそういう恥かしい境涯に堕ちたといって話したことがあります。

『私はその年まで他所に奉公に行っていましたけれど、私が何とか働かねばならないとなると、二円や三円のお給金くらいでどうなりましょう？　内職をしても五円と働くには大変ですし、工場の女工になったところで、せいぜい十円やそこらの金でどうして親子四人が暮らせましょう。まして父親は病気なのですもの、本当にそれこそ湯も茶も飲めやしません。私はせめて、十二、三円の金のはいるあてがあれば、どんなに貧しく暮らしても、そんな商売はしないつもりでしたけれど、それがなかったのです。』

といっています。彼女はその小学校で、いやというほど種々な世間の道徳を教えこまれていたのです。けれども、それは貧しい彼女にとっては、所詮彼女の実生活には遠い一つの理想でした。

『生きてゆかなければならない』ということと、『いかに生きるか』ということの間には、実際に、かなりの隔たりがあります。『生きなければならない』ということは息の通っているものの盲目的の本能です。『いかに生きるか』ということは、血眼になって食べものをあさっている餓えた者の眼には、恐らく生きるにこと欠かない裕福な人達の道楽くらいにしか映らないに違いありません。まして、私の家にいた老婆のような全然無智の下層階級の人々に、普通の道徳観念というものがほとんどないというのは自然のことだということを、私はつくづく感じたのであります。彼等にあっては、貞操とか羞恥とかいうことは、食べるに困らない人々の贅語に過ぎないのであります。前にも書きました通り、何にも他に能のない若い独身の女がそういう『商売』をするのはごくあたり前のことなのであります。彼等の社会ではむしろそれをやらないことを嘲笑するくらいなのです。彼等はその点では本当に何の教養も持たないのであります。

それについて、シャルル・ルトウルノオの『男女関係』の中の売淫というくだりに、私は興味ある一節を見出します。ルトウルノオによれば、原始社会では、売淫は一般に行われ、かつ少しも恥辱ではありませんでした。自由な娘達は喜んで自分の身を売り、その両親にとっては一商品でありました。それを怪しむ人もありませんでした。そしてその金銭ずくの色恋はただ、他人の所有物に対する尊敬ということだけで制限されていて、既にある男の所有物ときまった女は原則として尊敬されてはいましたが、それでもその主人たる男の承認さえあれば、相応な金で貸して貰うことは出来たのです。原始の雅典(アゼンス)でも有名な人達が大勢の淫売婦を持っていて莫大な金儲けをしていたそうです。売淫とかまたそんなことについての遠慮が、多少人の心に起って来たのはずっと後のことだとしてあります。しかし、実際に私達はそれをもって、遠い昔のことだの未開人の間のことだけだと考えると大間違いなのです。私達と同時代に生きている人々がそれと全く同様な観念を持ち、同様なことをしているのです。

五

しかしいわゆる『商売』をしている婦人達が皆んなたべるのに困ってそれをしているのではない。随分自分から少しばかりの贅沢がしたさにそういう境涯に堕ちるのがあるといって非難する人が少くないようです。それももっともです。

この頃聞きますと、近来、工場の女工からそういう『商売』をする婦人が非常にふえたということであります。彼女達はみんな、骨の折れる仕事もせず、ずっと割のいい金がとれ、柔かい着物を着、柔かい蒲団の上で眠いだけ眠れるからそういう『商売』にゆくのだそうです。それは必ず世間の多くの人からは『不純な動機』といって非難されるに違いありません。なるほど、彼女達は働いてとにかくその給料で食べているに相違はありません。分相応にしていればそれでいい筈なのです。しかし、その分相応という標準が何処にあるかといいますと、それはそれは惨めなものなのです。まず大部分の女工が、その寄宿舎で食べさして貰う一日分の食料が一日にせいぜい十銭か十五銭くらいなのです。この物の高い時に、どう、碌なものが食べられましょう。ですからどうしても三度の食事に満足しないでみんなが困りながら不味い売店の駄菓子などを盛んに間食するようです。そうすれば少々のお給金はたちまち失くなってしまいます。それに、小遣がどんなことをしても二円や三円はいりますし、もし借金でもしていればそれこそ年中おなかをすかしていなければなりません。その上に十時間もそれ以上もぶっつづけて激しい労働をさせられます。それでどうして満足していられましょう。おまけに会社の高い塀の外へは一歩も出して貰えないように極端に自由を拘束されているものさえ大多数をしめています。私の近所のある会社では、高い高いトタン塀と広い溝を引きまわしているのもあり、石の塀と堅固な小さな窓を持った牢獄のような煉瓦の家とで囲って、その上にたった一つの裏門には幾重にも幾重にも鉄条網を引きまわして、女工達を世間から隔離している処さえあります。

そういう風な分を強制的にまもらされている若い女が、世間の綺麗に着かざった女の身なりや、美味しい食べ物や、怠惰や、いろんな贅沢に誘惑されるということが、責むべきことでしょうか。まして、それがただ、ある一つの方法で得られるとなれば、その手段を採らずに済ましていられるでしょうか。たとえ彼女が多少の良心を持っていたにもせよ、現在の境遇が苦しければ苦しい程、その良心を庇い立てるということはむずかしいことでなければなりません。

有名な、バアナアド・ショオの『ウオーレン夫人の職業』中にはその問題が極めて露骨に描かれています。ウォーレン夫人が娘のヴィヴイイに、その生活の仕方を批難されるのに対して、自分の境遇では生活の仕方を選んだりするような贅沢は出来なかったのだという。すると娘が『だって母さん、ある程度までは誰だって選ぶことが出来ます。酷い貧乏人の娘には英国の女王になるかニユンナムの校長になるかを選ぶことは出来ないでしょうけれど、襤褸拾いになるか花売りになるかは自分の好みで選べますわ。境遇の罪ということを世間の人は何時でもいいますけれど、私はそれを信じません。立身出世をする人は、自分で必要な境遇を捜し出す人です。若し捜し出すことが出来なければそれを自分で作ります。』

『ああ、口先でいうのはお易い御用だよ、お易い御用だ。だがね、これ！　私がどんな境遇だったか話して聞かそうか。』

そして夫人は話し出します。彼女の母親というのは寡婦で四人の子供と一緒に揚げ物屋をして暮らしていて、彼女とリッヅという娘が本当の姉妹で、あとの姉妹は種ちがいだった。

『――その二人は地道な人間さ、だがその立派な地道が何の役に立ったかというと、一人は白粉（おしろい）製造所に這入って一週四円五十銭で十二時間ずつ働いた結果、鉛毒にかかって、死んだよ、自分じゃ少し手が麻痺（しび）れたと思ったくらいだのに。もう一人は職工のお嫁になって、始めは子供を三人抱えて少しよくやっていたけれど、そのうち亭主が飲みはじめて惨めなものさ――』

彼女とリッヅは教会の学校に這入っているうちにリッヅが行方不明になったのです。けれど彼女が学校の僧（ぼう）さんの世話である禁酒料理屋の下婢（かひ）になり、それから給仕女をして一週に賄附で二円を貰って働いている時に、リッヅに遇って、リッヅと一緒に『商売』をはじめて、とうとうブラッセルに自前の店を持つことが出来ました。

『ブラッセルの店というのは全く上等の家でね、アンジエーンが中毒して死んだ製造所なんかよりはずっといい処さ。待遇だって、禁酒料理屋やワアテルロオの酒場やなんかよりはましさ。それともお前は日傭働（ひやといばたら）きで疲れ切って四十にもならないうちに耄碌（もうろく）した方がいいとお思いかい？』

『いいえ、でもなぜそんな商売を選びました？　金を貯めてうまくやれば他の商売だってもうかるでしょう？』

『ああ、お金を貯めればねえ、だけど他の商売で貯めるようなお金が出来ますか？　一週二円で相応な身なりもし、貯金もすることが出来ますか？　もちろん顔がまずくて他に儲け道がない時にさ。それや音楽が出来たり演劇に出られたり、物を書くことが出来れば別だがね。私達にやそんなことは駄目だしさ、ただ顔と男の機嫌を取ることだけが資本だもの。お前は私達が自分の資本を他人に利用されて、酒場女や給仕女になって一生を台なしにする馬鹿だとはまさかお思いじゃなかろうね、自分のきりょうを考えれば食べるか食べないかの少しばかりの賃銀の代わりに、ありったけの儲けがみんな自分のものになるんだもの。』

　これは、おなじ境涯に置かれる少し悧巧（りこう）な女なら大抵そう考えるだろうと思わせます。

六

　近頃、上中流の婦人団体が頻りに社会事業に力を致されるのは非常に結構なことですが、同じことなら表面に現われた枝葉の事実よりももう少し深い根本に溯（さかのぼ）って心を留めて頂きたいと私は考えます。婦人矯風会あたりで売淫問題など大分力を入れておられるようですけれども、根本問題が解決されなければ、たとえ表面だけの多少の効果はあっても、結局は何の役にも立たないことになりはしないでしょうか。

　前にも書きました通り売淫ということは原始時代から今日まで、世界の何処の隅でもほとんど行われてない処はないくらいなのです。人間の風（ふう）や習慣などは、その生活状態に従って、或いは四囲の情況によって、どのようにでも変って行くものですが、この売淫は、原始時代から今日まで、その人種や宗教や、政府の様式や、婚姻制度のいかんに拘(かか)わらず頑固に保たれています。近代の文明諸国で、それが社会的大疾患として問題にされているくらいでありながら、根強く揺がないのも決して不思議なことではないのです。

しかし、この習慣が原始時代から今まで絶えずあらゆる人種の上に続けられて来たことについては、それを必要とする何かの原因がなくてはならないはずであります。ルトゥルノオはそれを、一夫一婦の結婚制度の困難ということの例に引いています。しかし、私は、まだ他に考えなければならない原因があることを見のがすわけにいきません。

大抵の場合無智が禍(わざわい)をしているのはもちろんの事です。けれど、彼女達に、いくらどんな理屈を教えたところで何になるでしょう？　また貧しい無智の人達は、理屈を聞く耳はまるで持ってはいないのです。大部分の人達が一度『女の資本』を自覚したら、慎みや羞恥は何の価値もなくなります。

私の家にいた婆さんのような、無智な本当にもう世間一般の道徳観念とは絶縁された人は別としても、もし多少ともにそうした女達の救済に働こうとする有力な方々に私は、せめて、一番そうした危険性をもっている工場で虐待されている多くの婦人労働者達のみじめな物質的生活に対して、なんとか積極的の助力を与えて頂くことを望みたいのであります。もう少しは彼女達もその辛い労働に相応した報いはあってもいいはずだと思います。

もちろん、それのみが決して、全部ではありません。私の最初の話にも充分に意を留めて頂きたいのであります。いろんな意味で、考えなければならないことがその中にはたくさん含まれていると思います。

『婦人公論』第三年第七号、一九一八年七月号

白痴の母

一

裏の松原でサラッサラッと砂の上の落松葉を掻きよせる音が高く晴れ渡った大空に、いかにも気持のよいリズムをもって響き渡っています。私は久しぶりで騒々しい都会の轢音(れきおん)から逃れて神経にふれるような何の物音もない穏やかな田舎の静寂を歓びながら長々と椽側(えんがわ)近くに体をのばして、甘ったるい洋紙の匂や、粗いその手ざわりさえ久しぶりなしみじみした心持で新刊書によみ耽っていました。

ふと頁を切るひまの僅(わず)かな心のすきに、いかにも爽快なリズムをもったサラッサラッと松原の硬い砂地をかすめる松葉掻きの竹の箒(ほうき)の音が、遠い遠い子供の時分に聞きなれた子守歌を歌われる時のような、何となく涙ぐまれるようなファミリアルな調子で迫って来ました。私は何(い)

時か頁を切る事も忘れてそのままボンヤリ庭のおもてに目をやりながらその音に聞き惚れていました。先刻(さっき)から書物の上を強く照らして、何んとなく目まいを覚えさせた日の光りは、秋にしては少し強すぎるくらいの同じ日ざしを、庭の白い砂の上にもまぶしく投げていました。おっとりと高くすんだ空には少しふつり合いなくらいに、その細かに真白な砂はギラギラとまぶしく輝いていました。私は何時までも何時までもぼんやり其処(そこ)に眼をすえて遠くの方から聞えて来るその松葉掻きの音に聞き入っていました。

丁度寝おきの時の気持に似たそれよりは少し快い物倦(ものうん)さを覚えるボーッとしたその時の私の頭の中に、ふと祖母と弟の話声がはいって来ました。

『あたいはどうもしやしないよ。』

『本当にかまわなかったかい?』

『かまやしないったら! あたいは見ていただけだってば。』

『そんならいいけれど、これからだってお祖母(ばあ)さんが何時もいって聞かすように、芳公に悪いことをするんじゃありませんよ。芳公だって人間だからね、決して竹の先でついたりいたずらをするんじゃないよ。他の人がどんなことをしてもだまって見ているんだよ、決して仲間になって、悪いことをするんじゃないよ。』

『ああ、大丈夫だよ、しやしないよ、何時だって見ているきりだよ。』

弟は面倒臭そうに話をすると駈け出して来て椽側で独楽（こま）をまわし始めました。

『これ！　またそんな処で。椽側でこまをまわすんじゃないといっとくじゃないか。』

祖母はすぐ後から歩みよって叱りつけました。弟はニヤリと笑って、そのはずんでいるのを掌にとったが忽（たちま）ちまわり止んだので仕方がなさそうにまたその長い緒を巻きはじめました。

『また誰か芳公をいじめたの？』

私はからかうように弟に聞きました。

『いじめやしないよウ、あんな奴いじめたってつまらないや。』

弟は口を尖（とが）らして、さも不服らしく私の顔を見上げました。

『どうしてつまらないのさ。』

私はその小さなふくれっ面を面白がってまた聞きました。

『だって、何したって黙って行っちゃうんだもの、つまらないよ。』

『偶（たま）には追っかけてくらい来るでしょう？』

『来ないよ。』

『一度もかい？』

『ああ。』

芳公という白痴の男は、私の家とは低い垣根を一重隔てた隣の屋敷の隅にある小屋の中にその母親の老婆と二人で、私がまだ幼い時分から住んでいました。芳公は首をまっすぐにしたことのない男でした。何時でも下を向いて大きな背を丸くして人の顔を上目で見てはニヤニヤ笑っている男でした。彼は滅多に口をきいたことはありませんし、偶にきいても細い細い声で一と言二た言いうとそれから先きは何んといっても聞きとれるような声ではいいませんでした。彼は私がまだ五つか六つくらいの時にもう七十に手が届くといわれたその母親に養われていたのですが、力だけは驚くほど持っていますので、よく米搗(こめつき)や山から薪を運ぶ仕事などに使われていました。私もまた幼い時から弟が今祖母にいわれたのと同じことをいわれながらよくからかったものでした。けれどその頃は少し私共がうるさくつきまとうと、彼は怒って追っかけて来たり、手あたり次第に石を投げつけたりしました。彼はその時分私達が――というよりは私達を率いる子守共がよってたかってからかいながら年を聞きますと、きまって『十九』と細い声でさも恥かしそうな身振りでやっと答えました。けれどその時分既に大人達はもうどうしても彼の年を四十以上だと勘定していました。それからもう十七、八年の年月が移っています。いくら年を取らない馬鹿だといっても、やはりもう十五、六年前の気力を失ったのだろうと私は思いました。

『芳公は一体もういくつくらいなのでしょうね。どうしても五十以上にはなっていますね。』

『もうそんなもんだろうねえ。』

何時の間にか私の前の方で小ぎれいななりをしていた祖母は私の問いに格別考える様子もなく顔をうつむけたままどうでもいいような返事をしました。

『十九だよ、芳公の年なら――』

自分の年でもいうような顔をして弟が傍から口を出しました。

『それや芳公がいうんでしょう?』

『ああ。』

『そんなら姉さんがお前よりももっと幼い時から十九だっていってるよ。本当はうちのお父さんよりまだ年よりだよ。』

『嘘! 嘘だい、ねえお祖母さん!』

『本当ですよ、ねえお祖母さん? 芳公はお馬鹿さんだから年をとらないだけなんですよ。』

『ふうん。』

弟は腑におちないような顔をしてじっと私の顔を見ていました。私は弟とそんな話をしているのもつまらなくなったので再び紙切ナイフを取り上げました。弟もつまらない顔をして遊びに出かけそうにしましたが忽ち頓狂な声をひそめて振り返りました。

『姉さん、芳公がまた打たれてるよ、ほら彼処で――』

私の座っている処から斜めに見える隣りの境目の垣根に近い井戸端に、例のように背中をまるくして下を向いて立っている芳公の姿が見えます。その前に見るも汚らしい老婆が立って、何かいっては芳公がだらりと下げた大きな手の甲をピシャピシャなぐっています。芳公はいくらなぐられても何(な)んの感もないように打たれる手をひっこめもせずにぬっと突っ立っているのです。私は穏やかな明るすぎる程の秋の日ざしの中での奇怪な姿をした親子の立ち姿を、不思議な程平らな無関心な気持でだまって眺めていました。

『彼方の方がよく見えるよ。』

垣根の方にすばやく走って行く弟を叱っておいて祖母は立ち上りました。

『また婆さんはあんなものを叱るのだね、叱ったって打ったって解るものかね、いい加減にやめておけばいいものを――』

独り言のようにそういいながらそろそろ体を起して椽側を降りると庭の囲いの外に出て行きました。

二

二、三日前――ここに帰りついた次の朝早く――松原の中で、私はそのお化けのように影のうすい異様な姿をした、汚らしい芳公の母親に遇(あ)ったのでした。

その朝は、特にうすら寒くて、セルに袷羽織を重ねてもまだ膚寒い程でした。私はまだ日の上らない前に珍らしく床をぬけ出して、海辺に出ました。海は些の微動もないくらいによく和いでいました。何時もはすぐ目の前に見える島も岬も立ちこめたもやの中に、ぼんやりと遠く見えて、海も松原も一面にしっとりとした水気を含んだ朝の空気につつまれて静まり返っていました。私は足の下でかすかに音をたてている砂の音を聞くともなく聞きながら松原を出て渚に降りて行きました。小舟は静かに浮いていました。そして汀の水は申訳ばかりにピチャピチャとあるかないか分らない程の音をたてています。私は出来るだけゆっくりその汀を歩いて東の方のはずれの砂浜がずっと広くなった河尻まで行きました。私が引き返し初めた頃には長い長いその渚の彼方此方に黒い小さく見える人影がありました。私は本当に久しぶりで朝の海辺のすがすがしい気持を貪りながら高い砂浜を上ったり降りたりして家の方に帰って来ました。

私が丁度家のすぐ下の渚から松原へ上ろうとした時に、ふと其処の松の木に背をもたせるようにして立った一人の老婆を見出しました。もじゃもじゃと頭を覆うた白髪、生きた色つやを失った黄色く濁ったその皺深い顔の皮膚、放心したような光りを失った眼、両端が深く垂れた大きく結んだ口、私はその老婆の顔を見た瞬間にゾッとして眉をよせたことを覚えています。

『まア、まだ生きているのだ!』

私は浅ましい彼女の長生きに呆れました。彼女は今はもうゴツゴツの硬い骨の上をただ一枚の皮が覆うているにすぎないのでありました。枯木のような体にはうすよごれた単衣(ひとえ)とぼろを綴じ合わせた見るからに重そうなものを着ていました。そして彼女はぼんやりと沖の方を眺めていました。私はその老婆を見た瞬間に、五、六年も前に見たまだ確(し)っかりしていた彼女の姿と、それから現在の年齢を同時といってもいい早さで思い出しました。彼女は確かにもう八十は過ぎていました。このお化けのような気味悪い老婆も、彼女がまだ確っかりしていた時分には、私には親しみのあるいい婆さんだったのです。その、私の老婆に対して持っている親しみはすぐに私の気味悪さを押し退けました。私は老婆に久しぶりな微笑を送りました。しかし老婆はもう私の顔を思い出す気力も失くしたのかそのにぶい眼をぼんやり私の方に向けたままで、何んの表情も見せませんでした。私は再び気味が悪くなって急いで家にはいりました。

　そのすべての精力が枯れつくしたように見えた老婆が今その大きな息子を折檻(せっかん)している。私は軽い驚きをもってそれを見ていました。

　やがて鈍い足どりで私の祖母が其処に近づいて何かいいながら老婆を小屋の中に送り込みました。

『どうしたんです?』

　私は帰って来た祖母の顔を見るとすぐ聞きました。

『何あに、芳公が子供達にからかわれたもんだから婆さんがまたかんしゃくを起したんだよ。

あのまた芳公が子供達には手向いが出来ないで帰って来ちゃあ婆さんに当るもんだからつい婆さんも怒るんだよ。』

『へえ、うちに帰って来て婆さんに当るのはおかしいわね。親と他人の区別くらいはやはり分るんですねえ。』

『それやあお前いくら馬鹿だって――。あんな片輪者の親にしちゃ婆さんがちっと勝気すぎる。』

祖母は独り言のようにそういってまた小切れを拡げました。

『もとはあのお婆さん随分勝気らしかったけど、もうああなっちゃ駄目でしょう。私つい二、三日前あの婆さんに遇ったんですけども、もうまるで生きてる人のようじゃないじゃありませんか。私の顔だってもう分らなかったようですよ。』

私はあの影のうすい婆さんの姿を思い出しながら祖母にいいました。

『なあにお前、体はああでも、まだ気はなかなか確かだから。八十からになる婆さんとはとても思えないね。』

『へえ。』

私はどんよりしたにぶい眼の色の何処に昔の婆さんらしい意地が残っているのだろうと不思議に思わずにはいられませんでした。祖母は眼鏡をかけながら

『婆さんの気丈なのも真似が出来ないけれど、あんまりきつい気だから倍も苦労しなきゃならない。あんなに長生きをしても何時までも業を見るのでは何んにもならない。』

ひとり言のようにそういいながら針のめどをすかして見るのでした。

私の頭の中には、まだとても七十近いなどとは思えないほど肉付きのいい確っかりした足どりで歩く婆さんの姿がうつりました。私の祖母が十も若くて、丈夫だ丈夫だといわれながら歯もろくに役立たず、家の中で因循な動作をしているのから見ると、婆さんは祖母よりは却って十も若い者よりはもっと確っかりした働きをしていたかもしれません。彼女は誰にも腰の低い愛想のいい悧巧な女でした。しかし、私が最初にその婆さんの恐ろしい意地っ張りを見たのはその婆さんの娘に対してでした。

婆さんの娘は、私の家の三、四軒先きの石屋のかみさんでした。そのかみさんが狐につかれたという噂が拡がりました。私達は恐がって一しきりその家のまわりに寄りつきませんでした。色の蒼い眼の釣り上ったヒステリックな顔や、ひょろ長い体を私は二度ばかり見ましたけれど、二度とも、もう決して見まいと思ったほど凄い印象を受けたのでした。

けれども、その後だんだん内儀さんは狂い出して、手のつけようのないほど暴れ出すようになりました。

何んともいいようのない苦しそうな圧されるような嫌やな呻き声がするかと思うと突然甲走

った息も絶え絶えな泣き声がします。そうかと思うと、ぞっとするようなマニアックな引っつれるような笑いがとめどもなく続きます。私達子供は、不思議な恐いもの見たさの好奇心から石屋の家に近づきます。けれど初めのうちは皆んな進んでその中を見ようとする気はありませんでした。しかしだんだんその不思議な声だけでは満足が出来ずに何時か其処の戸のふし穴や障子の破れからそっと覗くことを覚えました。其処には、紐でギリギリ手も足も縛られた内儀さんがころがされています。白髪頭をふり乱した婆さんがその細い病人の体を長煙管(ながぎせる)をふり上げて所きらわずピシピシ打ち据えていました。最初に覗いた時に眼にうつったこの光景は私の頭に深くしみ込んでいました。私は当座夢の中にさえ度々その光景や叫び泣きの声に脅やかされたほどでした。

或時はまた、寒い北風の吹く中で井戸端の立木に内儀さんは後ろ手にゆわえつけられていました。婆さんは井戸から水を汲み上げては自分もかかりながら内儀さんの頭からザアザア浴びせかけては『これでも出ないか』『まだゆかないか』と責めていました。冷たい水を掛けられるたびに病人のあげる悲鳴が長いこと近所の人を悩ましました。私の母はその声に驚いて馳けつけて、その光景を見ると寒気がするといって寝込んだ程でした。

婆さんはそれでも未だ足りないと見て此度は病人の口から一切の食物を奪いました。そうして夜昼責め続けました。婆さんは狐を逐(お)い出すためには、可愛い娘の肉体を責めるくらいは当然のことと思っていました。もしそのために死んだ処で仕方がないとまでいい張っていました。人間がけだものに馬鹿にされているよりは死んだ方がいいという主張でした。誰も彼もが婆さんの『気丈』に驚くよりは怖れていました。一年ばかりそういうことが続いた末、内儀さんはとうとう死んでしまいました。婆さんは死ぬる際まで狐に対する苛責の手を少しもゆるめませんでした。近所の人達は、死人に同情のあまり婆さんに責め殺されたのだとさえいい合っていました。しかし婆さんは平気でした。涙一滴こぼさずに甲斐甲斐しく後始末のために働きました。そして芳公と二人で百姓の手伝いをしたり、小間物の行商をしたりして若い者のとうてい及びもつかない働きぶりを見せていました。

婆さんが弱り始めたのは二、三年前からでした。そうして誰の世話にもならず、馬鹿の芳公が働いて来る僅かな金に貯蓄した分をたしてはこの二、三年をしのいで来たのだそうです。婆さんは、そうした貧しい暮らしの中からでも他人の世話にはなるまいためのかなりな貯蓄を持っていたのだそうです。しかしそれにしても、半病人の婆さんの惨めな生活に同情して、たった一人の孫が兵隊に行ったのを皆んなで奔走して帰して貰って、婆さんの面倒を見さすことにしました。しかしその孫が帰って来るとすぐ、

『ありがたいことだ。けれど、未だもっとどうしても介抱して貰わねばならないようになるまで精出して働いて来い。』

といって追い出してしまったそうです。近所の人も、婆さんはついにはどうしても他人の世話にならなくちゃならないようになったら舌でも噛んで死ぬのだろうなどといい合っていました。

三

それから一週間ばかりもたった或る日の夕方、裏手の方で高い女の泣き声がしますので出て見ますと、隣りの婆さんの小屋の前で大勢の子供達に囲まれた何処かの内儀さんが前垂で顔を覆いながら泣き声を出して頻(しき)りに何かいっています。婆さんはその黄色い顔をまっすぐに向けて何の表情も見せずに何かいっています。隔りが遠いのでそういう光景だけは見えますが何のことか私には分りません。そのうちに隣りの主人や私の祖母などが馳けつけました。私も祖母の後を追いました。内儀さんの話や、子供等の話を総合しますと、今し方何かに怒った芳公が松原で子供をおいまわして、とうとう裏手から鎮守の天神様の中に追い込みましたので、表の方へ逃げて行く子供等はあわただしく石段を馳け降り始めました。その一番後から降りようとする子供を芳公は力まかせに突き落したのです。子供はそのために足を挫(くじ)き、彼方此方(あちこち)摩(す)りむいてひどい目に遇ったというのです。

婆さんは黙って、驚くほどシャンとした姿勢で立っていました。その眼は決してどんよりしたものではありませんでした。

『とんでもない、申訳けのないことをしました。ああいう奴のことですから。何んとも仕様がありません。どうぞ旦那、彼奴の体なんかどうなってもかまいませんからこのおかみさんの得心のいくように存分に一つお願いいたします。』

一とわたり事件の説明がすむと婆さんは非常にはっきりと、しかし冷淡な調子で半ばは内儀さんに、半ばは隣りの主人に向っていいました。婆さんは内儀さんが予期したようにもしくはのぞんだように鄭重な、または嘆願的なお詫びの言葉は連ねませんでした。婆さんは驚くほど冷淡に平気な顔で立っていました。

『得心がいくようにって、あんな馬鹿に大事な息子をかたわにされてどう得心がいくもんか、畜生！　畜生！』

内儀さんは夢中になって泣きさわいでいます。

『まあ、おかみさん、そう逆上せてしまってもしかたがない。芳公もとんだことをしたもんだが、今おかみさんがこの婆さんを捕えて何をいってもしかたがない。それで息子さんはどうしました。』

隣の主人は落ちついた口のきき方をして仲にはいりました。

『親父が家につれて行きましたよ。』

『家へ連れて行っても仕方がない。すぐ医者にでも見せなければ。どれ、私が一緒に行って上げよう、婆さんも心配しない方がいいよ。』

主人はかみさんと一緒に裏の方から出て行きました。

『婆さん、心配しない方がいいよ、皆んなで何んとか話をつけるだろうから。まああの人の処ではとんだ災難だったけれど、いいみせしめだ。子供たちもこれからは馬鹿なことはしなくなるだろうからね。』

祖母はそう云って婆さんを慰めました。婆さんは何にもいわずに、ただ顔を下げて薄暗い小屋の中にはいってゆきました。

その一晩中行方のしれなかった芳公が翌日海辺の蠣灰(かきばい)小屋の傍にぼんやりと立っていたのを子供が見つけて、巡査が連れて行きました。然(しか)し馬鹿をどうすることも出来ませんのでその夕方になって駐在所から隣の主人が芳公を連れて帰って来ました。

私は丁度その時祖母に頼まれて婆さんのところに少しばかりの夕食のお菜を持って行っていました。芳公の顔を見ると婆さんはすぐ立って土間に降りて、まだ芳公が其処まで来ないうちに小屋の入口に出て待受けました。

『婆さん、もう何んにも心配することはない。連れて帰って来たよ。不自由だったろうな。』

隣の主人がそういって近づいて来る後ろに芳公が相変らず下を向いてニヤニヤしていました。

『どうも御厄介をかけました。おひま欠きばかりおさせして申訳けがございません。』

婆さんは叮嚀（ていねい）に主人の前に顔を下げました。

『この馬鹿！』

婆さんの弱々しい体の何処から出たかと思うような声と一緒に芳公は二、三歩後に下りました。傍に立っている誰彼が支えるひまもなく婆さんは何時手にしていたのか、竹切れらしいもので三つ四つ続けざまに芳公をなぐりつけました。

『おい婆さん、お前何をする？』

そういって支えられると婆さんは喰いしばった歯ぐきの間から声をふるわせながらいいました。

『旦那どうぞお放しなすって下さいまし、私はこの野郎を片輪（かたわ）にしなければ申訳けが立ちません。警察じゃ馬鹿だと思って許して下すっても、他所様（よそさま）のお子供衆を片輪にして私がこれは馬鹿ですからと済ましてはおられません。馬鹿だからこそなお私はあの親御さんに顔が上りません。これ！　芳！　貴様はな少しばかりからかわれたといって腹を立って他所様の子供衆を片輪にするくらいの根性骨があるなら何故首でも縊（くく）って死んでしまわない。解らないか！　解らないか！　解るまい、貴様には解るまい！　俺が片輪にしてやる！　此処へ来い、此処へ来い！　打って打って、打ち殺してやる！』

『これ婆さん、お前はまあ何んだ！　そんな馬鹿なことをいう奴があるものか芳公、お前はあっちへ行ってろ、さあ婆さん、まあ家にはいろう。』

隣の主人は婆さんの汚い体をしっかり抱き止めながらいいました。芳公がノソノソ表の方にゆくのを婆さんは涙を一杯ためた眼で見ていたが、急にガックリ膝を折って主人の手からズリ落ちました。もう薄暗くなった外光の中に婆さんは土の上に黒くうずくまっていました。私はもうそれ以上には見ていられなくなって、小屋の上りがまちにおいた丼も何も忘れて足早に家に帰って来ました。

婆さんが死んだのはそれから三、四日たってのことでした。芳公をしばらく婆さんの傍からはなすことになって、他へやって三日目の朝です。あの異常な興奮の夜から婆さんは全く体の自由を失っていましたので、私の家や隣りで朝晩おかゆを煮たり、いろんな面倒を見ていました。もう此度こそ駄目だと母もいっていましたが、その朝、まだ夜が明けかけたばかりに、隣りでは裏口の戸を破れる程叩かれました。婆さんはその枯れた幽霊のような体を裏の松の木に吊していたのです。それは誰れ一人として案外に思わないものはありませんでした。どうして其処まで這(は)い出して行ったかさえ疑問にされるほどの体で、彼女は高い枝にその身体を吊した紐をかけていました。人々は驚異の眼を集めて一様にその高い枝を見上げました。

『民衆の芸術』第一巻第四号・一九一八年一〇月号

婦人労働者の現在

最近労働運動の勃興に伴って、日本でも婦人労働者の覚醒というようなことが、やや彼方此方（あちこち）で問題になるようになった。

日本では元来婦人労働者の数は非常なもので、その方面の問題はもっと前から見出されなければならない筈（はず）であった。殊に製糸紡績方面では莫大な数の女達がずいぶんひどい扱いを受けつつあることは世間周知の事実でありながら全く何の方面からも閑却されていた。彼の友愛会などでも最近までは婦人部は全く存在の価値がない程冷淡に扱われていた。

もっとも、婦人労働者がそうした状態に置かれるのには相応な理窟がある。そしてそれは何処の国でもおなじことで、とかく婦人労働者の問題は世間からもあまり重大視されず、男子の労働者からも疎外される傾（かたむ）きがある。婦人労働者が一般にも、また男子労働者からも認められない理由の最大なものは、彼等が労働者としての自覚をなかなか持つようにならないことに起因する。女の労働者としての地位は、彼女自身でめいめい一時的なものだと考えている。世間でもまたそう考えている。つまり女の最終の目的というものはただ『結婚』に限られている。家庭というものは不自然な悪い状態から救ってくれるものだという迷信を皆んなが持っている。その実現在の経済状態は、大部分の男にも女にも決して愉快な結婚生活、家庭生活を与えないで一層深い窮迫の陥穽に入れてしまう。

けれども、どんな場合にも、独立ということを教えられたことのない女達は、どうしてもその職業的自覚によって生きてゆくすべを知らない。彼女は現在の労働状態が苦しければ苦しい程、ただ、一時も早く其処から救い出されるのをばかり待っている。そしてどんな悪い労働条件も、ただその希望のみで忍んでいく。そして、その希望が何処まで満されているか？ 彼女はまた眼の前にその希望を裏切る悲惨な例をたくさん並べられている。けれども彼女は決してその希望を、その夢を捨てようとはしない。他の人は失敗した、しかし自分だけは必ずうまく救い出されるという確信を持って、どんな悪い条件の下にも働いている。

これは、労働階級に属する無智な可哀想な娘達ばかりではない。いわゆる最初の婦人解放運動の洗礼を受けた中産階級に属する多くの若い婦人達にはこの例は各国ともにある。彼女達は、その教養と思索によって、婦人の人間としての権利を主張した。彼女達は男の保護を受けてその奴隷的な生涯をおくることを恥とした。そして彼の女は進んでその職業を求めた。そして今日ではかつてはそれが女によって占められようなどとは思いもよらなかったような方面にまで仕事の区域を広めた。そして、彼女は男子と伍して、劣るような働きをしないように一生懸命に働いた、しかし、その結果はどうだろう？　もちろん彼女の職業に対するあやまった考えもあった。また男性に対する根本の理解をまるで欠いていたことにもよる。けれども彼女達は今はただ、一個の重宝な自働機械になってしまっている。男子よりはずっと神経を緊張させ精力を消耗してそしてなかなか男子程の報酬は得られないというような状態にぶつかった。その時彼女はどうしたか？

其処まで来ると、教養のあるものもないものも、最後の救いを求める場所は一つであった。大部分のものはみんな幸福な結婚生活を夢想し暖い家庭での母としての仕事を希望する。現在の労働状態を改善して、もっと愉快に働けるようにしよう、などと考えるものはほとんどないといってもいい。そして資本家は、女のこの急所をよく心得ている。どんなに苦しくとも、否、苦しければ苦しい程この夢を見ることの出来る重宝な労働者を出来るだけ利用する。

しかし、もしこの夢が実現されればいい。すなわちいい良人と、暖い家庭が得られればそれでもかまわない。けれども十中の八、九まではこれが本当の夢になってしまう。そして彼女は結婚して家庭にはいっても、なおこの苦しい労働を止めるわけにはいかないのが今日では普通の状態だ。そしてこうした人々は二重の労働を強いられてさらに一層惨めな境涯に蹴落されてしまう。そして今度こそはもうすべての希望から遠ざけられてしまう。

この惨めな生涯が大部分の労働婦人の無自覚から来る結果だ。そしてこの惨めさは、殊に結婚してからの惨めさは、家族制度というものに多くの情実を持っている日本の婦人は殊にいたましいものがある。

最近、ちょいちょいした機会から私は、現在の自らの境遇に対して多少考えることの出来るような婦人労働者の人々に遇うことが出来た。そしてその人々から直接話されることを聞いて本当に考えさせられることがかなりにあった。

先々月頃会った紡績工の婦人達には独身の人々で、寄宿生活をしている人が多いので、まだ本当に女としての労働の苦痛というようなことはあまり聞くことが出来なかった。しかし、最近八時間労働の実施を迫って二週間もの長い間同盟罷工をして見事な苦闘をつづけた活版工の仲間に加わった婦人達は、かなり長い労働生活と、また家庭生活に苦しめられている人が多いのでその話はしみじみと肯かれるものがあった。

私は出来るだけこの罷工中の婦人達の多くの人と接して、その罷工に対する理解の程度や態度を知ろうと思った。けれどいろいろな都合から、罷工の中心になっている築地活版と三秀舎の人々にしか遇うことが出来なかった。そして殊に三秀舎の婦人達の態度は非常に私を驚かした程立派なものであった。その意気に於いても、大抵の場合女の持ち前になっているような、男の人達に引きずられてというような点は、少くとも私が親しく話を交わした三分の一くらいの人々の間では見出せなかった。彼女達は、男子側が罷工破りの出たことにこの運動の結果を悲観し落胆している際にすらなお八時間制を得なければもとの会社には帰らないと話し合っていたくらいだった。

私が松本亭にその婦人罷工者を訪ねたのは罷工が始まって十二日目で、昨日から罷工破りがあったという日であった。

『――でも皆さん男の方とは違って、いろんな面倒な事情もおありでしょうに、よくこんなに長い事結束をお続けになれましたわね。』

挨拶がすむと、私はこんな風に話しかけた。『いいえそんなに仰しゃられるとお恥かしいんです。せっかく彼方此方で皆さんが応援して下さいますのに、私共の方では昨日から工場に出た人がございますそうで、本当に真先きにこんなことになってどちらにも申し訳がありません。せめて今日の資本家側との会見がすむまで待って下さればよかったんですけれど。』

一緒にああして工場を出たからには帰る時にも手をつないでと一昨日までいい合っていたのにと居合わした人達が残念そうに顔見合わすのだった。私はなんともいうことが出来ないで、その人達同士の話をだまって聞いていた。困るのは何処でもお互いとはいうもののそれでも四、五日や一週間の差位は何処にもある。今日もむずかしい程困るのなら、それでこその団結だから打ちあけて話してくれれば台所向きのことくらいはどうにも融通をつけようし、もし家でやかましいのなら皆んなで行ってもう少しの処我慢をして貰うように頼んでみるということも出来るのにというようなことも話していた。聞いて見ると、男子側は八十人、婦人側は三人という数の人が裏切ったのだった。男子側はだいぶ自棄気味な気分を漲らしていたが、婦人側はかえってこの刺戟が残った人々の結束を固くしているように見えた。

私は竹の皮に包んだ二つの大きなおむすびを貰って皆んなの仲間にはいってたべた。そして夕方までおしゃべりをしていた。

その日私がその人々から聞いたことは、そう珍らしいことではない。ある話は書いた物でよみある話は他人から聞き、またあることは自分の経験からも想像され得ることだった。けれども、どんな聞きだした事柄でも、実際に経験した人の話は何処かに深い感銘を与える。

其処で聞いた話では、その人達の現在の労働時間は朝七時から晩の七時までの十二時間という長い時間でその上に食事時間の休みもろくに与えられずに終日立ち通しの労働だという。私はその話を聞いてゾッとした。あの埃だらけな不衛生な工場の空気だけでもどのくらい健康に障るかしれないのに、敷物もなんにもない板の間――それも隙間だらけの――其処に朝から晩まで立ちつづけるなどということがどうして出来るのだろう。殊に女には特別な生理状態の時もあれば妊娠という大事もある。そんな時に、どのくらいそれが障害を及ぼすかと思うと私は何んともいえない気がした。聞いてみると妊娠中などは恐い程足がむくんだりひきつったりするし、体の冷えることも確かにひどいらしい。

『随分乱暴ですね、男の人達はいろんな工場の中の改善などいっても、そういう女の特別なことまでは分らないでしょうから、そんなことは女だけで相談してどんどん要求するんですね、腰掛けを貰うとか、床には敷物を敷いて貰うとか。そんな様子ではまるで体をこわしに使って貰うようなもんじゃありませんか、じゃ、妊娠中なんていってもなんにも特別な保護なんぞはしてくれないのですね。出産の際やなんかでも――』

『ええ、そんなことをしてくれるものですか。妊娠中だろうがなんだろうが、重いものは持たせるし、高い処には上らせるし、一緒に働いている男の人達がもう女というと使い放題なんです。工場主の方ではまたお給金を上げる時だけは得護職工だからという名目で一人前に上げてくれないで得護らしい得護はなんにもしないですからねえ。全く工場で働いているんじゃ体はたまりませんよ』

私は今さらながら、婦人達の恐ろしい健康の虐待がどんなに平気でされているかを考えずにはいられなかった。

婦人達はなおこういっていた『かつては朝七時から夜は十一時すぎるまで働くことを普通と考えていたことがある。今日考えるとよくも体が続いたことと思うが、あの時は若い元気と諦めで通って来たのだ。その時から考えれば現在の十二時間というのでもありがたく思われる。本当に私達はひどい目に遇っていた。そしてそれを平気だったのだ、現在の日曜ごとの休みも私達には夢のようにしか思えなかった程思いもよらないことだったのだ、本当に私達は楽に働けるようにしようなどとは考えたこともなかった。けども考えてみると、私達は出来るだけ楽に働けるようにつとめなければならない。それは直接自分達のためでもあり、また後から来る若い人達に是非必要なことだ。工場で現在の労働時間が八時間に短縮されても或は半分になってくれても、自分達には決して短かすぎはしない。家庭の仕事を考えれば、私達はそれでやっと息つぎが出来るくらいのものだ』と。

　工場での十時間ないし十二時間の労働が既に充分体を疲れさすのに、女はさらに家庭での労働をその上にも負わされる。かりに、家庭になんの負担も責任もない独身の娘達でも夜七時に工場を出て帰宅し食事をすまし湯にはいったり、ちょっとした無駄話をしていれば忽ち十時十一時にはなる。朝七時に出る人として何をしなくとも五時半か六時には起きなければならない。してみると十一時にはおそくも床につかなければ昼間の疲労を癒すことは出来ないのだ。なんの仕事もなくして、既にこれで一ぱいだ。もし一家の主婦であり母である人々はなんとしても、家族の炊事の世話の一端や、身のまわりの世話を避けることが出来ない。その労働時間を、何処に見出すか。時間がないとてやらずにすむことではない。毎日毎日の睡眠時間を一、二時間ずつさいて無理をしても、その滞った仕事は休日ででも補いをつける外仕方がない。こうなるとその人達は毎日充分眠ることも出来ない上に、さらにたまの休日まで家政整理にとられてしまう。

もちろん文明はいろんな家庭内の雑務を省くための便利な設備や方法を教えてはくれる。やり方によっては日本の不便な複雑な家庭内の仕事も半ば以上は減され得る。けれどもそれもつまりは経済問題に関係して来ることで、そういう文明の利器を駆使するには、労働階級はあまりに貧乏すぎ無知すぎる。そしてこれら文明の有難さは、一番怠惰な生活をしている女達に時間がありあまり、最も忙しい生活をしている女達を一層過労に墜し入れるという奇妙な現象を呈せしめる。

私はそうして皆からいろんな話を聞いている間も、ただその人々が丈夫で長い間仕事を続けて来ているのが不思議でたまらないくらいであった。しかし、よく聞いてみると、やはりその人達は、家庭に仕事を助けてくれる人がいて多少休養の時間をしぼり出すことの出来る人々であった。その人々と一緒に働いた人達で少し無理を続けたと思うような人は皆んな体を悪くしたり死んでいったりした。

『少し会わないと思って様子を聞いてみるときまったようにそうなんですよ』

ある一人は本当にしみじみ周囲を思いめぐらしてみるようにそういっていた。

この人達とは僅かに半日ずつ二日いたきりだった。けれども私はある人々にはまるで軽蔑され切っている日本の婦人労働者の上に、たしかに一道の光明を見出すことが出来た。無知だ、無自覚だといわれている間に、皆んな少しずつ周囲を見まわして考えている。そして徐々にこの悲惨なまた侮辱され踩みにじられた境遇をつくり変えようと努力しはじめている。そして、それがどんなに少数であっても、他階級の人々の指導や宣伝よりはどのくらい力強いものであるかしれない。私は現在の知識階級の婦人達が自惚れているように、或は押人売りをする同情には頼らないでも、もう暫く後には婦人労働者自身の力強い解放運動が実現されることを信ずる。

『新公論』第三四巻第一二号、一九一九年一二月号

自由母権の方へ

　新しい時代に於いて、両性問題はどういう変化を受けるであろうか、ということは、かなり興味を引く問題でしょう。しかし正直なところ、私には現在では両性問題について考えるということに以前ほど興味が持てなくなっています。けれど、とにかく纏(まとま)りがつくかつかないかそんなことには頓着なく思い浮ぶままを書いてみようと思います。

　何よりも、私はこの両性問題は、人々それぞれの生活、思想感情に相応した考え方しか出来ないものだと思います。またその考え方に相応した真相しか握れないものだと思います。この点で、私は、現在の人々の全生活を支配している現在の諸制度が改められると、その影響はただちに人々の思想感情に非常な変化を齎(もた)らすものと信じます。従って、両性問題に対する考え方も実際も、よほど違ったものになって来るにちがいないと信じます。

　よく、私共へ話をしに来る人々が、『あなた方の実現さしたいという社会はどんな社会ですか』と聞きます。そして、その説明を聞いた後で、『しかしこういう点は、どう処理なさいますか?』と、現在の制度が生み出した不合理から生じた現象をさも私共にとっての最大難関か何かのような問い方をします。私共がなんのために、現制度を呪うのかまるで考えてもみない風で。そして、あくまで、現制度の感情から離れ得ないで。其処まで来ないうちには、非常に聡明な問い方をしている人々がなおそうなのです。両性問題が新時代の下に、どう発展してゆくか、ということに対しては、私はやはり、現在の制度の下に於ける普通の観念では、完全に考えることは出来ないことと思います。ですから、ただここでは、非常に変って来るに違いないということだけをまずいっておきたいと思います。

私は曩に、両性問題に対して考えることに興味を失って来たといいましたが、事実、私は、親密な男女間をつなぐ第一のものが、決して、『性の差別』でなくて、人と人との間に生ずる最も深い感激をもった『フレンドシップ』だということを固く信ずるようになりました。『性の差別』はただ、同性間の『フレンドシップ』以外に、それを助ける力となるだけだと考えるようになりました。そしてすべての両性間の複雑な混乱はこの『性の差別』のみを重く観ることによって起るものが多いと思います。そしてこの両性問題と称して人々の興味の中心になっているものは、現在ではその色とりどりの紛糾だと思います。そして現在ではこのさまざまな両性の紛糾を指して恋愛の種々なる状態といいます。この恋愛の齎らすとりどりの苦悩と快感とは、誰でも経験することでしょうが、しかもこれは大して長つづきのするものではないと私は思います。両性の結合を持続さすものは、決してこれを越した現在のいわゆる愛ではなく、それは『性の差別』を超越した『フレンドシップ』だと思います。

この第一義的な『フレンドシップ』を持たず、ただ『性の差別』による恋愛のみの結合では、この恋愛に惰気が生じた時には、其処に双方で、理解のない心と心の苦しい紛糾が残るのみだと思います。

もちろん、ある男と女とが、愛し合うまでには、双方ともある程度まで理解し合うのが普通でしょうが、愛し合い信じ合うと同時に、二人の人間が、どこまでも同化して、一つの生活を営もうと努力するのが、現在の普通の状態のように思います。

私は、こんなものが真の恋愛だと信ずることは出来ません。こんな恋愛に破滅が来るのは少しも不思議なことではないと思います。本当に深い理解から出た『フレンドシップ』によってつながれた男と女とがさらに深く愛し合うというのは一番自然なプロセスで、今までの多くの失敗した自由結婚者達も踏んで来た道でしょうが、まだ、多くの男女の心に滲(し)み込んだ両性関係についての古い伝説が、やがて、いつの間にか彼等を虜(とりこ)にして普通の因襲的な夫婦関係に逐(お)い込んでしまいます。そして、それが女を無能にし、従属的にして全く男の厄介者にしてしまいます。そうなればもうその男と女との関係は破滅に来たものです。

こんな破滅は、しっかりした自分の生活を把持している女にはとうてい耐え得られない侮辱です。本当に自覚した男女間の恋愛は、その終りにでも、決してこんな終り方はしないでしょう。

私の考えでは、これからは一般に、男女の交際には『性の差別』ということは、現在のようには重く視(み)られないだろうと思います。女の地位がもっと向上し、男と対等の生活を営むようになれば、両性の結合に於いても、極(ご)く自然に、現在の同性の親しい友達同士が、各自に自分の個性を保持しながらお互いの理解にまかせて、その親しみを深く広くしてゆくようになるだろうと思います。どんなによく理解し合い愛し合っている二人でも、二人が一人の人間に同化したり、二人の人間が一つの生活の中にいつも愉快に打ち込んでいられるということはまずあるまいと思います。現在に於いては、こんな点ではかなりに両性関係は誤解されています。この誤解は、やはり女に保護を必要とする考えがかなり深く人間の生活に根ざしていることに由来すると思います。第一に結婚という誤った観念が、かなりひどく両性関係の上に影響しております。

結婚が、どんなに女を惨めな状態に陥らすかということは、私共はよく知っております。けれども、もし理解し合った男女ならそれは正しいことだと思っておりました。けれど、最近二、三年間に、私はまるで別のことを教えられました。

私は一体家庭生活というものにかなり興味を持っております。どんな風に自分の家庭を愉快に気持よくするかということに関して考えたり計画したりするのは本当に好きです。けれども、それは現在の私の生活ではとうてい望めないことなのです。そして私にはそんな家事上のことに没頭していい主婦になるよりはもっと重大な仕事があるのです。けれども、それでいて、私はやはり自分の家をどうかして気持のいいものにしたいと思い、自分達をやはり世間並みな夫婦として扱いたがります。そうなると、私はやはり世間並みの妻が良人の上を気づかうように、絶えずOのことが気になります。Oの一挙一動をも知っていたいというのです。出先きも知りたいし、食事時間にはちゃんと帰って来て欲しいし、外で何をしたか、誰と遇ったか、何も彼も知りたくなります。そして自分の生活が全くルーズになってしまいます。おまけに、よけいな知りたがりから、絶えず不愉快な目に遇わねばなりません。

　けれど私はいつでも別れて住んでいる時、本当にひとりで、自分自身の生活を営んでいる時には、このOに対する一切の余計な知りたがりは影をひそめてしまいます。Oと自分との生活が判然と区別されて、絶えず自分の怠惰を笞打たれるような気がします。そして、相手に対する愛も親しみも尊敬も離れている方が幾倍強く感じられるか知れません。

　ことに、私のように、友達というものをまるっきり持たない者は、彼のみが唯一の話相手なので、別れていた間のいろんな出来事やそれに対する批評や、読んだものの話、そのほかいろんな点で、話もそう一概に、下らないことばかりでないようになります。私はこんないろんな点で、やはりどんな関係にあるものでも、自分自分の生活を判然と区別して、お互いの理解にまかせ、必要に応じた接触をするのが一番いい方法だと考えております。

要するに、現在の結婚制度を生み出して両性関係の上に影響した観念が除き去られ、女の上に加えられる恩恵的な保護が除かれたら女の地位はもっとずっと違った、強いものになるでしょう。そしてこの女の地位によって両性関係はまた違ったものになるに相違ありません。私は茲に、私の下らないおしゃべりの代りに、私の尊敬する一婦人の両性問題に対する意見と、自由母権に対する意見を紹介させて頂きます。

『あらゆる結婚の裏面には両性の一生の雰囲気が纏っている。その雰囲気は相互に異っているので、男と女とは永久に他人でなければならないと、エドワアド・カアペンタアはいっている。迷信や風俗や習慣の超え難い障壁によって分離されていては結婚は相互に対する知識や尊敬を発達させる力を持つことは出来ない。それがなくてはどんな結合も失敗に終るのである。』

『女には霊魂がない――女について知るべき何物があるのだ？　のみならず、女に霊魂の分子が少ければ少い程妻としての価値が大きくなり、さらに容易に良人に同化し得るというのだ。永い間いわゆる結婚制度なるものを保存したのはこの男尊説に対する奴隷的黙従である。今や女は真に主人の恩恵から離れた存在物として自覚しはじめた。そして神聖な結婚制度は次第に顚覆（てんぷく）されつつある。どんな感傷的悲哀もそれを止めることは出来ない。』

『もし女が充分自由に生長して、国家もしくは教会の裁可なしに性の秘密を学ぶなら、彼女は全く『善良』な男の妻となるに不適当だとして罪を宣告されるだろう。男の『善良』というのは空っぽな頭と金がたくさんにあるというにすぎない。生命と情熱とに充（み）ち、健康で成熟した婦人が、自然の要求を否定し、自分の最も痛切な欲求を抑制し、その健康を覆し精神を破り、夢想を妨げ、性的経験の深さと光栄とを棄てて、『善良』な男が妻として彼女を連れに来るまで待つということ以上に惨酷なことがあるだろうか？　結婚とは確かにこれなのだ。このような組み立てが失敗に終らないで何に終るだろう？　これがかなり重要な結婚の一要素で、結婚を恋愛から区別せしむるものなのである。』

『婦人の保護——其処に結婚の呪咀が横（よこた）わるのだ。結婚は真に彼女を保護しないばかりでなく、保護という思想そのものがすでに嫌悪すべきである。かくの如きは人生を侮辱蹂躙（じゅうりん）し、人間の威厳を貶（おと）すものである。この寄生的制度は永久に没却すべきである。それは、資本制度と称する根本組織と相似たものである。それは人間天賦の権利を剝奪し、その生長を防止し、肉体を毒し、人間を無知、貧窮、従属的ならしめ、しかして後人間自尊の最後の痕跡に栄ゆる慈善を形成する。』

『もし母たることが女性の最高の完成であるならば、恋愛と自由以外にいかなる保護を必要とするであろう？　結婚は単に彼女の完成を蹂躙し、腐敗せしめる。結婚は婦人に対し「お前が私について来るときにのみお前は生命を産み出すだろう」といわないだろうか？　もし彼女が母権を買うに彼女自身を売ることを拒むなら、結婚は彼女を貶しめ辱しめないだろうか？　結婚はたとえ彼女が憎悪と強迫によって受胎することがあったとしても、母権を裁可しはしないだろうか？　しかるに、母たることが自由選択であり、恋愛と、歓喜と、熾烈な情熱の結果であるなら、結婚は無辜の頭上に荊冠をおき、血文字で私生児という言葉を彫まないであろうか？　もし結婚がその宣言するあらゆる諸徳を含んでいるなら、母たることに反する罪悪は結婚を永久に愛の領土から放逐するであろう。』

『政府の擁護者は自由母権の到来を恐れている。それはかれ等の餌を奪われることを心配するからだ。だれが戦争をするのか？　だれが富を造り出すのか？　もし婦人が小児の無差別な養育を拒むなら、だれが巡査になり、官吏になるのか？　種族！　種族！　と大統領や資本家や牧師が叫ぶ。婦人が堕落して単なる機械になっても種族が保存されなければならない。そして結婚制度は婦人の有害な性の目覚めに対する唯一の安全な扉だというのだ。けれど奴隷状態を維持しようとするこれらの暴虐な努力は無駄だ。教会の布告も、支配者の狂的攻撃も、律法の権力も無駄だ。婦人はもはや病弱不具な、そして貧乏と奴隷の軛を打破する力も道義心をも持たないようなみじめな人間の生産に与かることを願わない。彼女はそれに引きかえ恋愛と自由選択によって生れ、育てられる少数のよりよき子供を願望する。結婚の科するような強迫によってではないのだ。わが似非(えせ)道学者等は自由恋愛が婦人の胸中に喚(よ)び覚ました小児に対する深い義務の観念を学ばなければならない。滅亡と死のみを呼吸する雰囲気中に生命を産み出すより寧(むし)ろ彼女は母権の光栄を永久に棄てるだろう。もし彼女が母になるなら、彼女の存在が与え得る最深最善のものを子供に与えるべきである。子供と一緒に生長することが彼女の座右銘だ。かくしてのみ彼女は真の男と女との建設を助けることが出来るのを知っている。』

『解放』第二巻第四号、一九二〇年四月号

現代婦人と経済的独立の基礎——謬(あやま)られた思想で養われた独立婦人に与う

一

『婦人の経済的独立』ということは、一般女権主張者達の間には、非常な重要問題として取扱われております。そして、この経済的独立が、ただちに完全な婦人解放を意味するものだとまで、主張されております。

しかし、この、婦人の経済的独立という問題がどれほど重要な実際問題であり、どれほどの背景を持ち、どれほどの効果を挙げているかということについては、一般の女権論者は何の考慮も払ってはいません。そしてまた、私には、その人達の騒いでいるような思想的根拠からの経済的独立を敢行している人々が果してどのくらいあるかということも疑問なのです。

現在、私共の眼の前には、多数の職業婦人があります。ほとんど、社会のどの方面の仕事にも婦人の手をまたずに済んでいることはないといっても別に間違いではないくらいに男子と伍して働いています。しかし、私共はそれ等の多数の婦人の生括を、真に祝福された、羨ましい生活と思うことが出来るでしょうか、また、それ等の婦人が、真にいわゆる男性の暴虐から、自らを解放しているでしょうか。何ものからも制せられぬ自由をもっているでしょうか。

私はこの『経済的独立』にあこがれているたくさんの若い婦人を知っています。その娘さん達は、みんな相応な生活をしている両親をもっていて、教育も充分にして貰い、身のまわりも立派に整えて、いいお嫁入り先きのあるのを待っている人々です。

しかし、その娘さん達は、少しばかり本をよみ、ほんの少し新思想を抱いています。それで、その結婚に際して、親達の選んでくれた良人の許におとなしくお嫁入りすることを、一つの屈辱のように考えているらしいのです。そして、訳もなくただ親達に駄々をこねるのを仕事にしているのです。そして親達の保護の下にあることを嫌って、何か職業をもって独立したいという希望なのです。

私は、そのある一人に向っていいました。

『独立は結構です。しかし、何を一体するつもりなのです。』

するとその娘さんはいいます。

『なんでもいいんです。私で出来ることならなんでもしますわ、働らけさえしたらなんでもします。』

『でも何にかアテはあるでしょう?』

『何っていって……』

という工合(ぐあい)なのです。結局は女学校を卒業しているのだから、何かその程度で出来ることというのです。そうしてこういう娘さん達には、働くということが、どんなに辛いことかが毫(ごう)も分らないのです。いくら話して聞かせても駄目なのです。また、自分を養ってゆくのにどれ程のお金が必要なのかもわからないのです。自分の必要を縮めるということもむずかしいことだし、その縮めただけの必要を満たす金すらも、容易にとれないことが、どれ程当然のことかもまるで分らないのです。

さらにまた、その雇主というものが、どれ程恐るべき暴君であるかということも一向わからないのです。働いて金をとるという当然なことが雇主にとっては決して当然なことではなく、働かせて食べさしてやることは弱者に対する一つの恩恵であるなどということは、その人達にはどうしても考えられないのです。両親や、良人から受ける恩恵よりはもっと、薄弱なそして辛い恩恵であることが考えられないのです。

ですから、それ等の娘さんは、少しの間働いてみます。けれども、実際にそれ等のことが会得されると、急いで両親の処に帰ります。もし両親のもとへ帰れない人々は、相手を見つけて、結婚に急ぎます。あるいはまた、仕方がなければ、そのつらい貧乏な独立に止まっているより他はないのです。

元来この『経済的独立』などと殊更らしく主張するのは、その婦人達が、徒食無為の階級の人々だということを何よりもよく証拠立てるものです。その人達の上に迫って来る圧力は、その衣食を仰ぐ親なり良人なりのそれです。其処でその人々は、その徒食無為が自分等を奴隷にするものだと考えたのです。実際にその通りでもあります。がそして自ら働きさえすれば、その奴隷の境涯から解放されると信じています。けれども、本当は、その主人が代るだけでやはり奴隷の境涯からぬけ出せないことには一向お気がつかないのです。世間知らずなお嬢さん達としては無理のないことではありますが。

二

今日、多くの婦人達の先達になって婦人問題云々と主張している人々は、大抵はこの世間しらずの人々ばかりなのです。其処で今日の職業婦人達が、どのくらい自分達婦人のために道をひらいていてくれるかなどと勝手に、それ等の婦人を自分達の仲間に引き入れています。そして婦人が各方面の職業に従事するようになったのを婦人の経済的自覚が促したのだなどと自惚をいっています。

確かに、ある点ではそういうこともありましょう。しかしその最大の理由は、現在社会の経済的組織が多くの婦人に徒食を許す余地を残さないようになって来たことに原因しています。もちろん、多少知識あり教養ある婦人が、職業に就き出した最初の原因は、自分の持っている才能を、自由に、充分に発揮する機会を捉えることと、結婚による衣食の保証を持つよりは、独力で生活を営むことに対する誇りとから来ています。そしてこれ等の婦人が、いわゆる女権論者と一緒になって、自分達を例に示してその独立を主張することは自然なことです。

しかしこのような、のんきな動機から職業を求めた婦人がどのくらいありましょう。近代の経済組織は、少数の資本家の利益壟断によってその下に使役される賃銀奴隷の生活は、ますます低く、そしてその範囲を拡げて来ました。資本家がその使用人等に支払う賃銀はとうてい今までのように、一家を支えてゆくだけの余裕を持たなくなりました。その生活程度が低くなればなる程、どんな幼ない子供でも徒食は許さないというのが現在の組織なのです。そして、大資本家の事業は小資本を忽ちのんでしまって、だんだんに中産階級の存在を許さなくなって来ました。中産階級者は、現在ではもう徒食することを許されなくなって来ました。かれ等もやはり大資本家の使用人として賃銀をアテにしなくてはならなくなって来ました。そしてその妻や子女には贅沢が許されなくなったばかりでなく、どうかすれば、子女の助けをかりなくてはならぬような状態になって来たのです。

多くの青年は、今、自分ひとりの生活を充分にする収入を得ることすら困難になって来ました。相応な両親を持って、世間に出て働くに充分な準備を授けて貰うことの出来る青年達ですら、その両親から容易に独立することが出来ないのです。あるいはまた独立するや否や、その両親や兄弟の衣食のために働かねばなりません。よし、それ等の心配がなくても、彼等はなかなか結婚を急ぐような幸福な場所には置かれません。なぜなら、彼れ等は、彼れ等の必要なだけの報酬を得ることがどんなにつらい仕事をせねばならぬかをよく知り、そして利口な青年達は、そのつらさを数倍にしてまで女を徒食させることのつまらなさをよく知っています。それで彼れ等は、止むを得ぬ事情が迫るまで、妻を迎えることをひかえます。

娘達の親は、だんだんに、娘等を抱えて求婚者を待つような境遇にいることを許されなくなります。そして、娘達は今まではただ従順なよき妻であり、母であって一生良人や息子達から与えられる生活に満足すべき準備のみ教育されていた代りに、今は自分の才能に頼るべく教育されるようになりました。そして、まず何よりも、その第一の保護者である、父なり兄なりから独立することを強いられるようになって来ました。

実際いろいろな点から私共の前に並べられる事実は、いわゆる職業婦人と称して、労働者と称せられる人々から区別される婦人達の、職業を求める動機は、やはり労働階扱の人達のそれと毫も変ることはありません。そしてまた、その雇主等から侮辱され虐待され掠奪され、絞りとられていることにおいても同じことなのです。

私は、女権論者達が、どれほど声を枯らして婦人の経済的独立を祝福しても主張しても、現在の職業婦人の大部分が、自分等を幸福と信じることの出来ない間は、そのいわゆる経済的独立が婦人解放問題に、いい解決を与えるものだとは信じ得ないのです。そしてまた、私は独立した職業婦人達が、自分達をのけものにしている家庭生活というものにどれほど憬(あこが)れているかということも、分りきったこととして、女権論者達の考慮の中に加えて欲しいと思うのです。

さらにまた、それ等の職業婦人の職業的無自覚が持ち来す労働価値の低下をも、その無自覚のよって来る原因と共に責任ある考慮を求めたいのです。

三

婦人が就職をして貰う報酬の最初の標準は、女一人の全生活を支持し得るというのではありませんでした。やはり女は、男の保護の下に生活すべきものという原則のもとに、ただその充分な保護を与える余裕のなくなった男の経済状態に鑑みて、それを補う程度を標準としたものでした。そして仕事の不馴れ、能率の低いことなどが、その報酬の標準の低いことの表面の理由になっていたのでした。しかしこの能率が上がらないということは、今はほとんど虚偽に等しい妄言だといってもさしつかえありますまい。

資本家にとって、婦人を雇うほどとくなことはありません。彼女達は実によく働きます。しかし報酬は出来得るかぎり安くして、彼女達の若い全精力を絞りつくします。彼女達がもしも、独力で全生活を支えなければならぬということになれば、とうてい、とおり一ぺんの働きでは支えてゆくことが出来ません。彼女達は、すべてをすてて機械のように働かねばなりません。もし彼女がそれ程働くことを、どうしてもいやだと思えば、何か他の方法を講じなければなりません。

たくさんの職業婦人が、男子に伍して、かれ等に劣らない働きをするために、どれ程無益にその精力を耗(す)りへらしているかということは、彼女達の日常生活が、働くということの外の何物も容れる余地を持たないことでわかります。正直な職業婦人は、男子より数等劣った賃銀で、出勤した時間のすべてを少しのひまもなく働きます。そして仕事からやっと解放された時には、頭も体も綿のようにつかれて、ただその疲労を癒す眠りがいそがれるばかりです。その生活には、娘らしい何の色彩も潤いもないただ何のためともしれない間断なく強いられる労働があるばかりなのです。

もしも彼女が少しでも、娘らしい様子をつくり、若い娘らしい雰囲気の中に住むことに憬れるならば、彼女は、その仕事を忠実に果すことを思い切らねばなりません。また、彼女の僅かな収入は、決して自分ひとりの口を糊することも出来ないでしょう。そして彼女のまわりには、そういう機会を覘っている誘惑の手がたちまちに襲いかかって来ます。こうして多くの若い娘達がどのくらい、ほんの少々の贅沢のためにその正しい職業を捨てて恥ずべき生活を喜んでいることでしょう。そして、正直な婦人達もまた、過労に堪えられずに、出来るだけはやくその職業から救い出されようとします。

大部分の職業婦人が、いかにその独立を止めたがっているかということは、明らかな事実なのです。彼女達はその労苦を出来るだけ早く切りあげたいと思っていますから、職業的利害に対しては全く無頓着でいます。どんな苛酷な雇主に対してでも、その持つ不平は、『もう直きに止めるのだから』ということであきらめます。で、彼女達の働く条件は、雇主の方から改めるまでは、何時までたってもよくなりません。雇主にとってはこれほどいいことはありません。其処で出来得るかぎり、このとくな女を雇うことになります。それで、女の働く範囲はだんだん広くなってゆきますけれど、これによって、男の収入が低減し、かつ仕事をうばわれることになって来ます。その結果はどういうことになるでしょう？　彼女達のこの無自覚無頓着は貧しいものを、一層まずしい境涯におい落してゆくばかりです。自分達の生活を一層たよりないものにすると同時に、さらに多くの家庭を飢えさすばかりなのです。そして、彼女達が憬れる家庭生活から、一層遠ざけるばかりなのです。そして結局は過労と堕落の中に陥れられるばかりなのです。

こういういろいろな事実は何を示すのでしょうか。女権論者達の眼には、これが見えないのでしょうか。彼女達はこういうでしょう。

『それは、職業婦人としての自覚がないからだ。職業的利害に目覚めて、それを改善してゆきさえすれば、仕事はもっと楽になるし、収入も、もっと増すにきまっている。そして婦人も立派に自分を支えてゆくことが出来る。』

けれども、一般の職業婦人が、その職業に止まる意志がない場合には、この条件の改善は、決してそう容易に為(な)されるものではありません。しかも大部分の婦人達が、その思想的基礎の上にたって職業に就いたのではなく経済的必要に迫まられてその境遇にいるのだとすれば、それはその人達にとっては一層無駄な自覚になります。彼女達は実に女権論者達が、最も唾棄すべきこととしている男の保護をどれほど待ちのぞんでいるでしょう。彼女達は、たとえ、どんなに長くその職業に止まっているにもせよ、自分をその境遇から救い出すものは必ず彼女の求婚者であると考えているにちがいはありません。一たんは、男の手に保護されることを屈辱のように考えて職を求めて独立した婦人達にしても、その苦しい労働を続けてゆくことのむずかしいことを考えると、彼女の求むる愛の欲求は彼女の最初の決心を容易に翻えさすのです。

四

こうして、私達の前に、自覚ある職業婦人として女権論者のために有力な味方にたつ人々は、ただ、男子を相手として競争することに懸命になって、すべての女らしい情緒も色彩も涸(か)らしつくして、ただ挘(むし)りへらされた神経の角ばったとげとげしさをのみしか見せることの出来ない少数の人々のみです。そしてこの人達はすでに、ただ一個の機械としての存在しか意味しないような片輪になりおおせているのです。

彼女達は、まずその雇主に対して、自分の自信ある技倆(ぎりょう)を示すために、傍目(わきめ)もふらず働き続けます。そのいつ襲うかしれない誘惑に対するに不断の武装を続けます。周囲の監視や批評を絶えず気にして全神経をとぎすましています。こうして彼女は自分の生活に、少しも自由を持ち得ません。彼女の一挙一動は、極端な用心の後に、充分の考慮を経てなされるのです。彼女のどこをさがしても天真爛漫などという点は薬にしたくも見つかりません。彼女はいつも眉をよせ、唇を一文字にむすび、青白い顔に冷たい表情を浮べて人の顔を見据えます。彼等には、しゃれや空談はもちろんのこと、およそ人の気を軽くするような言葉や表情は一切禁物なのです。

これは、決して私の余計な誇張でもなんでもありません。今日、知識あり教養ある、職業婦人として、一般人の尊敬を集めている人格ある少数の人は、実にここまでの修養を充分に積んだ人たちなのです。意地悪な世間の人々は、この離れ業を充分に見せなければ、決して尊敬を払わないのです。そしてここまで来なければ、馬鹿馬鹿しい職業に一生止まっていようなどと言う考えは決しておこって来ないのです。

常識をもった世間の人々は、果してこんな婦人達をたくさんにつくり出すことをよろこぶでしょうか。これが真の婦人であるといえるでしょうか。これ等の婦人は、彼（か）のストリンドベルヒの描いた女のように結婚してもその良人の経済から独立していたが、しかし彼女が子供を産み、その養育時間をとられることになると同時に、彼女の独立がだんだん怪しくなって来ると共にそれを屈辱として煩悶するというようなことになる人々です。

私は、ここに繰り返していいます。『婦人の経済的独立』という女権論者の主張は一つの夢想としてしか存在しない、と。そしてこれがもし夢想でないとするならば、女権論者はもっとちがった立場から、もっとちがった根本問題に着目する必要があります。

今日、どれ程多くの職業婦人が、その結婚と同時に職業を投げ出しているでしょう。そして、結婚後もその職業に従事することを許される人々は、ほんの少数で、その人達の仕事は結婚によって邪魔される事情を持たない極く特殊な職業か、でなければ束縛のない結婚をしたか、どっちかなのです。一般のは結婚と同時に職業は見捨てられます。そして、それには、既婚者や、母親となった者を働かす設備が少しも出来ていないということが、力説されています。恐らくそれも一つの事情でしょう。

しかし、かりにそれ等の設備が充分で、妻であり母である人々がみんな職業を持つことが自由であるとしても、果してそれ等のすべての婦人達に、充分な仕事が与えられるでしょうか、また、その良人にも、その父親にも、兄にも妹にも、すべての人にまんべんなく、相当な仕事が与えられるでしょうか。

もしも現在の産業組織の下に、ただひたすらに働こうとのみする人々がふえることは、一般の生活状態をますます険悪にするばかりです。現在ですら、既に労働者階級の間では明白に、父や良人の職業の範囲は妻や子供たちによって狭められ、その労働条件もやはり、妻や子のために、とかくに改善の邪魔をされるような状態にあるのです。利口な資本家等は一番重な稼人の就職を脅かして、その補助者の位置にあるものに、もっと悪い条件で仕事を分け与えるというようなやり方をします。

労働者の家庭に育った貧乏な娘達はみんな幼い時から資本家の手に奪い去られます。そして彼女達は資本家の檻(おり)の中で、一定の食物を与えられては、その不当な値段を支払うために苛酷な労働を強いられます。資本家等は、一人の労働者を雇うだけの金で三人も四人もの労力を絞りとります。こうして人間の労働価値はどんどん低下してゆきます。

資本家は、こうして、他の何事も考えません。自分の必要な最大限度の労力を、いかに安く得ようかということのみ考え、工夫し、あさります。この資本家の貪欲は、夫(それ)が下級な労働であろうと、少々上等な知的な労働であろうと、そんなことに区別のないことは前にいったとおり。

五

『経済的独立』をすれば自由になる、というのは、実際には理窟の上でのみしか通りません。成程(なるほど)、その親なり、良人なりから衣食を与えて貰うという恩恵を受けなくなれば、それ等の人々には何の遠慮もなく、それ等の人の干渉を受けることはないでしょうけれども、此度は、さらにもっと大きな社会的事実がさらに力強いタイラントとして彼女の上に迫って来るのを、どう始末したらよいのでしょう。問題は、親や良人の干渉圧迫を退けただけでは片づかないのです。女権論者達はここまで来れば、もう自分達の議論の範囲ではないというでしょうか。しかし、彼女達が社会の一員としてブッかるこの社会的事実に対しても、彼女が婦人であるという特殊な条件はどこまでもつきまとって来るのですから、彼女等は、その点を回避することは許されまいと思います。彼の女権論者達の最も深い考慮を要するのはここなのです。そして、私は、親からも良人からも保護を受けない、かつ干渉圧迫を受けない、大多数の婦人労働者が、どれ程の圧迫暴虐を、その雇主等から蒙（こうむ）っているかということにもよく眼をとめて欲しいとおもいます。

こう書いて来てみますと、読者の中には、私が婦人の経済的独立を批難するものだと早合点をする人があるかもしれません。しかし私は、そのことに対して決して反対するものではありません。寧（むし）ろ、私はその『経済的独立』を主張せねばならぬ必要を感じさせる、すべての根拠をもよく理解しているつもりです。どんな人間でも徒食をするということは許されないことです。

私が、今ここで述べた『経済的独立』に対する批評は、この婦人問題中の最も根本的なそして実際的な問題が、現在のような、中産階級に属する、女権論者達の実際の社会的事実にうとい狭い見地においての、議論では決して片づかないということを明瞭にさせたにすぎないのです。

問題は深く一般の社会問題と交錯しています。そして今、世界中の大問題になっています。経済組織の重要な点にまでふれています。すべての婦人達はまず何よりも現在の重大な社会問題について研究する必要があります。その経済組織について考慮を要します。この根本的な問題の解決は必ず、婦人問題にも、根本的に何の不合理も残さない解決を与えるにちがいありません。

『女の世界』第七巻第三号、一九二一年三月号

『或る』妻から良人へ——囚われた夫婦関係よりの解放

今日もまた、終日例のように、椽側の椅子で日向ぼっこをしながら、ぼんやりと暮してしまいました。

毎日毎日こうして、つまらなく暮してしまう気ではないのですけれど、もうかなりこうした怠惰な日を送り迎えました。病気のあなたが、あの室のベッドの上に休んでいる間も仕事に逐いたてられるようなおもいをしてお出になることを考えますと、本当に済まないとは思うのですけれど。

でもそんなことを考えながらでも、やはり、それ以上の贅沢だって考えますの、あの暖かすぎる程の硝子越しの日光を浴びながらじっと自分の足の爪先きや、日光に晒されている手を見つめたりしていますときには、それはいろんなことを、次ぎから次ぎへ考えますの、そして、少しその考えから離れかけた時にはそうして向い合って腰をおろしながら、話し合ういいお友達のないことが、それはつまらなくなりますの。

もう随分ながく、私は自分の友達を持ちません。そして友達を欲しいと思ったこともありません。それは、いつも私が話ますように、Kちゃんや、Yさんとの暖い友情のおもいでは、時々ほんとになつかしく思い出します。けれど、私はそれと同時にあんなにした交り(まじわ)でも、ほんの僅(わず)かな理解の隔りが、ちょっとの間に、知らない全くの他人よりも冷たくすることを考えますと、いつでもいやになります。そして、やはり自分の生活には、他人からの何物も期待してはならないという考えが強くなります。

それでも、この頃、ひとりで日向ぼっこをしながら考えごとをしていますと、七、八年も前に染井の片隅で、こんな日光を浴びながら、よくYさんと僅かな隙(ひま)を見ては、カラタチの生垣ごしに、たすきがけで、その頃Yさんが一生懸命に訳していた『ソニア、コヴァレフスキイの自伝』の中から得る感銘や、お互いに読んでいる書物の批評、お互いの周囲の人々の噂さや、もっともっと切実な自分達の生活に対する反省や計画や、いろんなことを真面目になって話し合ったことをおもい出します。そして、本当にひっそりした身のまわりをそっと見まわすような心持になります。

けれど、また、私はそんな時に、一番深くあなたとの交渉について考えます。私はあなたと一緒に住んでいる大抵の時に、友達のことなんか考えたことは、まあないといってもいいくらいです。私は私の生活のすべてを、あなたに話し、示しています。私の生活はあます処なくあなたに知って貰うことが出来るのです。そして、私はあなた以外の友達の必要を全く感じなかったのです。また、あなたが私にとってどんなにいいお友達であるかということにすら、全く気がつかなかったのでした。

去年、あなたが入獄して留守になった時、私の上に、一番に激しく襲って来た寂しさは話相手を失ったさびしさでした。もちろんあの時、家には一緒に仕事をしている同志も大勢いましたし、その人達が、世間並みの交際の人々と違って、どれほどの信用をおいても決して間違いのない人々だということは充分解りきってもいますし、随分たち入ったことの相談にも与って貰えました。

けれども、私は、『信じ合う』という普通に使われている言葉以上に信じることの出来る人々にもなお許すことの出来ない、ある、ほんとうに深い Confidence を投げかけることの出来る話相手が、私には必要だったのだということがはじめてその時にしみじみ分ったのでした。そして、それが、たった一人のあなただということがわかったのでした。それはあの時に、獄中へさし上げた手紙にも、たしか書いたと思います。

なんという迂愚な私だったのでしょう。私はあなたと、足掛五年の年月を、一緒に暮して来たのです。そしてやっとその時に私達の接触の本当の意味、本当の深さが、解ったのです。五年の間、私はぼんやりして暮していたんです。

もっとも、一方からいえば、そんなことを考えるひまもなかったのですし、必要もなかったのだといえばいえるかもしれません。私達はお互いの生活については、あますところなく知り合っていました。また大事な仕事のためには、お互いに出来るだけいい同志でありたいとも願い、そうすることに努めもしました。私達は世間のいわゆる夫婦という関係以外に、一番いい友達同士の役目を事実につとめていたのです。そして、私共の本当の結合の意味は夫婦であるというよりも、寧ろ、一つ道を歩く、一つ仕事をする、最も信じ合うことの出来る同志になるということの方に本当の目的があったことは、お互いに一番最初からよく知っていたことです。私だって、知りすぎる程よく知っていたのです。

けれど、私達の『家庭』という形式を具えた共同の生活が、いつの間にか、私をありきたりの『妻』というものの持つ、型にはまった考えの中に入れていたのです。ですから、私は、少くとも、あなたと何か仕事の上の話をしたり何か仕事を手伝ったり、或は同志の人達と話しをしたりする時にはそうではありませんでしたけれども、あなたと二人きりの『家庭』の雰囲気の中の生活では、『妻』という自負の下に、すべてを取り捌いていました。そして、今の感情はいつの間にか、その大事な仕事の上に臨む場合にすらも、『良人の仕事に理解を持つことの出来る聡明な妻』という因習的な自負に打ちまかされるようになっていたのです。そして、私はそんなことには、ちっとも気がつかなかったのです。

あなたと、絶えず一緒にいた間、それが私にはまるで反省することが出来なかったのです。そんな機会が与えられなかったのです。その自分の間違った自負のために苦しめられていることはかなりあったのです。けれども、それが何のためかは少しも考えませんでした。私は、あなたに対して時々持つ不満が、その結果であろうとは思わなかったのです。

本当なら一緒になって、ムキにならねばならぬ仕事なのに、あなたがあんまり夢中になるといやでした。一日中外を歩きまわって帰り、帰ると御飯を食べる間もオチオチ話をせずに机に向って坐ったり、お茶を出しても、お菓子を出しても半ば夢中で雑誌の編輯になぞ熱中されると不満でたまりませんでした。出先きが分らなかったり、せっかく骨折った夕飯の御馳走がムダになったりすると無暗に腹がたちました。

すべてそんなことが、そんな些細なことが、私達の少しもわだかまりのない生活を折々暗くかげらせました。そして、私はそれに対して全く無反省だったのです。時には、自分の我儘だとおもって自分を責めました。けれどもまた、あなたに対して不満であったことはいつでもおんなしことなのです。

つまり、私はいつでも、そんな場合にはただ在来の『妻』という型においてのみしか自分を観なかったのです。そして、あなたをも、やはり、この『妻』に対する『良人』としてばかり考えていたのです。私は、自分を出来るだけ、いい妻として振舞うことに心がけるかわりに、あなたにもいい良人であって欲しいとのみしか考えなかったのです。そしてそんな小さな心の拠り処が、いつの間にか私の内に根をおろして、私を馬鹿にしていたのです。

しかし、あなたが留守になると同時に、私は『妻』としての義務を失いました。私は家の中に、私自身と子供とより他に自分の手を待っているものを見出しませんでした。

あなたの留守に馴れるに従って、私の生活は漸く、私ひとりのものに帰って来ました。ことに、私はあの三ヶ月の大部分は絶対安静ということで全く無為に過していましたので、頭の中ではかなりいろいろなことを考えました。そしてその思索から、私はどのくらい話相手が必要なものかということに考えつきましたのです。その時には、本当にどれほど深く、あなたの理解のとどいた友情が考えられたことでしょう。そして、私のその時に感じた寂寥はまた私を深く考え込ませてあなたとの結合の最初の理知と感激を私に取り返してくれたのです。

長い間、私には特別な愛の対象として最も深い執着を感じているとのみ思ったあなたの姿が、もっと違った点で、もっと力強い、得がたい対象として見出し得られたことは、私にとってはどれほどの歓びだったのでしょう。それはまた私自身とあなたとのみの関係以外に、一般の男女関係の上にも、今までは気のつかなかった点をはっきりと指してくれました。

そして、私が漸くにはっきりと知り得たことが、あなたの口から筆から、どのくらいいいわれたことであったかわからないことなのですのに、本当には、やはりその時までわからなかったのです。

この思索の結果は、もう一つ他のことを私に教えてくれました。それは、私達が常に一緒に住んでいることが、どれほど私自身を陥れているかということです。

『妻』というものの持つきまりきった考え方が、私自身の自由な成長を妨げていたことに、私はその時まで全く気がつかなかったのです。あなたとの『家庭』生活を楽しむために、私は始終ひっきりなしに、そのためにばかり自分の考えを費していました。そして私は『家庭』のことと一緒に、あなたの表面的な生活の一から十までをさえも知っていなければならぬのでした。そうなるとあなたの一挙一動のどんな些細な事でもが一々私の気になるのです。その心配に、私の自制心を失くした時には、私は自身がどれほど苦しむかをよく知っています。それがどれ程馬鹿気たことであっても、やはり私はその馬鹿気た心配の中から、自分を救い出すことが出来ないのです。しかもその時には私は全く自分を失っています。

しかし、私がどれほどその自分を苦に病んでいるかということも自分ではよくわかっているのです。私は始終それに打ち克ちたいとおもいながら、ともすれば其処に堕ちてゆくのです。しかし、今までの経験からいえば、別れて住んでさえいれば、私は非常に自分の気持が楽になるのを知っています。私は私自身きりの生活に打ち込んでいられるのです。一緒に住んでいる時、僅かの時間を私の知らない処であなたがお過しになると、その間気をもんでいます。けれど、離れていれば、そんなことは大抵気にすることを忘れています。あなたがどんなことを為てお出になろうと、何を考えてお出になろうと、すべて、そんなことは一切気にせずにすむのです。したがって私自身の生活をそのために乱されるなどということはまるでないのです。それは不思議な程です。

それはなんのためなのでしょう？　私の考えでは、やはり一緒にいれば『妻』根性を出すからなのですね。しかし離れて冷静に自分の生活を営んでいる時には、その根性から解放されているせいなのですねきっと。

今日もまたいいお天気。今日は朝の間すこし必要な仕事をしました。それからミシンもすこし動かしました。

機械というものは面白いものですね。私は機械がする仕事はきまりきっていて、本当に面白くないつまらないと思いますが、しかし、その機械を働かせる仕組みは実におもしろいと思います。私は、機械についての知識というものはまるで持ちません、興味を起したこともそんなにありません。ミシンを買うこともただあの重宝さが必要だったのですけれど、私はこの頃、あれでものを縫うことよりは、機械の組み立てに対する面白さが、楽しみになって来ました。

私は、あの機械に対しては全く無知なのです。あのミシンを買った当座、少しばかり通って来た教師に、私はあの機械に対する知識を授けて貰うことを第一に希望したのです。けれど、私はあの若い教師が随分な低脳で、私の何にも知らぬ頭よりもっと信用の出来ないことを知って断ってしまいました。それから後は、私は機械について来た小さな書物にたよることにしました。ところがこれも本当に必要なことでも満足には書いてないのです。それから、私はもう何にもたよることを止めました。そして、私の持っている機械と自分の頭をつき合わせる他はないと思いました。

それから私はひまひまに、機械のあらゆる部分をいろいろに動かすことをはじめました。どんな小さな部分にでも、充分注意して、その部分が何のためにつくられており、何処にその働きが及ぶのかというようなことを一つ一つほぐしては観究めてゆきました。ある時は、あの下糸をまくための附属機械が全部バラバラに弾いて離れてしまってどうにもならなくなりました。けれど、そのお蔭で、すっかりもとのように組み立ててしまった時には、その部分には、もうなんにも私に隠されている秘密はなくなりました。その代りに、私はその時は二時間近くも辛抱づよく一つ処をいじっていたのです。

私が機械に対して一番気持よく思うことは、理屈に合わないことは、どんな僅かなことでも、ほんの一厘の違いでも、決して許されないということです。そしてムダなものが一つもないことです。どんな微細なものでも驚く程重大な微妙な働きをすることです。ある部分のバネのちょっとしたゆるみでもが全体の働きにさし支えて来ます。

複雑な微妙な機械をいじっていますと、私は、複雑である微妙を要すること程、特に『中心』というものが必要だという理屈は通らないのが本当のように思われます。みんな、それぞれの部分が一つ一つの個性をもち、使命をもって働いています。そしてお互いに部分部分で働きかけ合ってはいますが、必要な連絡の範囲を超してまで他の部分に働きかけることは決して許されてありません。そして、お互いの正直な働きの連絡が、ある完全な働きになって現われて来るのです。

人間の集団に対する理想も、私はやはり、其処にゆかねばならぬものだと思います。けれども、現在ではこの理想は許されないのですね。

しかし、機械の部分部分のお互いの接触には、私達は学ぶべきことがあると思います。私達は日常の生活に、もっと自分自分をよりよく守って、他人の上にもっとインディファレントであるようにならねばならぬと思います。実際、私自身の生活に省みても充分にそういうことがいえると思えますが、自分に近ければ近いほど、親しければ親しいほどお互いにその近い他人の生活に無関心であり得ないのですもの。

無関心であり得ないことは大変いいのですけれど、そしてある程度までお互いに理解をし合うことは必要であり協力することも必要ですけれど、人間が各自に持っている、それぞれのその人のみに限られた生活範囲を犯すということは、どうしても許されないことでなくてはならぬ筈だと思います。けれど現在私達の周囲のどちらを向いても、お互いにこの限度を踏み超えることをお互いに親しい仲の特権のように心得ているのです。

新思想を抱いていると称する人達にしてもどうしても、それを自ら制し得ないでいます、親が子に対する越権、良人が妻に対するなどというのは、表向きには攻撃も非難もされてはいますけれど、実際にそれ等の思想を非難している人達でも、やはり『理解』という都合のいい楯をもって、この越権を敢えてしているではありませんか、あなたはそうはお思いになりませんか。

自分に対する親の越権を憤慨し、反抗した人達が、自分の子供達に一体どんな態度でのぞんでいるでしょう。小さな自分の子供に対して持つ希望も愛撫も、やはり自分が親たちから受けたのとなんのかわりがありましょう。大抵の人達は、まだこれからどう育ってゆくか分らない子供の将来に、いろいろ自分勝手な空想を描いたり、希望をもったりして、その自分勝手な理想を基礎に教育を授けて、その理想を幾分かでも実現させようと楽しんでいはしないでしょうか。そしてそういうことが、ただ子供が小さいからというだけの理由で子に対する親の越権でないとどうしていえるでしょう。

それから、夫婦関係です。これも、従来とはすっかり変って来たとはいうものの、お互いの生活を『理解』するという口実の下に、お互いに、どれ程その生活に自分の意志を注ぎ込もうとしていることでしょう。そしてある人々は『理解』では満足せずに『同化』を強います。Better half という言葉が、どれほどありがたがられていることでしょう。

愛し合って夢中になっている時には、お互いに出来るだけ相手の越権を許してよろこんでいます。けれども、次第にそれが許せなくなって来て、結婚生活が暗くなって来ます。もしも大して暗くならないならば大抵の場合に、その一方のどっちかが自分の生活を失ってしまっているのですね。そして、その歩の悪い役まわりをつとめるのは女なんです。そしてその自分の生活を失くしたことを『同化』したといってお互いによろこんでいます。そんなのは本当にいい Better half なのでしょうけれど、飛んだまちがいなのですね。

けれど実際には、どんな新思想をもってる男達でも『同化』されるのは嬉しいと見えて、よく小説なんかで、女に対する男の愚痴は実に我ままなものばかりですね。どんなに『理解』しあって、愛し合って一緒になった夫婦でも、夫婦になれば、妻は良人の生活を一から十まで理解し、同情して、かゆい処に手が届くようにして暮さねばならぬらしいようですね。もっともそんな小説では、大抵その妻君は、良人のように理解されたり同情されたり良人からされるような仕事も持ってはいないようですけれど。

私の機械から受けた教訓によると、そんな場合に、良人は妻の上によけいな侵略的態度に出るので、自分ひとりが軽々と普通に動かないし、妻は能力を奪われて動くことが出来ないのです。

要するに、他人との生活の交渉には、もっとお互いに自分本位になること。他人の生活に必要以外に立ち入らぬようにすることが何よりも大切なことですね。

しかし、それがまたなかなか出来ないことですね。私だって、こうして利口そうなことをいっていますけれど、いっているとおりに行かないことはあなたが一番よく御存じなのですからね。

けれど、こうして、別にいて、のんきに日向ぼっこでもしながら、ひとりきりの生活をしていますと、書いている通りな『お利口さん』になっているのですよ。別居というものは、本当にいいものですね。

一緒にいれば、自分を誰れよりもいい、あなたの Better half にしようなんて余計な努力をして、つい知らず知らずあなたに厄介がられたりしますけれど、こうしていれば、そんな野心なんてちっとも起りません。

私は一体自分自身の生活ということを始終気にして、相応にそれを把持してゆこうと考えているくせに、一方にはそんなことには一切無頓着に、ただ家庭生活の中に溺れ切ってそれを享楽しようとする気持もかなりたくさん持っています。ですから、一方には、私達の生活に対して充分理知的な考え方をしていながら一方には、世間並みの平凡な妻君が、家庭の安全を祈り、良人の無事をねがうのとちっとも違わない気持で、実際には少しも普通の家庭のように安定を持つことを許されない家庭の安全をいのり、あなたの無事を祈りたくなるのです。

そこで、私はやはり一方では非常によく理解もし信ずることも出来るあなたのいつものいわゆる無茶を、無理解な人達と一緒に恐がるのです。そしてそのあなたの無茶のみでなく、私達の生活のすべてが、理知的には、ちゃんとした、いつどんな重大事件が私達の周囲に降ろうが湧こうが動じないという『覚悟』になっていますけれど、一方ではそれが覚悟までは進み得ずに、ある『不安』になってしょっ中よわい、『妻君』の私をいじめます。

けれどこうして別にいますと、その『不安』にいじめられることからは確かにまぬかれます。ひとりでいれば、いつでも私は真面目ですし冷静です。そしてこの時が、真にあなたにとってのいいBetter halfなのですね。ちがいますか。

どうしてこんなに毎日いいお天気がつづくのでしょう。こういう風に晴れ切って風も何もなくて暖かい日には、あんな瓦斯(ガス)ストオヴなんかで暖めた室になんかいないで、此方にいらっしゃればいいのですのにね。

今日のような日には、海岸もいいし、田甫(たんぼ)もいい気持ですよ。

あの軽い乗心地のよさそうな馬車で、こんな日に逗子から長者ケ崎(ちょうじゃがさき)の方、もっとさきの秋谷辺までも散歩に行ったら、どんなにいいでしょう。金沢だってよござんすね。

去年の今頃は、丁度あなたの留守中でした。あの駒込の家で、会って来たばかりの、あなたの既決囚姿を思い浮べながら、あんまりよくもない体で、こたつを抱えては、おそくなった雑誌の編輯によく徹夜をしたものでした。あの時一緒だった人達はこの頃は去年よりももっと忙しい週刊で、相変らず徹夜もしたり、ずいぶん働いているのでしょうね。

けれど、私は今年はなんというのんきさでしょう。少々体が自由にならないので、時々は疳癪も起りますけれど、毎日勝手放題に、寝たい時に寝、起きたい時におき、我ままのありったけをして、その上に寒い風にもあたらず日向ぼっこをして、話相手がないなんて贅沢をいっているのですもの。バチがあたりますね。

『改造』第三巻第四号、一九二一年四月号

貞操観念の変遷と経済的価値

一

過去現在を通じて、婦人の道徳の根柢をなしているものは貞操問題だというのは事実です。貞操問題は今まで最も多くの婦人に対して絶対に生殺与奪の権をふるって来ました。貞操は、真に婦人にとっては恐ろしい暴君でした。そして今もなおかつ大多数の婦人に惨酷な十字架を背負わしております。

この暴君に対する婦人の反抗も事実には行われていますが、しかし今もなおこの暴君に対する公の非議は決して許されないのです。おそらくは婦人解放に努力する人々に最後まで残されるのは、この貞操問題でしょう。

貞操問題が、どうして婦人の根本道徳になっているのかということは誰にでもすぐ答えられそうで、なかなか答えられないのです。なぜなら、今日まで世間でこの暴君を大さわぎで擁立している本当の理由というものが、どうしても明瞭に説明されないからです。そして、どれほど婦人の貞操が神聖なものかということを朝から晩まで教えている人達でも、それが結婚に際しての一大資格であり、結婚後は良人に対する重大義務であるという以上の答えは出来ないのです。貞操というものそれ自身は、何の神聖な意味も持ってはいないのだといっても、それに対して反対し得ないのです。

事実、貞操は女にとっては、その一生の生活の保証を得る、大切な、結婚という経済的契約に際して第一に問題にされることなのです。そして、それ以外には何等の価値も意味もないのです。男という対象がなければ、男の保護を仰ぐ必要がなければ、それは何の問題にもならないのです。

そして、このゆえに私は、多くの婦人論者の注意をその点のみにもっと集注したいと思います。貞操というものが、婦人の上に権威を持ったのは、ただ男と女との間の経済関係に基因します。その事実が生んだ思想に基因します。婦人が経済的になんらの自由も持たなかったことに基因します。なんの自由も持たなかったというよりは寧ろ、女の体は男に重要な一財産でありましたし、今もなおそうなのです。そして現在までに発達して来た財産私有制度に培われた人間の経済思想が、やはり女という財産を管理するに抜目のない網を張っているのです。

女の体が一つの財産としての取扱いをされているという、私共婦人にとっては、実に情ない多くの証拠は、現在私共の眼の前に随分たくさんありますが、私はここに、私共の祖先も持っていたに違いない、そして今日私共の間になお残されている、女に対する露骨な取り引きの習慣を、より露骨に今なお保存している野蛮人の間のことについて少し証拠だててみたいと思います。

二

ルトウルノオの『男女関係の進化』の中には蒙昧人(もうまいじん)も文明人も一様に持っている男女関係の様々な風習をあらゆる方面から集めて、興味深い事実をたくさんならべてあります。そして婦人の財産視された最も適切な例、原始社会の掠奪結婚から始めて、服役結婚、売買結婚についてもたくさんの事実を挙げてあります。

『原始社会では、子供の地位は女のそれよりもさらに低かった。生まれたままの児を殺すのは当然のことであった。両親は、その子に対する生殺与奪の争うべからざる権利を、遠慮なく行使した。奴隷の制度が出来てからは、子供は本当の商品となった。一言にいえば、家族内の父の権利は絶対的のものであった。

子供に対する両親のこの原始的所有権から、その結果として、子供をなんの相談もなく結婚さす権利の出て来るのも、全く自然のことである。かつ子供を売買する風習が久しく行われていた所から、婚姻は自然に一商取引として見做されるようになり、かくして久しく掠奪婚姻と並び行われた売買婚姻が、漸次にそれに代わるようになった。掠奪と売買とには、おのおのその便不便がある。掠奪にはなんの費用も要らない。それによりて男は、自分の絶対的権利の下に従う女房共や妾共を得る事が出来る。しかし、それを行うには危険を免れることが出来ない。また、一たび成功しても、なお復讐される、或は取戻される、恐れもある。そこで男は、多少の交換価値を払えるようになると、女房を買うことに譲歩した。しかも両親の気まぐれや貪欲にはなんの障碍もないので、この婚姻殊に子供の婚姻には、屢々甚だしい無茶な取引が行われた。』

『ホッテントオト族やカフィル族の間では、牛が交換価値となっているので、娘は牡牛か牝牛かで買われる。そしてこの商品の値段は、需要と供給との変動によって、いろいろと変わる。ナマクオイ族の間では、この取引が牡牛一匹という極く安い値段で行われていたというが、この値段はさらにその十倍にも増すことがあり得るのだ。』

『マカロロ・カフィル族の間では、女の父に支払う値段の中には、その女の産むべき子供の代価までも含まれている。

中央アフリカのセネガンビアや、ナイガア流域のマシディンゴ族やプウル族などの間では、婚姻といえばただ娘の売買のことになっている。ティマンニ族の間では、男はまず女の親の所へ、棕櫚酒（しゅろざけ）を一瓶か或は少しばかりのラム酒を持って行く。もしその要求が容れられれば、その贈物も受けられる。そして出直して来て、また棕櫚酒を一瓶と多少のコオラと、幾丈（いくじょう）かの布と、幾（いく）つかの数珠（じゅず）とを持って行く。かくして一切の贈物が済むと、話がきまって、娘に婚姻を申渡す。』

『タヒティ族の間では一時的婚姻の結ばれることがあるが、その場合には、結合の時期の長さによって、贈物の豚や、布や、鳩などの数がきまる。』

『アメリカ大陸でも、南の端から北の端まで、この娘を売るという風習が、多くの種族の間に普通のこととなっている。レッドスキン族では、一般に女は馬か毛布と交易される。女が白人に売られて、そして屢々あるように、やがて棄てられれば、その両親は再び自分の家に引取って、またどこかへ売る。

コロンビアでは、労働の才能が女の一番高い値段になる。即ち駄獣としてのその才能のいかんによって、その両親に贈られる馬の数がきまる。

北部カリフォルニアのレッドスキン族の間では、娘は他の商品と同じように売買されて、なんの相談を受けることもない。その値段は父の許（もと）に払われ、娘は買われた馬と同じようにして連れて行かれる。貧乏な買手は金持の買手に譲らなければならない。』

『ニュウメキシコのハパヨオ族は、その娘を売るのに、個人間の契約だけでは満足しないで、競売にする。』

この娘を売る風習は世界中到る処で行われました。北部アジアの蒙古人の間にも、印度でも、アラビアでも、またヨオロッパのどこでもかつては娘を商品として取り引きして来たのです。アラビア人の婚姻は今日もなお単純な売買だといいます。

アラビアの一法律家は極めて明白に、その契約の書式を公にしている。『かくかくの金額にて、足下に我が娘を売却す』『委細承知』またこの法律家は他の場所で次のごとくいっている。『女は婚姻によってそのからだの一部分を売る。男は、購買によって一商品を買い、婚姻によって、生殖の畑を買う。』

三

これらのむき出しな事実に対して、現代の日本の教養ある婦人達はきっと、あり得べからざることとして考え、必ず眉をひそめられることとおもいます。そして、私共にこういう風習が今なおつきまとっていることに気づく人は少ないだろうと思います。

しかし、今日私共の眼前で行われている婚姻の中にどれ程多くの売買結婚があるでしょう。今日でも、どれ程多くの男が『妻を買って』いることでしょう。また、実際に金銭のやりとりはないとしても、結婚のいろいろな形式の中の一つである結納というものがどんな意味のものか、また、両親の婿せんさくや嫁さがしがどんな利害をもっているかということも、少し考えれば、すぐに合点のゆくことです。昔から両親の野心や貪欲のためにやりとりされた娘がどれ程ありましょう。そして今もなおこの文明国にその風習が存続していてたくさんの若い人達がそれに悩まされているのです。ルトウルノオはその売買婚姻の例をあげた最後にいっています。

『この売買結婚の風習は、社会的及び倫理的見地から見て、極めて明白なかつ極めて重大な意義を持っている。即ち、これは女を動産や家畜や物品と同一視した、女に対する深い侮蔑を意味するものである。羅馬(ローマ)法も、この点については、明らかに告白している。即ち其処には、婚姻法と財産法との間に、何等根本的差異を認めてはない。女に対しても、物品に対すると同じく、一ケ年間引つづいて所有し、もしくは使用すれば、その所有権を与えられる。そしてこの所有は、物品に対しては、usucapion と称せられ、女に対しては usus と呼ばれている。そしてこの二つの術語の差異は極めて些少なものである。そしてその事実の間にはなんの差異もない。こ妻と子供とは殊に女の児(こ)は、実に男の所有する最初の財産であった。そしてこのことは、物を所有するということの興味と、その物を使用し濫用するという口実を蒙昧野蛮な人心に植えつけたのであった。羅馬法では、これが民法によって女は男の奴隷となり、財産は持主の使用し濫用する権利となった。そしてこの使用と濫用とは、原始社会より今日に到るまで、男を堕落せしめて、平衡と正義との珠に女に対してのその観念に盲目ならしめることに与(あずか)って力あったものである。』

なおルトゥルノオは、家畜を飼っておくのとほとんど同じ意味で、たくさんの女達を女房や妾にしておく一夫多妻の例をもたくさん挙げています。そしていっています。

『蒙昧社会では、女は独立して生活することが出来ない。女にとっては、独身でいるということは、放棄されるということと同意味である。そしてこの放棄されるということは、すぐにも死なければならない、ということを意味する。

アフリカの黒人は、その文明もしくは蒙昧の程度の如何にかかわらず、すべて一夫一婦の制度などというものを夢にも知らない。しかし、このアフリカにおいても亦(また)、黒人が好んで大勢の女房を持つということについては、性欲の満足はほんの第二義的原因の一つに過ぎない。彼等の一夫多妻は主として経済的動機に基づく。ガブウンでは、出来るだけ多勢の女房を持つことが、男の最大野心になっている。男にとっては、何物と雖(いえど)も、これほどの値打ちのものはない。女は土地を耕す。そして男に仕えて、その食物を持って来ることが、女の厳密な義務となっている。女房は、その父の許から、合意の値段で、しかも往々はまだ幼い時に、買われて来たものである。その持主たる夫は、女房等のする農作の労働には、少しも与らない。男はただ、その女房等に養われていればいいのだ。されば、男が女房を買うのは、儲(もうけ)仕事の放資にすぎない。従って男は、その女共を、奴隷としてもしくは家畜として取扱う。また、なんでもないことで、鞭で打って、一生消えない創痕(きずあと)をつくったところで、少しも気にかけない。からだに創痕のない女は、滅多にないという事だ。』

『最下等の蒙昧人と雖も、なおかつ、猿よりは計数にも富み、将来のことも考えた。人間の最初の奴隷は、またその最初の家畜ともいえるのであろうが、女房であった。蒙昧人がまだ単純な狩猟人種や遊牧人種であった時でも、なお彼等は、獲物を持ち運ぶとか、火を焚くとか、避(かく)れ家を造るとかしなければならなかった。女は果物や貝を拾い集めて来ることに、またいろいろ小さな用事をすることに、極めて巧みであった。かつまた、女は、売ることの出来る、必要に応じては食べることも出来る、子供を産む。

そこで、かくの如き種々なる目的に適した女を、出来るだけ多く持つのは、甚だ望ましいことでなければならない。なおこの野蛮人が農業を営むようになれば、女房は益々有用なものとなる。男は、自分の女房に、あらゆる骨の折れる仕事を負わせる。女房は土も掘る、木も植える、種子(たね)も播(ま)く、収穫もする。しかもそれは全く主人のためにである。それに女は、からだが弱いので、男は自分の思うままに取扱うことが出来、残忍な征服本能をも恣(ほしいまま)にすることが出来る。かくして男は、或は暴力により、或は猾計により、或は掠奪により、或は売買によって、出来るだけ大勢の女房を手に入れる。屢々また、たとえば、姉妹の群とか、或は、年の違う親戚同士の群とかを、一束にして買う。この年の違うということには値打があるのだ。即ち女房共にやらせる数多くのあらゆる仕事を、年とった女房が出来なくなった時に、必要に応じて年若い女房に代らせることが出来る。

一夫多妻の大勢の女房は、最初は互に平等であった。即ち男はその女房の群を平等に服従させていた。女房共は、それに対して、謀反するなどという気もなかった。彼等はそれを全く自然のことと考えていた。

しかし漸次に、同じ一人の男の女房共の間にある階級が出来て来た。社会の構造がより複雑となって、王とか、貴族とか、僧侶とかいうものの現われた時に、この階級も現われて来た。一夫多妻もかくなれば、多少の制限を加えられる。即ち一夫多妻は、あらゆる人々の望む所ではあるのだが、富人と権力者との特権となって了った。この富人と権力者とは時としては極端な一夫多妻に耽って、ついにはその女房共の群に秩序と屈従とを維持することが困難になった。かくして彼等は、一人もしくは数人の正式の女房を置いて、時としてはそれには苦役を免除して、他の女共を監督支配させた。

この正式の女房というのは、多くは夫が同盟を結んでいる名ある軍人か、もしくは重要な官職にいる人の、娘か、姉妹か、或は親戚のものかで、その父なり兄弟なりの威光が彼女等を保護している。その結果彼女等には、他の女房共とは違った人間であるという心持が起きて来る。そこで自分自身の家を持ちたくなる。自分自身の室（へや）を持ちたくなる。皆んなと一群になって生活することが苦痛になる。』

四

しかし、これらの特別な地位におかれて、他の女達の上に主権を持つことの出来る女でも、その所有主である良人に対してはなんの自由も持つことが出来ないのです。そして、夫婦関係の様式は、蒙昧野蛮な一夫多妻から多少文明になって法律や宗教の上で認められた一夫多妻制になり、それからもっと進んで一夫一婦制にまで進んでは来ましたが、しかし、女の位置はやはり低いままでおかれて来ました。もちろん、一夫一婦にまで来る間には蒙昧人の間で扱われたように全く家畜と同じ扱いよりは、少しは自由のきく境涯に進められては来ましたが、女が、自分ひとりで生活が出来ず、結婚によって一生の生活の保証を得なければならぬ間は、やはり結婚は一つの経済的取引であることはいうまでもないことです。

私達はまた、売淫という、もっと露骨に女の体が経済的物品であることの証拠になることを知っています。多くの上中流の知識あり教養ある婦人達は、それを賤しみ憐れみしていますが、しかし多くの良人を持っている婦人達との差異は本当に五十歩百歩なのではありませんか。そして誰が教養ある貴婦人になり誰が売淫婦になるのでしょう？　それはただ不平等な境遇の差異のみなのではないでしょうか。

五

そこでまた、貞操というものについて考えてみましょう。

世の中が文明になるにつれて、最初平等であった人間と人間との間に階級が出来、権力が生まれ、道徳が出来、法律が出来、宗教が生まれて、風俗や習慣の上に大きな変動が出来て来ます。そして人間の生活が、一般にずっと規則立てられるのです。そして第一に規則立てられたものは、財産に対する権利です。所有権を所有することです。そして、この所有権の主張はもちろん女の上に充分に及びました。

蒙昧野蛮な人間の間では、女の所有者は自分の随意に、その女を他人に貸しもすれば売りもしましたし、また、客をもてなすのに女の体を提供するということさえもしました。しかし、もし持主の承諾なしに、他の男に接した場合、即ち姦通は、実に厳重に罰せられました。この姦通の刑罰についても、ルトゥルノオはたくさんの事実をあげています。そしてその事実を挙げる前にいっています。

『私は今ここに、あらゆる時代とあらゆる人種の男が、姦通を抑圧するために企てた主なる刑罰について、少しく説いてみたい。人類という種、殊に原始の蒙昧野蛮な人類が、動物界での最も残忍な種であるということは、この研究によって著しく明らかにされる。そして恐らくはこの姦通ということにおいて、人間の残忍と不正不義とが最も著しく示されるのである。蓋（けだ）しここに人間というのは、人類の半ばの男性のみを意味する。姦通が処罰されたといっても、それは一般に女の姦通のみであったのだ。夫の姦通については、妻がそれを訴えることの出来る罪悪だという風に、人間が認めるようになったのは極めて後のことである。

　この甚だしい不公平な処置の理由は極く簡単だ。ディドロは、その『ブウゲンヴィルの旅行記』の中に、オルウをしてそれをいわせている。即ち『男の暴虐が女をその所有物として了った』からだ。

　人類社会においては、婚姻は一般に掠奪によるか、或は売買によったものであった。或は今なおそうである。どこの法律にでも、既婚の女は、夫の財産として多少公然と見做され、従って極めて屢々他の所有物と全く同一視されている。そこでその持主の許可なくして女を使用するものは泥棒となる。そして人類社会はこの泥棒に対しては極めて厳酷であったのだ。ほとんどこででも泥棒は殺人以上と見做されていた。然るに姦通は普通の泥棒とは違う。盗まれた物品は受働的なものなので、その持主は、ただ盗んだ人だけを罰するより外はない。しかし姦通においては、盗まれた物即ち妻は有情のもので、夫の財産たる自分の体を侵した共犯者である。それに夫は一般にその妻を自分の許に置いてある所から、自由に折檻することが出来る。かつ夫は、この復讐を果すのに、輿論と法律とを味方に持っている。』

しかし、野蛮人の間では、この姦通の残忍な刑罰も、男は金を出して済むことがあり、女は大抵その良人の財産を失うことを恐れるところから生命が助かることもあります。そしてそれはただ、どこまでも女を財産として観るからです。

けれど、やがて夫婦関係を結ぶのに本当の原始的な掠奪や売買から少しずつ進歩して女に多少の選択の自由が認められるようになり、一般に合理的な一夫一婦が実現される社会では、そう露骨に女が財産視されることはないようになって来たのです。即ち、一夫多妻制度の男が知らなかった、妻に対する愛着というものを知るようになりました。それが自分の所有物に対する執着と一緒になって、やはり妻達の上に盗難の手が及ばないような企てを怠らなかったのです。そして、その盗難に対するに、重い刑罰というよりは、輿論と法律を味方にしはじめました。その輿論も、決して間違いのないように、道徳という型をつくってそれに無上の権威を持たせました。その上に宗教が味方します。こうして二重にも三重にも錠をおろして女をしまい込んでしまったのです。そしてこれに何にも不満足をいい立てないのが、屈従するのが、女の唯一の大事な道徳なのです。これが貞操という、男にとっては大切な女に守らせなければならぬ道徳です。そして女にとっては男の保護を得るためには、是非守らなければならぬ道徳です。

六

私はあらゆる人間社会の人為的な差別が撤廃され、人間のもつあらゆる奴隷根性が根こぎにされなければならないという理想をもっています。そしてその理想から、あらゆる婦人達の心から、それ自らを縛(いまし)めているこの貞操という奴隷根性を引きぬかねばならぬと主張するものです。

といえば、すぐに男女関係の秩序を乱してしまうことを主張するものだと早まって誤解する人があるかもしれません。しかし私のいうのはそういう意味ではないのです。

現在私共の見ている世間は、前に私が挙げたような野蛮な時代ではなくなっています。進化は休みなくその歩みをつづけています。かつて、私共の祖先が為(し)たであろういろんな野蛮な習慣や風俗やそれにそうた法律や道徳の痕跡は、充分に私共の生活の中にもあります。しかし進んだ理知や感情は、私共の生活の中にあるあらゆる不合理を残すところなく駆逐しようと努力しています。そしてその努力は相応に報われて私共の生活は一日一日に向上しているのです。今、私共の姉妹の大半が、まだ奴隷的境涯に満足してはいますがしかし少数の勇敢な人達はこの屈辱から逃れようと努力しています。そして現在私共の知る限り、世界一般の文明国の婦人達は略ぼ男子と同等の位置にまで近づいて来ました。結婚も、もう奴隷契約ではありません。娘達の選択も大分自由になって来ました。

貞操という檻も、女を無理往生に捉えて妻にし、奴隷としていた間は充分必要であったに違いはありません、しかし、人間と人間が信じ合って一緒になったものになんの必要がありましょう。私が貞操を不必要だと主張するのは、結婚がまず当人同士の自由合意の上でなくてはならない、ということを前提としてのことです。貞操というものがどんな動機から、どんな事情の下に生まれて来て、どんな役目をつとめていたかが本当に理解されるなら、そして女が本当に自由で男と同等な人間として許されるのなら、私のこの主張は当然のことなのです。それが決して男を不自由にすることでもなければ、また女を放縦にするわけでもありません。私は思います、もしもこの主張に対して甚だしい不安を感じたり、或は憤慨する人は必ず自分が女に対して持つ思想に不純なものをもっている人間です。守銭奴が金を大事にしまっておくように、女をしっかりとしまっておきたい人です。

七

しかしこうは主張しますものの、私はこれが決して多くの人に受け容れられる思想だとは思いません。なぜなら私は現在のままで、女の正しい自由が絶対に許されるものだとは信じ得ないからです。そして、その第一の理由は、女が男の奴隷であることから解放されるのが容易なことでないからです。

蒙昧野蛮な時代からきまっているように、女はひとりで生きてゆくことが出来ないのが原則になっております。今日世界の文明国では多数の婦人が男子と同様に働いて自分を養っています。しかしそれ等の婦人達がどれほど『完全にひとりの力』で暮しているでしょう。そしてその職業婦人が果して世界中の妻君の何割にあたるでしょう？　いくらどうしても、現制度の下にあっては、多数の労働者と共に婦人は弱者です。経済的には全くの無力者です。

なんといっても男の庇護の下に一生の保証を得るのがさしあたっての利巧な方法だということに帰着します。たまたま親の庇護男の庇護を受けることの出来ない娘達は、働こうとすれば、丁度蒙昧人が姉妹を一と束にして家畜を買うように買ったと同じに、資本家によって牡牛一匹の値の半値くらいで買いとられるのです。文明も進歩も、弱者には、何の変化も来ないと同様です。娘達は奴隷として酷使される上に、その大切にする『純潔』までも犠牲にしなければなりません。またどれほど立派な伎倆(ぎりょう)を持った職業婦人でも男の気紛れを峻拒する気概をもった人には充分な報酬は与えられないのです。資本家等は、やはり蒙昧人の傲慢な亭主共のように、彼女の体を享楽し、同時にまたその才能を利用しようとするのです。

こうして、考えて来ますと、人類社会はその蒙昧時代が現在の恐るるべき文明にまで、非常な進歩発達をして来ました。そして女の位置もそれにつれて向上はして来ました。しかし男が女に対して持つ力には何の変りも来ないのです。そして女は、その思想の向上からその思想と実際の矛盾の上に大きな窮境が襲って来ています。その窮境に最も苦しむのは自覚した職業婦人です。

この職業婦人の窮境は、婦人問題にとっては実に重大な注意を要する点です。婦人は、男の保護の下にある間はとうてい真に従属的な地位から解放されることは出来ないのです。そして、すべての考えも決断も何も彼もがやはり従属的な習慣からのがれることが出来ません。たまたまこの従属的な境地から逃れようとしても、彼女を使役してその金を払うものは、やはり男なのです。彼はもちろん婦人の独立に賛成するような顔をして、その伎倆を出来るだけ安くふみ倒して、その上に充分に恩をきせて使います。その上にどうかすれば、その体までもおかそうとします。結局、婦人は、その労働に堪え得ず、その窮境に堪え得ないで、やはり男の庇護にかくれることを余儀なくされます。

この窮境から婦人が救い出されるにはどうすればいいのでしょう？　すべての婦人が男の庇護を受けなくても自分の正しい働きによって生きることが出来るようになるには、どうすればいいのでしょう？　それには、私の答えはただ一つしかありません。即ち少数の人々が多数の人間の労力を絞りとって財産をつくり上げる、そしてその財産の独占がまた権力を築き上げる、というような不当な事実がある間は、人間は決して真に自由な境涯へはなり得ないということです。財産の独占ということが多くの人々にとってたまらない誘惑である間は、とても男も女も自由な気持にはなり得ません。他人の上に勝手に権力をもっているのが偉いこととされている間は、男にも女にも自由は来ません。

八

繰り返していいます。道徳も法律も宗教もなんにもない混沌たる蒙昧野蛮の時代から男は主人で、女は奴隷でした。男は所有主で女は財産でした。そして今日の文明でも、女はその従属的な屈辱的な位置から救い出すことは出来ませんでした。女は今もやはり蒙昧時代からのように、その体を提供して男から生活の保証を得るより他に生きる道はないのです。一人の男に一生を捧げるか、そうでないかの差異はありますが、しかし、女の体が男の野心や金や権力やのために自由にならねばならぬ場合がたくさんあるのは全く当然なことだといわねばなりますまい。

もっとも、文明国の法律や道徳や宗教や哲学やいろんなものが、女のおかれた地位の露骨さを、よほど覆うて弁護はしています。しかし、それは政治、法律、道徳、宗教、哲学、その他、あらゆる知識がすべて資本主義のために働いて、それに都合のいい基礎をつくり上げたように、やはりある事実に基づいて、その庇護のために築き上げたものは、そのある事実の本質を少しも変えはしません。

この意味で、私は今日実際にある貞操という言葉の中には、人によって、いろんな人のいろんな思想感情によって、かなり複雑な内容を与えられていることも充分に知ってはいますが、それらには一切頓着せずに、この主張をつづけて来ました。私共はただ、そのむきだしな本来の性質を知ることが出来ればいいのです。その動機、その役目を知ればいいのです。そしてもし辛抱して下すった読者には略ぼ貞操というものが何物かが解って頂いたことと思います。なおまた、屢々貞操が経済問題のために苦境におとされる理由も不充分ながらも、解って頂いたことと思います。

『女の世界』第七巻第六号、一九二一年六月号

火つけ彦七

一

今から二十年ばかり前に、北九州の或（ある）村はずれに一人の年老（としと）った乞食が、行き倒れていました。風雨に曝（さら）され垢（あか）にまみれたその皮膚は無気味な、ひからびた色をして、肉が落ちてとがり切った骨を覆うていました。砂ぼこりにまみれたその白髪の蓬々（ぼうぼう）としたひたいの下の奥の方に気味の悪い眼がギョロリと光っていました。

行き倒れの傍を取り巻いた子供達はその気味の悪い眼光に出遭うと皆んな散り散りに逃げてしまいました。が、子供達が、その日暮方のしばらくの明るさの中を外で遊んでいますと、其処（そこ）にさっきの乞食が、長い竹杖にすがってよろよろしながら歩いて来たのでした。子供等は、また気味悪そうに一と処によりそって乞食を通しましたが、やがてそのよぼよぼした後姿を見ると、ぞろぞろ後へついてゆきました。

乞食は、村にはいって街道を少し行くと左側にある森の中にはいってゆきました。其処はこの村の鎮守なのです。子供達は其処までついてゆきますと、木立の暗いのと乞食が再び後をふり向いた恐ろしさに、一目散に逃げてかえりました。

次ぎの日、子供達は昨日の乞食のことなどは忘れて、お宮の前の広場で遊ぼうとしていつものように、その森の中にはいってゆきました。すると昨日の乞食がお宮の石段に腰を下ろしてそのやせた膝を抱いて白髪の下から例の気味の悪い眼を光らして子供達を睨み据えました。子供等は思いがけない邪魔にびっくりして外の遊び場所をさがすために、お宮から逃げ出しました。

しかし、夕方になると、彼れ等はあの乞食のことを忘れられませんでした。其処で皆んなは、もしも恐いことがあって、逃げるときに、逃げ後れるものがないように、めいめいの帯をしっかりつかみあって、お宮の森をのぞきに出かけました。

今度子供達の眼にまっさきに見えたのは、お宮の森で一番大きな楠の古木の根本に盛んに燃えている火でした。そしてその次ぎに見えたのは、その真赤な火の色がうつってなんともいえない物凄い顔をしたあの乞食でした。

『ワッ!』

子供達は今日はどうしたのか悲鳴をあげてめいめいにつかまえられている帯際の友達の手を振りもぎって、馳け出して来ました。

ちょうど、其処を通り合わせたのは、村の巡査でした。子供達が真青になって、逃げ後れたのは泣きながらお宮を飛び出して来たので、巡査はいそいで、お宮にはいって行ったのです。子供達は巡査がはいって行くと、しばらく通りに一とかたまりになって立っていましたが、やがて巡査が、お宮の傍の家の裏で働いている男に声をかけるのを聞きました。

『おうい、為さん！　水を持って来てくれ、桶に一杯！』

巡査はそうどなりながら、為さんの家の方へ近づいてゆきました。為さんが水桶をさげてお宮にゆくのを見ると子供等はまたゾロゾロ暗くなったお宮の境内にはいってゆきました。

『体もろくにきかん癖（くせ）にこう火を燃（た）いて、あぶなくって仕様がない。』

などと、二人は話しながらシュウシュウと音をさせて、火に水を注いで消しました。

『こんな乞食は何をするか知れたもんじゃありませんよ、追っぱらってしまいましょう。』

為さんは口を尖（とが）らして巡査を煽動します。

『何に、俺もそう思ったが、まるでグタグタで、動かないんだ、今からおっぱらってもどうせ何処までも行きやしないから、今夜は勘弁しておいて、明日の朝追立てることにしよう。』

巡査は仕方がなさそうに笑いながら、為さんと一緒に引きかえしました。子供等もゾロゾロ家へかえりました。

その晩、この辺には滅多にあったこともない火事がありました。老人達は二十年目だとか二十五年目だとかいってさわぎました。火を出したのは、村の真中頃にある荒物屋で、台所から火が出たらしいのです。大きな藁屋根ですから一とたまりもなく焼け落ち、その並びに隣り合って建っている三軒がまたたく間に焼けてしまったのです。そして四軒目に火がうつったときに、やっと消防手の手で消されたのでした。

しかし、珍らしい火事沙汰で、その夜から翌日まで、村中がひっくり返るような騒ぎだったのです。そして翌晩はさわぎつかれて皆んな寝てしまいました。

すると、続いてまた、昨晩の火事の場所から一町半ばかり東よりの村で、一番賑やかな通りにある居酒屋と隣りの床屋とが、同時に焼け出しました。

『火事だっ！』

バタバタ騒ぐので、起き出した方々の家ではびっくりしてしまったのです。火事が大変だということよりも昨夜と今夜が、まず皆を驚かしたのです。今度は二軒とあと両方にわかれて一軒ずつ焼けました。そして、その火が消えかけた時に、その火事場の向こう裏にある百姓屋の納屋がどんどん燃えていたのです。

明かに放火だということは分りました。しかし、あまり思いがけない火事に、村の老人等は色を失ってしまったのもあります。

翌朝、町の警察から五、六人も巡査が来るやら、何かえらそうな人達が火事跡に来てウロウロ見まわったりして、村中が何となく殺気だって来ました。

『つけ火だ、つけ火だ。』

と皆んないいながら、犯人の見当はまるでつかないのでした。巡査や刑事達は村人の誰彼を捉えてはいろんなことを尋ねました。しかしそうなると、皆んな自分のいった言葉の結果がどんなことになるかしれないという、不安と恐怖で、だれも、巡査達とはかばかしい口をきくことはなかったのでした。

二晩つづけての火事におびえた村では、冬だけにする火の番をはじめました。そして二時間くらいに一度ずつ村中を見まわることにしました。

二

三晩は何ごともなくすぎました。村人達は、時はずれの火の番が馬鹿馬鹿しくなって来ました。

『二(ふ)た晩つづけて火事があったからって急に火の番をしたって、そう幾度もつけ火をする奴もないだろうから、何だかつけた奴が見ると馬鹿気てるに違いないと俺は思うよ。』

『そうさ、そうまたつづけて焼かれてたまるものかい。』

四晩目にはそんな不平がましい口をききながらほんのお役目に通りを一とまわりして来たのだ。


ところがどうでしょう！　彼等が、西の端の番小屋に帰って一服していますと、急に騒々しくなって来ました。番の人達がびっくりして外に出て見ますと、たった今、自分達の見て来たばかりの、東の方に火の手が高くあがって盛んに火の粉を降らしているのです。

『アーッ』

というなり一人の老人は腰をぬかしてしまいました。

他の人々が、騒ぎ出して大勢で馳けつけた時には、焼けた床屋のちょうど向うにある小さな駄菓子屋が焼けているのでした。


しかし、こんどは夜明前に、この村を騒がせた放火の犯人はつかまったのです。ちょうどその夜、隣り村から或る家の不幸を知らせに村へ来た二人連れの人達が、村にはいらぬうちに火の手が見えるので、急いで来かかる途中、村はずれの共同墓地の辺に来ると、影のような人間が、向うから来かかったが、自分等の姿を見ると、急いで墓場の中へはいった、という話をしたのです。集まった消防手連中が早速墓場へ馳けつけて、さがしてみたのですが一向分りませんでした。

　東が白んで来る時分に、さがしあぐねた連中が、ボツボツ帰りかけて、フト気がついたのは、墓場のそばの共同の葬式道具を入れておく小屋でした。
　二、三人でその戸を引きあけてみますと、案の定其処に痩せさらばった一人の男がうずくまっていたのです。彼等はそれを見つけるとカッとなって、ろくに腰もたたないままの老爺を往来まで引きずり出して来ました。そして皆んなで顔を覗いてみましたが、それは見知らない、汚い乞食でした。
　彼れ等は、一度はガッカリしましたものの思い起してこの乞食を引き立てて来ました。そしてその乞食の姿を見た巡査はズカズカ傍によって行きました。もううすら明るくなっているのでしたが、さしつけられた提灯のあかりにその乞食の顔がハッキリ照らし出されました。彼れは三、四日前に村にはいって来た乞食でありました。

　昼頃になって、その乞食が、三回に渉る放火犯人だということと同時に、この村や、その他近在を充分に驚かし得るようなことの内容が、村の人達の間に伝わりました。

　この乞食は、その村の片隅にある特殊部落の××原という処に生まれた彦七という男でした。

彼は、その生れた処からは何十年という間行衛（ゆくえ）不明になっていたのでした。それで、その村でも彦七の家と関係のあるものか、年老（としより）連中でなければ彦七を記憶している者はないくらいなのでした。

彼れの生れた部落でも、或時は、彼れがすばらしい金持になって或る処に豪奢な暮らしをしているのだ、と伝わり、或時は彼れは博徒の中にはいって、すばらしい喧嘩をして監獄に行っていると伝わりました。しかし実際どうなっているか確かなことは分からなかったのです。

ところが、三十年という長い月日が経ってから人々に忘れられた時、彼れは見る影もない乞食姿になって瀕死の体を故郷に運び、そうして放火犯人として捕えられたのでした。しかも彼れは、放火犯として、前科二犯も持っている放火狂なのでした。しかもなお彼れは、息の根が絶えるまでは、この火をもっての呪いを止めないといっているというのです。

三

『穢多（えた）ん坊！　穢多ん坊！』

彦七は小さい時からそういって村の子供等から、自分等部落の者が卑しめられるのが心外で仕方がありませんでした。

自分達には何処といってちがっている処もなければ、村の奴等の世話になって生きている訳でもないのに、何故村の奴等は俺達を馬鹿にするのだろう、口惜しいな、と始終考えつめていました。そして彼れはその友達と何時もそのことばかり話していました。

だんだん大きくなるにつれて、彦七はそうして村人達に卑しめられるのが、訳もなく口惜しく、馬鹿馬鹿しいという気持がますます激しくなって来ました。そうして、遂に或る時、自分の家をぬけ出して、城下町に行きました。そこでなら、誰にも卑しめられずに、愉快に働くことが出来るにちがいないと考えたからでした。

ところが彼れは、町に一人の知るべもありませんので、仕事もなかなか見つかりません。彼れは二、三日足を棒にして仕事をさがしまわりましたが、奉公人を置きたいという家でも、誰か、知人か親類の者でも一緒に頼まなければ、使わないというのです。

それでも、数日してから、町はずれの瓦焼き場の火を燃す仕事にありつけました。そのとき、彼れは十六でした。生れてはじめて、彼れはそのときに普通の人間として他の職人達と交際が出来たのです。

彦七は、それはかなり激しい労働だったのですが一生懸命に働きました。彼れは湯にも他の人間と一緒にはいり、食事も一緒にし、他のどの人間とも区別なく、枕を並べて眠りました。彦七が自分の部落で話しに聞いたり見たりしたように、人間としてはとうてい忍べないような侮辱を受けることはありませんでした。彼れは村を出るときに考えたとおりに気持よく一年ばかりを働くことが出来たのでした。

或る日、彦七は若い職人の一人に誘われてお祭りを見に町の方へ出かけてゆきました。二人が、もう少しで、お祭りの雑踏の中にはいろうという処で二、三人の若い男が向うから来て、彦七の顔を見て何か頷き合うと、一ぺんすれちがったのを、またわざわざ引きかえして、彦七のそばをすりぬけて前へ出るとその中の一人が、彼れを呼びかけました。

『こら！ 彦七！ 誰も知ってるものがないと思って、いやに生意気な面をしているな。穢多の分際で、あんまり大幅にこんな処を押しまわすと承知しないぞ。こんな処、貴様みたいな畜生がウロウロする処じゃないや。』

彦七は自分の名前を呼ばれた時に、ハッとしました。その連れは、自分もよく顔を知っている村の者達で、やはりその町に奉公に来ている連中でした。

穢多畜生、という言葉を聞くと彼れはカッとしてしまいました。彼れは物をもいわずにその連れに打ってかかりました。相手はびっくりして身を引きましたが、しかし彼れが自分等に反抗して来るのだと知ると彼等も一とかたまりになって、彦七に立ち向いました。彦七は、何時の間にかぬいで手に持った下駄で、相手の横ッ面を手ひどく打ちました。

『アッ。』

相手がそこに手を当てて身をそらすと一緒にまたもう一と打ち続けて打とうとした時に彼れは足を払われて横ざまに倒れました。と同時に体中の、彼方(あっち)も此方(こっち)も用捨なくこぶしが当てられ下駄に踏みにじられるのでした。彼れは、彼れ等を取り巻く群集のさわぐのを耳にしながら口惜し涙をながしているのでした。そして彼れは起き上ると、砂まみれ、血まみれになった顔を引きつらせて群集の中を突きぬけて、一刻も早く町外れの瓦屋の方へ帰って行こうとしました。彼れが、ようやくその家の近くまで行った時に、まだ彼れを追っかけて来た一団がありました。

『かりにも友達が貴様のような穢多に疵(きず)つけられたのをその儘(まま)にしておくことが出来るものか。』

彼れ等は、そういってよろよろしている彼れをまたまた散々になぐり飛ばし、蹴とばして、彼れが虫の息になるまでいじめぬいて引き上げて行きました。

彦七は這う事も出来ないで、瓦屋近くの藪のそばで、一と晩呻(うめ)きとおしていたのでした。

あくる朝、近所の人がその惨めな姿を見つけて瓦屋へ知らせました。しかし瓦屋では彼れの穢多であることを知ったので、もう親切に扱おうとはしませんでした。昨日までは仲よくしてくれた二、三人の職人が、一枚のムシロをもって来て、何か汚い者をいじるように、彦七の体をムシロの上にころがしのせて、三人でそのムシロを引きずって、瓦屋の裏口の納屋の軒に置きっぱなしにして仕事場にはいってしまいました。

彦七は、昨日までの友達が一と言も慰さめてもくれず、水一杯持って来てくれないのを恨むよりは、死にかけた犬っころのように納屋の前の大地に敷いたムシロの上にころがされた自分の身が情なさに、また新しい涙をポロポロと流しました。穢多というものはこんな犬猫のような扱いをするのを他の者共は当り前にしているのだ。俺が、あの部落にさえ生れて来なかったら、昨夜のような目に遇うこともなし、またこんな扱いを受けることもないのだ。何故俺はあんな村に生れたのだ？　だがあの村に何の因縁があれば、其処で生れた者が迫害されねばならないのだ。…………、彦七はガンガン鳴る頭の中で繰り返し繰り返しそんなことを考えているのでした。

四

そうした惨めな彦七の体を、七月頃の暑い陽が、遠慮なく照りつけて、一層彦七の苦悩を増さすのでした。納屋の前を折々通りかかる人達はみんな、其処にころがされている彦七を汚いものでも見るように横目で睨んで通りながら『ペッ』と唾を吐いたり、わざわざ近づいて、その醜く腫れ上った汚い顔を嘲り気味に覗き込んでゆくばかりで誰一人声をかけるものもないのでした。

彼れは恥と怒りでそのたびに体をピクピクさせながら、どうかしてこんな処からのがれようと思いました。けれども彼れは昨夜から咽喉がピリピリする程かわいているのに水のある処まで行くことはおろか、少し動かしてもたまらない程いたむ体をもてあつかってその、のどかわきの苦しみと体のいたさとを我慢しなければならなかったのです。

しかしひる頃になりますと、彦七はもう我慢がなりませんでした。

『死んでもいい、死んでもいいから、こんな処は出かけよう。そして村へかえるのだ。そうして、今に見ろ、何かで仇うちをしないでおくものか。この恥と苦しみをこれから出来るだけ貴様達に背負わしてやるぞ。』

彼れは、非常な決心で、その体を少しずつ起しました。しかし、起した体は激しい痛みのためにすぐくずおれるようにべたりと落ちるのでした。それでも彼れは恐ろしい我慢でとうとう起ちました。そうして、彼れは一足一足にこたえる痛さを堪えるために全精力を集中させたように物凄い上ずった眼を据えてソロソロと歩き出しました。

納屋の前から四、五間歩きますと、井戸は右の方にまた五、六間行った処にあるのです。彦七は井戸端まで真直（まっすぐ）に歩いて行きました。広い瓦干場にも誰も人の影は見えませんでした。井戸端まで辿りつきますと、彦七はホッとして、痛む手をさしのべて、そこに据えた水がめにつけたひしゃくをかわき切った唇につけようとした時でした。

『まあ汚い！　お前なんかの唇つけられてたまるものかい。』

頓狂な声を出して台所から下女が飛び出して来て、その太い手で、彦七の手からひしゃくをもぎとりました。彦七の体は怒りのためにブルブル震えました。彼れはそのカサカサにひからびた唇を噛んで燃えるような眼で下女の真赤にふくらんだ顔を睨みつけました。

『おう恐い。そんな眼をして、化けて出られちゃ大変だから、水くらいならタントおあがんなさいだ！　ホラ、あすこにお前さんのお茶碗がありますからさ、あれでどっさりおあがんなさい！』

彼女は台所の入口の敷居際の土の上に棄ててある、昨日まで彼れが使った茶碗やお椀を指さして、憎々しくそういうと、此度は台所のまどから顔を出しているもう一人の朋輩と顔を見合わせて笑いながら、

『穢多ごろってものは執念ぶかいってから恨まれると大変だ。おむすびでも施してやるかねお松さん。』

『ふふふ。』

彼れは棄てられた茶碗をじっと見ました。こみ上げて来る涙をのみ込みながら唇をふるわせて、そろりそろりその茶碗をとりに行きました。そして生ぬるいかめの中の日向水を息もつか

ずに、続け様に五、六杯も飲んだのでした。

今の今まで、責めさいなんでいた渇きが癒やされると、彦七はがっかりしてそこに倒れようとしました。しかし、ボーッとしかけた意識をようやく取り直して、自分が一年間寝とまりした職人のための長屋の方に歩いて行きました。

彦七が漸々その長屋の前まで歩いて来た時に後ろから瓦屋の隠居が声をかけました。

『彦七、ひどい目に遇ったそうだな。まあそれもお前が先きに手を出すという法はないのだから仕方がない。家でも、お前の体が不自由なのを見かけていうようで済まんが、お前の身分を知らなかったからこそ、今日まで使ったようなものの分ってみれば、皆と一緒に置くわけにも行かず、殊にお前の仕事は火を燃くことで、これは一番清浄な者のやらねばならん仕事だし、体が動くなら、今日限りで家へ帰って貰いたい。昨日まで預りになっている分の金はここに置くから――』

隠居は自分のいいたいことだけさっさといって、手に渡してやるのもけがらわしいというように、持っていた金包を入口の敷居の上に乗せて母屋の方に引き返して行ってしまいました。

彦七はその敷居の上の金包をじっと見つめて立っていました。そしてその眼を屋内にやりますと、僅かばかしの彼れの持物が、職人等の下駄を片よせた土間の隅に放り出してあったのです。

彼れは復讐心に燃えながら疵ついた体を故里に運びました。彼れの両親や兄弟は彼れを大事にいたわってやりました。彼れは引っつれたような顔をして、長い間じっとこれから先きの自分の生活を撰んでいました。そして何んの罪もない自分を、死ぬ目に遇わした世間の奴等の仇になって、どうすれば一番彼れ等を苦しめることが出来るかを一生懸命に考えました。

やがて、健康の回復した彼れは、驚くばかりに働き出しました。彼れは一体あまり口数をきかぬ人間でしたが、それが輪をかけただまりやになってしまいました。そして、一日中或は一年中のどの時間でも無駄に過ごす時間といってはありませんでした。

彦七の家は部落でも暮らし向きはいい方で六、七反の田畑はみんな自分のものなのでした。彦七は両親や兄弟をたすけて、激しい百姓仕事を二人前も働きました。そしてひまひまにはわらじをつくる草履をつくる、縄をなうその外、何にかぎらず、金になる仕事ならば何んでもしたのです。盆だ正月だと、他人の休む日でも、彼れは一時間も怠けませんでした。ただ黙々として働きました。

五

彼れが二十歳の秋の収穫がすむとすぐ、彼れは、両親の家の傍に小さな掘立小屋を自分ひとりの手で建てました。それは普通の農家の馬小屋よりも小さく、見苦しいものでした。彼れはだまってそれを建てて、だまって自分ひとりだけ、その大地の上に並べた板の上に蒲団を敷いて寝ました。もちろん食事も自分ひとりでしました。他の家の者よりも、彼れ一家の者がこのだんまりの仕事にまず驚きました。

いろいろな質問や反対に対しても彼はただ黙っていました。部落では、彼れの変人だということをば知っていますので、別に驚きはしませんでしたが、親の家を離れて一戸を構えたものが当然しなければならない、部落の交際を彼れが断ったのに対しては非常な批難がありました。しかし、そんなことには耳も傾けずに、彼れは平気で、どんな慣習でも礼儀でも容赦なく無視して、ただ働くのに夢中でした。

たった一つ、彼れの楽しみらしいのは、何処から連れて来たのか、一匹の小さな犬でした。彼れは、この犬を少しも放したことはありませんでした。犬と一緒にだけ食べ、犬と一緒に寝、そして犬と一緒に話し、犬と一緒に歩くのでした。

昼間は彼れは自分の借りた田に出て働くか、山に枯枝を集めにゆくか、畑に出るか、とにかくうすら明るくなった早朝から真暗に暮れてしまうまで外で働いています。そして夜になって晩飯をすますと、土器の中に少しばかりの種油を注いで細い灯心をかきたてながら、ただ手許だけがボンヤリするくらいな明るさの中で、藁をうって草履やわらじや、縄をつくるのでした。そして彼れは手をせわしなく動かしながら、何かボツボツ一緒にうずくまっている犬に話しかけているのでした。

彦七が、どのくらい金を溜めたろうということは部落中のものが始終気にして話し合うことでした。しかし、誰れも見当のつくものはいませんでした。

彼れはほとんど三人前の働きをして、その利益をみんなおさめていたのです。そして彼の食物は玄米でした。彼れは調味料として僅かばかりな塩を父親の家から分けて貰っていました。畑のものもろくに彼れは口に入れてはいない様子でした。彼れは、決して自分で買物に出かけないのでした。そして他人に頼んで買って貰うものは僅かばかりの種油と灯心だけでした。

彼れは夜になると蒲団にはいって寝ましたが昼間はどんな場合でも汚くよごれた仕事着を着ていました。何年かの間盆が来ようが正月が来ようがそれで通しました。彼方此方（あちこち）が破れて、体が出ても平気なものでした。そこで、母親や兄弟が見兼ねて、別のものを着せるという風にして、これにも金はかからないのでした。

こうして、彼れは四年間独居生活をした後に或る夜その住居を引き払ったのです。彼れの姿は犬と共に見えなくなってしまいました。

彼れの第一期の生活がそれでおしまいになったのです。彼れに復讐心をあおった町に、再び彼れは姿を現わしたのでした。

彦七はまず一軒の家を借りました。そして彼れは家主に、自分が少々金を持っていることを話して、それを貸し付けたいのだから、困っている人があれば、世話をしてよこしてくれと頼んだのでした。頼まれた家主の爺さんは、若いのだか年老りだか分らないような干からびた貧相な顔をしたこの男が金貸しをしたいというのを怪しむように、だまって彦七の顔を見ていました。

彦七は爺さんに頼んだだけでなく、いろいろな方法で、自分の商売の広告をしました。世間には僅かな金で困っている人は随分多いのですから、もちろん彦七が金貸をしたいなどという本当の真意を知っているものはありませんし、彦七の商売はたちまちの間に繁盛しました。

それから彦七がどんなことをしたかは、読者の想像にまかせます。彼れは世間の人間を出来るだけいじめるために金貸しをはじめたのですから、世間の非道な、ただ金に目がくらんでする金貸の惨忍よりはもっともっとひどい惨忍を平気で重ねました。そして一方には金をふやしてますます魔の手をのばすと同時に世間の人間を泣かせて思う存分楽しんでいたのです。

もちろん、彼れは十年十五年とするうちには、ずいぶんひどい迫害にも幾度も遇ったのですが、そんなことには決して屈しなかったのです。金をつかんでいれば、どんな者にもまける心配はないというのが、彼れの築き上げた信条でありました。

六

彼れから金を借りた悲惨な貧乏人のうちで殊に悲惨な一家がありました。それはつい彼れの住んでいる隣り町の鍛冶屋でした。鍛冶屋といっても、その男は田舎の百姓の農具に用いている金物をつくる鍛冶屋の向う槌を振るより他に芸のない、殊に働きのない鍛冶屋でした。その代りにまた、彼ら夫婦は誰にも憎まれることのない好人物なのでした。彼れ等の間には十一になる男の子と九つになる女の子の二人の子供がありました。鍛冶屋の細い働きはとうていこの二人の子供と女房を安穏に養って行く様にはゆかないのでした。其処で女房はちょっとした洗濯物をしたり、彼方此方（あちらこちら）の使いあるきをしたりして、暮しを助けていたのです。

この一家の一番大切な役目をつとめている女房が或る時突然大熱を患ってしまいました。鍛冶屋は心配して、因業な奴とは聞いて知っていたのですが、彦七から参円ばかりの金を借りて、女房の療治につとめました。そして、女房は漸々快方に向いて来ましたが、借りた金は、返すどころの沙汰ではなく、少々の利息もなかなか払えないようになって来ました。

約束の期限が切れると、カタのように彦七は矢の催促をはじめました。最初の間は尋常に手をついてあやまっていました鍛冶屋も、イロイロ彦七が惨忍な金貸の態度を見せはじめますと、もう我慢が出来なくなって、三度に一度は彦七のいい分に楯をつくようになったのです。

ところが、或る夕方鍛治屋は仕事がえりの往来で、バッタリ彦七に出会いました。

『オイ、寅さん、お前さんは一体何時あの方の埒をあけてくれるつもりだい。もう期限が切れてから一と月あまりになるのに、利子もろくろく払ってくれないじゃ、俺の方も商売だからな、困るよ。僅か三円かそこいらの金じゃないか。』

彦七はいきなり高声に催促をはじめたのでした。鍛治屋はムッとしたのでしょうがそれでも下手に出て、

『それゃ、いわれなくってもわかってるがね、何しろその日稼のことだから、お前さんはたった三円というけれど、此方にゃなかなか大変さ、もう少しまあ待っておくんなさい。何んとか工夫するから。』

『工夫工夫ってこの間からお前さんはそういっているけれど、工夫じゃおっつかないよう。』

『まぁさ彦七さん、ここは往来じゃないか。私も今仕事のかえりでくたびれてる。いうことがあるなら、あとでうちへ出掛けて来たらどんなもんだい、往来のまん中で、高声で借金の催促はあんまりみっともない。』

『へん、みっともなきゃお前さん、他人から金なぞ借りないがいいや。此方は貸した金を返して貰わなくちゃならんのだ。往来中で催促してはならんという理屈はないしさ。貧乏のくせ

に贅沢なこといいなさんな。催促されるのがいやなら、借りないが第一だ。借りたらさっさと返すがいいや。』

『まあ何をいわれても仕方がないけれど、そうしたもんじゃないよ。まあ何にしろ往来では催促は御免を蒙むるよ。』

鍛冶屋はムシャクシャするのをおさえてそういい放したまま行きかけました。

『これこれ寅さん。そうお前さんの勝手にゆくものか。俺はそう閑人(ひまじん)じゃないから丁度ここで会ったが幸いだから何んとか返事をして貰おう。何？　家へ来い？　いけないよ。家へ来いとは何んだ。本来ならお前の方から出て来てこれこれだと断るのがあたりまえなんじゃないか。それを何だって！　家へ来いだ？　ここで埒をあけて貰うのだよ。僅か三円ばかりの金じゃないか。逃げずと男らしく片をつけな。』

彦七は憎々しくいいつのりました、これが平生それ程借金を苦にしない貧乏人ならそれ程でもありますまいが、生憎(あいにく)と鍛冶屋は、これまで貧乏はしていても、借金をしたことのない男ですから、気にかかって仕方がない処を往来で恥かしめたのだから堪(たま)りません。おとなしいけれど一徹な鍛冶屋はすっかり逆上してしまいました。

『もう分った！　こん畜生！　貴様のような因業な奴はこうしてやるんだ！』

彼れは夢中になって、ちょうど持ち合わせていた大きなヤットコでいきなり彼の頭をなぐりつけました。
彦七の横びんから夥(おびた)しい血が噴き出すのとその体が倒れるのとほとんど一緒でした。鍛冶屋は夢中になってヤットコを振り上げて倒れた彦七の上にのっかかりました。がすぐに傍の見物人に抱きとめられました。そしてはじめて我に返った鍛冶屋はそこに倒れている彦七の顔を流れている血を見ると、呆然として大地に座り込んでしまったのでした。

鍛冶屋はそのまま帰りませんでした。彼れは警察の拘留場から監獄に放りこまれてしまったのです。

半月ばかりすると、まだ繃帯(ほうたい)をしたまま凄い顔をした彦七が、近所の人達にいたわられながらようやくその日その日を悲しみながら暮している鍛冶屋の家にはいって来ました。彼れは、女房の嘆願には耳もかさず、何日(いつ)も眼ぼしい物のない家の中をかきまわした後で子供達二人が縮こまって眠っている蒲団をハギとって子供達を畳の上にころがし、台所のかまどから釜を持って出てゆきました。

この無情の仕打に、泣きじゃくる二人の子供を抱いて女房は歯ぎしりをして恨み泣いたのでした。そうして近所の女房が見兼ねて貸してくれた蒲団に子供達を寝かすと女房は自分の二人の兄弟に子供の行末を頼む書置きをして家を出て行ったのでした。

その夜中過ぎ、彦七の家は三方から火をかけられて燃え上りました。彼れが目をさました時には、火はすっかりまわってしまっていました。それでも、彼れは枕頭(まくらもと)の手文庫をかかえて走り出しましたが、入口でしたたか足を払われて転んだ拍子に、飛び出して来た人間にその文庫は奪われてしまったのでした。

彼が気狂いのようになって、その怪しい者の後を追おうとしました時には、文庫はもう火の中に投込まれていたのでした。鍛冶屋の女房は、とうとう彦七を素裸にしてしまったのです。

火は彦七の家から三軒目でとまりました。彦七は何一つ残らぬ焼け跡に呆然と立ってその醜い顔を引きゆがめていました。

彼は火のために、彼が命をけずるようにして築き上げた彼の今までの生涯を跡かたなく失くしてしまったのです。彼れは激しい落胆のために、失神したようになって、二、三日の間は、ただ焼けあとをうろうろしていたのです。

しかし、やがて、彼れの眼にあの盛んな何物をも一気に焼きつくしてしまう火焔が不断にチラつくようになりました。彼れは今までの金による復讐を、このたびは魅力にとんだ火焔と取り換えました。そして、長い間、彼方此方を徘徊しながら、その呪いを止めなかったのです。

彼れが生れた村に帰って来たのは、最後の思い出に、最初に彼れの呪い心を培った土地に呪いの火を這わすためでした。

『改造』第三巻第八号・一九二一年七月夏期臨時号

無政府の事実

一

私共は、無政府共産主義の理想が、到底実現することの出来ないただの空想だという非難を、どの方面からも聞いて来た。中央政府の手を俟(ま)たねば、どんな自治も、完全に果たされるものでないという迷信に、皆んなが取りつかれている。

殊に、世間の物識(ものし)り達よりはずっと聡明な社会主義者中の或(あ)る人々でさえも、無政府主義の『夢』を嘲笑(あざわら)っている。

しかし私は、それが決して『夢』ではなく、私共の祖先から今日まで持ち伝えて来ている村々の、小さな『自治』の中に、その実況を見ることが出来ると信じていい事実を見出した。

いわゆる『文化』の恩沢を充分に受けることの出来ない地方に、私は、権力も、支配も、命令もない、ただ人々の必要とする相互扶助の精神と、真の自由合意による社会生活を見た。

それは、中央政府の監督の下にある『行政』とはまるで別物で、また『行政機関』という六ケしいもののない昔、必要に迫られて起った相互扶助の組織が、今日まで、いわゆる表向きの『行政』とは分々に存続して来たものに相違ない。

二

私は今ここに、私が自分の生れた村について直接見聞した事実と、それについて考えたことだけを書いてみようと思う。

見聞の狭い私は、これが日本国中の何処にも遍在する事実だと断言することは出来ない。が、そう信じても恐らく間違いではあるまいということは信じている。何故なら、この事実は、或る一地方のみが持つという特異な点を少しも持っていない。万事に不自由勝な生活を営んでいる田舎の人にはどの地方の、どんな境遇に置かれている人にも一様に是非必要な一般的な性質のものだ。そしてあらゆる人間の生活が、是非そういう風でなくてはならぬという私共の大事な理想が、其処に確かりと織込まれている。

私の生れた村は、福岡市から西に三里、昔、福岡と唐津の城下とをつないだ街道に沿うた村で、父の家のある字は、昔陸路の交通の不便な時代には、一つの港だった。今はもう昔の繁盛のあとなどは何処にもない一廃村で、住民も半商半農の貧乏な人間ばかりで、死んだような村だ。

この字は、俗に『松原』と呼ばれていて戸数はざっと六、七十くらい。大体街道に沿うて並んでいる。この六、七十くらいの家が六つの小さな、『組合』に分れている。そしてこの六つの『組合』は必要に応じて聯合する。即ち、一つの字は六つの『組合』の一致『聯合』である。しかし、この『聯合』はふだんは解体している。村人の本当に直接必要なのは、何時も『組合』である。『組合』は細長い町の両側を端から順に十二、三軒か十四、五軒くらいずつに区切って行ったもので、もうよほどの昔からの決めのままらしい。これも、聯合とおなじく用のない時には、何時も解体している。型にはまった規約もなければ、役員もない。組合を形づくる精神は遠い祖先からの『不自由を助け合う』ということのみだ。

三

組合のどの家も太平無事な時には、組合には何の仕事もない。しかし一軒に何か事が起れば、すぐに組合の仕事がはじまる。

家数が少いのと、ふだん家と家とが接近し合っているのとで、どの家にか異ったことがあればすぐに組合中に知れ渡る。知れれば、皆んなすぐに仕事を半ばにしてでも、その家に馳けつける。或は馳けつける前に一応何か話し合う必要があるとすれば、すぐ集まって相談する。相談の場所も、何処かの家の門口や土間に突っ立って済ますこともあれば、誰かの働いている畑の傍ですむこともあり、或はどの家かの屋敷に落つく場合もある。

人が集まりさえすれば、すぐに相談にかかる。この相談の場合には、よほどのむずかしい事でなくては黙って手を組んでいる者はない。みんな、自分の知っていることと、考えとを正直にいう人が意見に賛成するにもその理由をはっきりさせるという風だ。少しむずかしい場所に出てはとうてい満足に口のきけないような人々でも、組合の相談には相当に意見を述べる。そこには、他人のおもわくをはかって、自分の意見に対して臆病にならねばならぬような不安な空気が全くないのである。

事実、組合の中では村長だろうがその日稼ぎの人夫であろうが、何の差別もない。村長だからといって何の特別な働きも出来ないし、日傭（ひよう）取りだからといって組合員としての仕事に欠ける処はない。威張ることもなければ卑下することもない。年長者や、家柄というものも田舎の慣わしで尊敬されるが、感心に組合の仕事の相談の邪魔になるようなことはない。

四

相談の最後の結論は誰がつけるか？　それも皆んなできめる。大抵の相談は具体的な、誰の目にも明かな事実に基く事であって、それに対する皆んなの知識と意見が残りなくそこに提出されれば、結論はひとりでに出来上る。誰がつくり上げるまでもない。誰に暗示されるまでもない。

大抵のことならすぐに相談がきまる。しかし、どうかして、意見がマチマチになってどうしても一致しないことがある。

例えば、組合員のどの家族かが内輪喧嘩をする。その折り合いをつけるために組合のものが皆んなで話し合う、という場合などは、家族の幾人もの人達に対する幾人もの観方がそれぞれ違っていて、それに対する考え方も複雑で、容易にどれが真に近いかが分らなくなるようなことがある。

そんな時には、皆んなは幾晩でも、熱心に集まって話し合う。幾つもの考えを参酌（さんしゃく）折衷して纏（まと）めるにも、出来るだけ、皆んなが正しいと思う標準から離れないように努める。

もしまた、この相談の席上で、皆んなに納得の出来ないような理屈をいったり、それを押し通そうとしたりするものがあれば、皆んなは納得の出来るように問い糺す。そして、どうしても納得が出来ず、それが正しい道でも方法でもないと分れば、皆んなは正面からその人間をたしなめる。

五

ある家に病人が出来る。すぐに組合中に知れる。皆んなは急いで、その家に馳けつける。そして医者を呼びに行くとか、近親の家々へ知らせにゆくとか、その他の使い走り、看病の手伝いなど親切に働く。病人が少し悪いとなれば、二、三人ずつは代り合って毎晩徹夜をしてついている。それが一週間続いても十日続いても熱心につとめる。

人が死んだという場合でも、方々への知らせや（これは以前には十里もある処へでも出掛けて行ったそうだ）その他の使いはもちろんのこと、墓穴を掘ること、棺を担ぐこと、葬式に必要な一切の道具をつくること、大勢の食事の世話、その他何から何まで組合が処理する。

子供が生れるという場合には組合の女達が集る。産婦が起るようになるまで、一切の世話を組合の女達が引きうける。

その他、何んでも人手が必要だという場合には何時でも文句なしに組合で引きうけてくれる。

組合の中の家でも、もちろん皆んなから好かれる家ばかりはない。何かの理由から好く思われない家が必ず二軒や三軒はある。

けれども、そんな家の手伝いをする場合でも、皆んなお互いに蔭口もささやき合えば不平も云う。しかし手伝っている仕事をそのために粗末にするというようなことは決してない。その家に対して持つ銘々の感情と、組合としてしなければならぬこととは、ちゃんと別物にする。

六

組合の事務、というようなものはないも同然だが、ただ皆んなで金を扱ったという場合にその出入は、皆んなで奇麗にその時その折にキマリをつける。

組合員は時々懇談会をする。それは大抵何処か一軒の家に集まって午餐の御馳走を食べたり飲んだりする会で、米何合(ごう)、金幾何(いくら)ときめて持ち寄る。

一年に一度は、この会食が二、三日或は四、五日も続く風習がある。そんな時の後始末はかなり面倒そうに思われるが実際には割合に故障なく果される。集めただけの金で足りなければ皆んなで出し合う。あまればみんなその場で使ってしまうか、何かの必要があるまで誰かが預っておくことになる。

酒飲み連がうんと酒を飲んだ、そして割合いに酒代がかさんで、予定の金では足りない場合がよくある。そんな時には飲む者は飲まない者に気の毒だというのでその不足分を自分達だけで出そうという。しかし、そんなことは決して取りあげられない。飲む者は、御馳走を食べない。飲まない者は盛んにたべる。それでいいじゃないかというので結局足りない金はみんなで等分に出す。

他家の葬式、病人、出産婚礼、何んでも組合で手伝った場合には大抵の買物は組合の顔で借りて済ます。そこで、何時でも手伝いの後では計算がはじまる。この計算には皆んな組合中の者が集まる。そして一銭の金にも間違いがないように念入りに調べる。それで、いよいよ間違いがないと決まれば、はじめてその調べを家の人に報告する。それで、組合の仕事は終ったのだ。こうして何があってもそのたびに、事務らしいことは関係者総てが処理する。

たまに、何か連続的にやらなければならぬような仕事があっても、大抵一番最初に相談をする際に、順番をきめ置くから、何んの不都合もない。

この皆んなが組合に対して持つ責任は、決しておしつけられて持つ不承不承のものではない。自分の番が来てすべきこと、と決ったことを怠っては、大勢の人にすまないという良心に従って動いている。だから何の命令も監督も要らない。

七

火の番、神社の掃除、修繕、お祭というような、一つの字（あざ）を通じての仕事の相談は、六つの組合が一緒になってする。この場合にはどの組合からも都合のいい二、三人の人を出して相談する。相談がきまれば、組合の人達にその相談の内容をしらせ、自分達だけできまらないことは組合の皆んなの人の意見を聞いて、また集まったりもする。

相談が決って、いよいよ仕事にかかる時には、組合の隔てはすっかり取り除かれる。小さな組合は解体して、聯合が一つの組合になってしまう。聯合の単位は組合ではなく、やはり一軒ずつの家だ。

みんなで代りあって火の番をしよう、という議が持ち上る。一つ一つの組合でするもつまらないから字全体でやろうという相談がきまる。するとすぐ、各組合の代表者達が、大凡（おおよ）そ何時から何時までくらいの見当でやろうということを決める。毎晩何軒ずつが組んで、何回まわるか、北側から先きにするか南側からはじめるか、西の端からか、東の端からか、というような具体的なことをきめる。もし、北側の西の端から三軒ずつ毎晩三回ということにでもきまれば幾日という最初の晩に、その三軒の家からは誰かが出て村中を太鼓を叩いたり、拍子木を打ったりして火の番をする。

翌日になると、その太鼓や拍子木や提灯が次ぎの三軒のどの家かに渡される。そしてだんだんに、順を逐(お)うて予(あらかじ)めきめられた通りに間違いなく果される。

八

神社の修繕費などは、なかなか急には集まらない。そこで皆んなで相談して貯金をする。一つの箱をつくって、字全体の戸主の名を書いた帳面と一緒に、毎日一戸から三銭とか五銭とかいうきめた金高を入れるためにまわされる。これも、毎日間違いなく隣から隣へとまわって行く。

学校へ通うのに道が悪くて子供達が難儀する。母親達がこぼし合う。すると、すぐに、誰かの発議で、暇を持っている人達が一日か二日がかりで、道を平らにしてしまう。

一つの家でそれをやれば他の家でもまた、お互いに誰が通るときまった道でもないのに、彼処の人達にだけ手をかけさせては済まないというので、各自に手近かな処を直す。期せずして、みんな道が平らになってしまう。

こうしてすべてのことが実によく運んでいる。大抵のことは組合でする。他との協力が要る場合には組合の形式は、撤回されて字全体で一つになる。

この組合や家の自治について観てみていると、村役場は一体何をしているのだろう？　と不思議に思われる程この自治と行政とは別物になっている。組合や家の何かの相談には熱心に注意をする人達も、村会議員が誰であろうと、村会で何が相談されていようと、大部分の人は全く無関心だ。

役場は、税金のことや、戸籍のことや、徴兵、学校のことなどの仕事をしている処、というのが大抵の人の役場に対する考え方だ。

九

村の駐在所や巡査も、組合のお蔭で無用に近い観がある。

人間同士の喧嘩でも、家同志の不和でも、大抵は組合でおさめてしまう。泥棒がつかまっても、それが土地の者である場合はもちろん、他所(よそ)の者でも、なるべく警察には秘密にする。

最近にこういうことがあった。ある家の夫婦が盗みをした。度々のことなので大凡その見当をつけていた被害者に、のっぴきならぬ証拠をおさえられた。

盗まれた家ではこの夫婦を呼びつけて叱責した。盗んだ方も盗まれた方も一つ組合だったので、早速組合の人も馳けつけた。彼方(あっち)でも此方(こっち)でも、この夫婦にはよほど前かち暗黙の中に警戒されていたので、皆んなから散々油を絞られた。

しかし、とにかく、以後決してこんなことはしないからとあやまるので、被害者の主人も許すことになった。組合では再びこんなことがあれば組合から仲間はずれにするという決議をして、落着した。

この事件に対する大抵の人の考えはこうであった。

『盗みをするということはもとよりよくない。しかし、彼等を監獄へやった処でどうなろう。彼等にだって子供もあるし、親類もある。そんな人達の迷惑も考えてやらなければならぬ。彼等も恥を知っていれば、組合の人達の前であやまるだけで充分恥じる訳だ。そしてこの土地で暮そうという気がある以上は、組合から仲間はずれになるようなことはもう仕出かさないだろう。そして、みんなはまた、彼等にそんな悪い癖があるならば、用心して機会を与えないようにすることだ。それでうまく彼等は救われるだろう』というのだった。

十

実際彼等は慎しんでいるように見える。警戒はされているが、彼等に恥を与えるような露骨なことは決してしない。其処はまた、田舎の人の正直なおもいやりがうまくそれを覆っている。この話は、字(あざ)中の者の耳には確(たしか)にはいっている。が巡査の手には決してはいらないように充分に注意されている。どんなに不断巡査と親しくしていても、他人の上に罪が来るような事柄は決してしゃべらない。もし、そんなおしゃべりをする人間があれば、たちまち村中の人から警戒される。

こういうことも、ずっと遠い昔から、他人の不幸をつくり出すことばかりねらっているような役人に対して、村の平和を出来るだけ保護しようとする、真の自治的精神から来た訓練のお蔭げだといっても、間違いはあるまいと私は信じている。

組合の最後の懲罰方法の仲間はずれということは、その土地から逐われる結果に立ち到るのである。

一つの組合から仲間はずれにされたからといって、他の組合にはいるということは決して出来ない。

組合から仲間はずれにされるというのは、よくよくのことだ。事の次第はすぐに其処ら中に知れ渡る。この最後の制裁を受けたとなればもう誰も相手にしない。結局は土地を離れて何処かへ出掛けるより他はない。

が、みんなはこの最後の制裁を非常に重く考えている。だから、よほどの許しがたいことがない以上は、それを他人の上に加えようとはしない。私の見聞の範囲の私の村ではこの制裁を受けた家の話を聞かない。そのくらいだから、もし此度何々したら、という条件で持ち出されるだけでも非常に重大だ。従って効目(ききめ)は著しい。

十一

実際田舎の生活では、組合に見放されてはどうすることも出来ない。組合の保障がありさえすれば、死にかかった病人を抱えて一文の金もない、或は死人を抱えて一文の金もない、という場合でも少しも困ることはない。当座を切り抜けるのはもちろんのこと、後の後まで心配して事情を参酌して始末をしてくれる。

組合の助けを借りることの必要は、ほとんど絶対のものだ。殊に、貧乏なものにとってはなおさらのことだ、貧乏人は金持よりはどんな場合でも遥かに多くの不自由を持っている。その大から小までのあらゆる不自由が、組合の手で大抵はなんとかなる。

私はこれまで、村の人達の村のつまらない生活に対する執着を、どうしても理解することが出来なかった。一たん決心して村を離れた者も大抵はまた帰って来る。都会に出て一かどの商売人になることを覚えた青年達までが、なんにもすることのない村に帰って来て、貧乏な活気のない生活に執着しているのを不思議に思った。

けれども、この村の組合というものに眼を向けた時に、私は初めて解った。村の生活に馴れたものには、他郷の、殊に都会の利己的な冷やかな生活にはとても堪え得られないのだ。成功の望みはなくとも、貧乏でも、この組合で助け合って行く暖かい生活の方がはるかに彼等には住み心地がいいのであろう。

第三次『労働運動』第一号・一九二一年一二月二六日、第二号・一九二二年二月一日

失業防止の形式的運動に対する一見解——生きる権利の強調と徹底

一　形式的な運動

『失業防止』の声が大分大きくなって来た。運動も稍や形の上に現われて来た。が、今日まで表面にあらわれた運動は、まだ、政府当局や資本家にとっては、さほど大きな恐怖を感ぜしめるものではない。彼等はまだこの運動の究極の恐ろしさを充分に感じてはいない。それは、まだ窮迫した失業者の真剣な自覚的運動でないからだ。

その運動に加わった労働者の運動に対する熱意を真に炎え上らしめるべき運動の根本精神が、あれ等の運動の直接の要求とあまりに遠い処に隔てられているからだ。そして、何物がその運動の根本精神を妨げるだろうか？　ただ運動の眼前の小さな効果をのみ急ぎ、それによって浅墓な労働者の信望をつなぎ、以て自己の野心を満たそうとする指導者等の、表面的な世相に鑑みた企図によるものだ、と断言することを憚らない。

私は『失業防止労働者同盟』の名によって発せられた、労働者の名によって書かれた檄のその後半に、いかにしても肯き難いものを発見した。

二　権力者と労働者

その前半の、失業の不合理を指摘した点に於いては何の異存もない、正にその通りなのだ。『失業の悲惨を完全に無くする方法は唯だ資本主義の撤廃である。』とまではいい。が、『現に資本主義が存続している限りは、失業の全責任は資本家階級とその代表者たる政府の負うべきものである。八十万の失業者は資本家階級と政府に対して生活の保証を要求する当然の権利がある。』だから『吾々は当然の権利として、労働階級の当然の権利として、政府に対して失業問題の解決を要求するために一斉に蹶起しなければならぬ。』とある。

なるほど、これは理屈の上からは当然のいい分だ。がしかし、労働者の当然の権利を資本家階級が本当にそれを認めようか？

労働者にとっては『最少限度』の要求も、資本家にいわせれば『過大』なのだ。彼等は、自分等の富を擁護するためには、労働者の正しい権利くらいは何時でも一蹴する。政府は絶対の権力者だ。そしてその政府は資本家擁護の機関だ。機会が来るまでは、彼等は厳として労働者の生殺与奪の権を握っているのだ。

しかし、もし資本家や政府が大譲歩を敢行するものと仮定しても、彼等が、いわゆるそのまわりくどい、馬鹿気た、『合法的』と称する手続きを踏んで、労働者の正当な『要求』が、非常な『恩恵』となって悠々と『許可』されるまでの月日は容易なものではない。そしてその結果は、それ程悠々と天降(あまくだ)って来る恩恵は、資本家が降す恩恵では断じてないのだ。その失業者の飢えを救うのは、やはり同胞の労働者の細い食が無理矢理に割かれるのだ。

三　矛盾した要求

労働者は、政府や資本家の『誠意』が何処(どこ)にあるかは充分よく知っている筈(はず)だ。『失業防止労働者同盟』は、檄の前半に於て、その横暴を、その不信を、あます処なく糺弾(きゅうだん)しているではないか。然るに、その後半に到って、その不信、横暴を考慮の外において、労働者の権利を要求するとは何事だろう？　その六つの要求が『最少限度』のものだからというのか？　労働者が譲歩の意を示しているから、彼等と雖(いえど)もその意を諒とするだろうというのか？　だが資本家も政府もただ自家の利益よりほか念頭にないのだ。凡(すべ)ては打算が支配する。

失業防止労働者同盟の面々と雖もその事実は知り過ぎている。然るにその可能性の少ないことに向って、何故に妥協的な『要求』を持ち出すのだろうか。私の腑に落ちぬのはその点だ。そしてそれが、現在腹のへった労働者の、或はそれと同じ運命に陥ちようとする労働者の、真剣な運動といえようか。其処にはまだ真剣さを欠いたスキがある。自覚した労働者はかかる空虚な標語を掲げることは恥じとするに違いない。

四　飢餓の恐怖

失業は、今に始まったことではない。労働者は資本家の都合次第で、どんな好景気のときにでも失業する。資本家共は労働者やその家族を飢に追いやることを何とも思ってはいない。まして不景気に際しての解雇にどれ程の責任を感じ得よう。労働者はその失業に対する責任を資本家や政府に問う権利はある。しかし彼等の感じない責任をいくら問うた処でどうする。

失業者は飢えている。生きた人間の健全な飢えは、人間に植えつけられた総ての思慮分別をおし退ける。飢えた人間に残されるのはただ生きようとする本能だけだ。

本当に飢餓に迫まられた失業者は、悠長な恩恵の降るのを音なしく待つ辛抱を持たないだろう。飢餓に迫まられて、人間としてのすべての教養によって得た誇りを、省みることの出来なくなった人間には、この世の中はどういう風に見えるだろう？　飢餓に迫まられた人間の赤裸々な欲求のみがただ、真に資本家階級に戦慄を与えることが出来るだろう。人間の飢餓の恐ろしさが、はじめて彼等にもわかるだろう。生きた人間の口から手から、その食物をもぎ取る不道徳を恥じ得るだろう。

だが、誰れがそれ程の飢に追われるまで待つことが出来よう。そしてまた、真の飢の苦しみよりは、それに追わるる恐怖の方が、遥かに人間を責める。人間はその飢えと戦うためには、どんなことでも敢行する。ことに、その飢えが不合理な制度の上から生まれるという許しがたい真の事情を知るとき、その憤激が何を仕出かすかは明瞭なことだ。

五　生きる権利

失業者は、空虚な標語によって指導者を仰いでの空騒ぎを止めなければならない。団結した失業者の示威運動に空虚な『要求』をふりかざしての馬鹿気たお祭り騒ぎは絶対に不必要だ。必要なのはただ、失業者がその職を奪われても、食物をもぎとられても、必ず堂々と生きる道を見出すであろうということを、権力階級に宣言することだ。彼等の権力が、その資力が、その支配が、どれ程大きいものであろうとも、ついに人間の生きる権利を奪うことは出来ないのだという人間の命の貴さに持つ自負を、彼等に示してやることだ。

生きる権利！　飢えた人間の、最大の、そして最後の仕事は、その生きる権利を恥かしめないことだ。自分のために当然与えられたものを、他人に乞うというような情けない真似をしないことだ。

どうすれば、誰もが飢えず、誰もが公平な分け前に与り、他人を犯さずに生きてゆけるか、ということは、失業したものと、せぬものとの別なく、間違った制度の下に苦しめられている人間の、等しく考えなければならぬことだ。この資本家の横暴な支配下に生きている労働者の間には、失業者と失業者でないものとの間にどれ程の隔りがあろう？　両者の不安は、飢えは、五十歩と百歩の相違もない。ほとんど同一だ。

六　正しい主張

政府や資本家等の勝手に振舞う卑しい陋劣な政治に取りあげて貰うことも出来ぬ、余計な差出口をして、侮辱を受けるようなことはしないがいい。少々の目腐れ金では失業者は救われないのだ。少々の政策の改善では労働階級の飢えは癒されないのだ。

いくら権利をふりかざしても、『最少限度』と自ら屈して受ける要求の『許容』がどれ程労働者を恥かしめるか考えるがいい。乞うて与えられるものには、必ず恩恵が附随して来るのだ。自覚した労働者は、かかる侮辱を甘受する忍耐は持たないだろう。

権利は譲歩から、自屈からは生れない。譲歩は主張を卑しめる。正しい権利を主張する限度を設くる必要がどうしてある？

生きる権利！ それのみが凡ての人間に一様に与えられた唯一無二の正しい権利だ。そして他人の生きる権利を犯すことは、何よりも許しがたい人間の最大の罪悪である。

失業者よ！ 諸君は政府や資本家の保護を求める前に、その仕事を乞う前に、諸君が生産した物資が、一切の食物が、如何に処分されつつあるかを知らなければならない。搾取機械にとりすがる前に、まず考えなければならない。

失業労働者団結せよ！

第三次『労働運動』第一三号、一九二三年四月一日

私共を結びつけるもの

この頃、大杉の行方不明について、ちょいちょい新聞記者の訪問を受けます。そして、いろんなことを実によく聞かれますが、何よりも、出てから少しのたよりもないのによく心配せずにいられると不思議そうに首をかしげて帰ります。尤(もっと)もこれは新聞記者ばかりでなく親しい知人の人達からも同様のお言葉を頂きますが、実際は私としてはたよりがあってもなくても、とにかく大して心配せずとも済むものを持っているからです。別になんの不思議もありはしません。

彼は、どんな計画をする時でも非常に周到な用意を致します。しかし、どれほど緻密な注意をし、どれほど周到な用意を以てして、その成功に十二分の自信をもつことが出来ても、彼は決してその自信にはたよりません。常にその失敗に際しての用意をすることを怠らないのです。彼はいつも人間の計画の邪魔をする『偶然』を勘定に入れることを忘れません。彼はその点では、私の且つて見たことのない『実際家』です。私が彼の一身について安心していられる重要な信頼は、其処にあるのです。

二ヶ月間、或は三ヶ月も一度も便りがなくても、私にはその間に彼の計画がどういう風に進行しているか、ということは容易に察することが出来るのです。彼はその計画にとりかかる前にとにかくこの推定に必要な材料を充分において行きます。そして、その失敗に際する彼の処置についての或る確信があれば、私にはもうそれで充分です。もしそれ以上の不幸が来れば、それには私はもう一切の未練気はない筈なのです。何故なら、彼が私のためにいい良人であり、子供等のために慈愛深い父として自家の畳の上に寝ころんでいる時にでも、思いがけない災が来ないということは決して予想の出来ないことではありませんから。

或る新聞記者は私にむかって、私共の家庭が不安定であり、子供や私や大杉は不幸ではないだろうかといいます。主義主張のみが全生活ではあるまい、大杉も私を愛し子供を愛し、私もまた大杉を愛し、子供も父を慕ってはいないだろうか。大杉の生活が我々の生活と別物だと思えない、と言います。もちろん別物では決してありません。また彼の主義主張がもちろんその生活の全部ではありません。或る時には、世間普通の人達以上の家庭生活の享楽者であります。彼は大抵の場合子供を連れて歩きまわります。子供と一しょに玩具をあさり、食物を撰び、その着物、シャツ、靴足袋の類までも世話を焼きます。彼が格別の用事を持たずに家にいる時には大部分子供と一しょです。出るにも入るにも子供を連れています。同時にまた私の相手もよくしてくれます。私が夕飯の支度でもするときにはお芋や大根の皮むきくらいは引き受けます。七輪のそばにしゃがみ込んで、はじめからしまいまで、見物しています。御飯を炊く火なぞは大よろこびで燃します。よく、出入りをする御用聞きや職人が呆れていたくらいです。要するに家庭では実に善良な父であり良人なのです。足掛八年間の同棲生活の間に私は省みて彼に持つ不満は一つもありません。折々の不機嫌も、ほとんどすべて、といっていいくらいに私の我ままな感情のこじれに基づくのです。

　が、この甘い幸福な、他から見ては実にお芽出たい生活が彼にとってどれほどの値打ちがあるのでしょう？　私は其処に彼のためにも私のためにも充分の値打ちは認めます。しかしまた、彼の家庭外の生活が、彼にとってどれほど重要なものであるかも、十二分に認めております。そしてこの、彼の懸命な対社会的の仕事がなかったら、どうして私共がいつもいつも家庭生活の幸福を享楽することが出来よう？　ということもよく知っております。

　新聞記者某氏の、妻子が可愛くては思い切ったことは出来ない、という考えも或一面からいえば真理でしょう。またそういう観方をすれば、私共の生活は不自然と見えるかもしれませんが彼がもしこの家庭の甘い空気にひかされて大事な仕事を阻まれることがあるとしたら、彼は決して何時も屈托なくその家庭生活を享楽することは出来ません。彼が或る人々からこの享楽

について の多少の非難のあることを知りながらそれを意に介せずに享楽することの出来るのは、寧ろそれほど彼を引きつけている家庭をでも、必要の時になれば未練気なく離れることの出来る覚悟があるからだと私は信じております。けれども彼は本当に私共を愛しております。どれほど思い切った態度で家庭を無視しているように見えても、決してそうではありません。彼は私共を愛するために、臆病にも卑怯にもなりはしません。しかし、慎重になり周到にはなります。彼は自分の心の底から湧き上って来るアムビションの赴くままに、計画し企図して躊躇なくその実行に移ります。しかし、その自分の満足と同時に私共の上に深い注意を払うことを怠らないのです。私の、彼の妻として、子供等の母としての、彼に対する信頼も、感謝も、あきらめも、ただその彼の態度にあります。他所目にはどれほど不安定な家庭らしく見えようとも事実私共には決して不安定でもなく、私も大杉も子供達も、決して不幸ではないと私は信じています。

さらに、私一身の上からいえば、彼は足掛八年の間変らぬ愛で我儘な私を包んでくれた寛大な愛人であり、思いやり深い友人であり、信頼すべき先輩であり、同志です。

私共は最初お互いに非常に不利な状態の下に結びつきました。私共はその時に、より悧巧な方法を知らなかった訳では決してありませんでした。むしろ私はその方法を取ろうとして一ヶ月もの間苦しんだくらいです。しかし、私共はお互いに世間体を繕うことを恥じないではいられませんでした。また、世間体を繕うことが、自分の心の中まで繕いおおせない以上、最後まで繕いとおせるということも考えられませんでした。で、私共は進んで自分達を世間の悪評の中に投げ込みましたので、何が私共を結びつけたかという本当のことを他人に知らす機会も別にありませんでした。当時の私の最も親しい友人にすら私はそれを話す気になりませんでした。

その友人はその時私に忠告して、私がつまらない恋愛にひかされることを極力批難しました。当時私は、自分に知的教養の足りないことを痛感していましたから、学生のようになって勉強したいと思ってもいましたし、いってもいました。私の希望はうんと本を読むことだったのです。その友人はそれに賛成しました。けれども、実際にはその時既に私には社会運動に対する熱情が確かに燃え上っていたのです。私は自分でそれに気がつかなかったのです。或は気がついていても、もっと自分をえらくしてからでなければならないと思ってその熱情を重く観ていなかったのです。が大杉は決してそれを見のがしませんでした。彼の熱情が私のその押えられた熱情を揺り動かしたのです。斯くして私は私の単純な知識探究の道をかえました。友人はそれを批難したのです。その人は、私がただ恋のたわむれに惑わされたと思ったのです。で、やがてはまた、私が恋の報酬として、自分自身を束縛する家庭と、幾人かの子供のために一生を棒にふってしまうのだ。あなたは第一の牢から出て、また少し形のちがった第二の牢に入るのだといいました。その人は第一の牢と称する、私の第一の家庭生活に於ける私の惨めさをよく知りぬいていました。

表われた形の上からいえば、私は正しく第二の牢にはいったといえます。が、それは私には牢という意味のものからは全くかけ離れたものとしか思えません。私は其処で自由にのびのびと育てられました。まず私は活きた社会的事実を観る眼をあけて貰いました。私は其処に力強い事実を観、熱情を煽られはしましたが、もう決して無知を悲観しませんでした。私はその事実から多くの力強いものを学びました。次に私は大杉によって実に多くの糧を得ました。彼は私の唯一の親友でした。彼は友人として、私の感じたこと、考えたこと、饒舌ったことの全部を、深い理解と同情を以て受け容れてくれました。彼には遠い私の些細なものずきな趣味に渉ってまで、とにかく話相手になれるだけの理解を持とうと努力するのです。私の生活のどれ程下らない部分に渉ってでも、彼は些しも干渉がましい態度には出ないで、しかもその全部を知っています。私の心の底にうごめきわだかまっている苦痛も煩悶も不平も不満も私の言をまたないでも直接に感じて、いつも実にデリケエトな心づかいで先きまわりをします。裁縫の話でも、料理の話でも、洗濯の話でも、彼は私が興味を以て話すときに、その私の興味を外すような下手な話し相手ではありません。彼はいつでも台所や井戸端にしゃがんで、料理や洗濯に自分の興味をさがし出しているのです。ミシンの働きにも、着物のデザインにも、興味を見出すのです。最初はなんの興味もなかった音楽に対しても、少しも退屈を感ずることなしにいいものとつまらないものとを聞き分けるようになり、やがていろんな批評をするようになったくらい真面目に興味を見出すのです。家庭は決して私を束縛しませんでした。

私共二人の友人としての話題は実に多種多様なものなのです。ですから私共は一緒にいれば絶えずしゃべっていますけれど、話に退屈することはまずありません。そして大抵の場合私はその友人としての会話の間に教育されているのです。多くの知識を授けられ、鞭撻（べんたつ）され、警（いま）しめられ、訓（おし）えられるのです。

同時にまた、彼れは何時（いつ）でも私を一人の同志として扱うことを忘れません。私は彼と一しょになる時には、常に運動の第一線に立つことを辞せぬ覚悟でした。今もその覚悟は棄てはしませんが、そして必要の場合には飛び出しもするつもりですが、それでも今までの処では引っこんでいます。が、彼は私に対しても他の少数の同志と変らぬ厳粛なコンフィデンスを何時も示しています。そしてこれはいつも私共の生活に対する最も真面目な反省を促す一番重大なものです。従って、これが私共の生活維持の基調であることはもちろんです。私は、彼の妻としてよりも友人としても、より深い信頼を示された一同志として、彼れの運動に際して、後顧の憂をなからしめることにつとめなければならないのです。其処にまた私を教育する重大な種々（いろいろ）の事実が横（よこた）わっております。

　私共の生活は、世間の人達の眼からは全くノルマルな生活だとは思えないかもしれません。しかし、私はそれ故(ゆえ)にこそ世間の人の眼からは牢屋とも見ゆる家庭の内でいじけてしぼむ筈の処をとにかくも、自分を一人の人間として信ずることの出来る処まで育つことが出来たのだと信じます。が、これは、決して世間で観ているような私共二人の甘い恋愛の実ではありません。尤もそれなしに成就したとはいいませんが、しかしいつも私共の生活を結びあわせ、向上さしてくれたのは、ただ生命をかけた、同志としての信頼と、深い理解を伴う友情です。

『恋はよき刹那を必要とする、走る火花だ、ぐずぐずしているうちには消えて、よき刹那は永久に飛んでしまうという人間(ひと)があるかもしれません。そんな恋なら消えてもいい筈ですね、またそんな恋まで欲しがるのはドン・ファン宗の安価なエピキュリアンです。あなたはその人々の如く恋愛を一生の大事業に数えますか。』

　これは先きにいった私の友人の、私に対する忠告の言葉です。当時私はこの言葉を夢にも忘れることが出来ませんでした。世間の人はともあれ、私のあれ程理解ある友人が、私をその安価なエピキュリアンの一人に数えるのか？　私は自分が何ごともその友人に話さなかったことは考えないで口惜涙(くやし)を流したものです。けれども、もう年月が流れました。今では、私にはこの言葉もなんの感情をも煽りません。ただ私がこの年月の間に学んだことは『恋は、走る火花、とはいえないが、持続性を持っていないことはたしかだ。』ということです。が、その恋に友情の実がむすべば、恋は常に生き返ります。実を結ばない空花（あだばな）の恋は別です。実が結ばれれば恋は不朽です。不断の生命を持っております。その不朽の恋を得ることならば、私は一生の大事業の一つに数えてもいいいと思います。

私共の恋はずいぶん呪われました。が、空花ではありませんでした。大きな実を結びました。新しい生命の糧が出来たのです。エピキュリアンの欲しがる恋は決して実を結びません。それは本当に甘い安価な恋です。空花です。それは本当に走る火花です。それは恋の真似ごとです。恋のたわむれです。それは仕事ではありません。そんなものがなんで二人の人間を結びつけておくことが出来ましょう。火花が消えれば真暗です。何にもありません。もうすべてが終ったのです。また新しい火花をさがさなければなりません。『ねえ、あなたの友達は馬鹿でなかったことが分かって下すったでしょうね。』私は何時かそういって友人の信用をもう一度とりかえせるようになったのです。そして、それはこのまる七年間一日もかわることのなかった私のもう一人の、たった一人の友人であり、同志であった愛人の思慮深いたすけによるのだということを、誇らして頂きます。

『女性改造』第二巻第四号、一九二三年四月号

自己を生かすことの幸福

　あまり呑気(のんき)な現在の生活をふり返ってみますとき、私は誰にともなく恥かしくなります。他人への遠慮や気がねの少しもない、本当に自分の思いどおりな我ままが、あまりにわけもなく通ってゆく生活を、おりおり、これでいいのかしら、と心の中で考えさされるのです。この平穏無事な状態が幸福だというのなら私は本当に幸福なのかもしれません。しかし、私はこんな幸福をよろこぶ気にはなれません。こんな日が一生の間続くとしたらなんという退屈なことでしょう。幸福はたしかに人間を馬鹿にしてしまいます。

　出るにも入るにも、警察の煩(うるさ)い看視の眼をのがれることも出来ず、新聞にも雑誌にも誹謗中傷のありったけを受けていながら、私共が、なんで幸福な生活だなどといえる？　と驚く方が多いと思います。苦労性な世間の方々の眼からは、とうてい私共の生活は解し難いものに見えるでしょう。

　もちろん、私共は自分達の生活の目標を世間の人達のように、ただ無事に大した不足もなくその日その日が送れて、円満な家庭をつくって、子供達の成長を楽しみにするというような処には置いていません。それどころか、私共は反対に、平穏無事な楽しい私共の家庭のいわゆる幸福が、何時逃げ出しても恐れない決心を何時も何時も忘れずに持っていなければならないのです。

　私共の家庭の中心人物は何時、何のために、家庭から拉し去られるかしれないのです。そしてまた、再び家庭に帰されるかどうかさえも分らないようなことすら勘定の中に入れておかねばならないのです。そしてもし、これを不安にして思い煩っているならば、私共は年中この不安の連続の中に住んでいなければならないのです。極端に気にすれば、私は、自分のために、子供等のために、良人の上を、子等の父の上を一日も心配せずにはいられないのです。安心していていいのは、ただ、顔をつき合わしているときだけ、といってもいいかもしれないのです。いや、その顔をつき合わしている瞬間にすら、何がはじまるかもしれない、と思えば思わぬことはありません。

　けれども、人間が本当にそんな恐ろしい不安の中に住んでいることが出来るでしょうか？

　私共のように、進んで危険な機会に自分を曝す人でなければ、誰でも安心していられるでしょうか？　世間の人達の眼には、私共が不思議に思えるかしれませんが、私には、自分だけには長い将来の保証があるように呑気にしていられる人達の気がしれないのです。どんなに大事に保護されている命でも、失くなるときには遠慮なく失くなります。見舞いそうもない偶然のお見舞いを受けて死ぬことがあります。どれ程しっかりした幸福だとおもって握っている幸福でも、時によっては何の雑作もなくくずれてしまいます。

　他人によって受ける幸福は、絶対にあてになりません。どれほど信じ、どれほど愛する人によって与えられる幸福にしても、私はそれに甘えすがってはならない、と思っています。もちろん甘えられ、すがれる間は甘えるのもすがるのもいいと思います。けれども、何の理由にしろ、その幸福に離れた時、取り乱すことのないようにしたいものだと私は始終おもっています。そしてその覚悟は、やはり自分ひとりの生きてゆく目標を、何処（どこ）におくかによってきまるとおもいます。

　私ももう少し若かった、まだ少女時代の夢が半分残っていた頃には、恋愛を本当に人生の第一義的なものにまつり上げていました。本当に立派な愛のためにはすべての自己を捧げつくすべきだと考えておりました。けれども間もなく私は人間がそんなことで本当に満足して生きていけるものでないということが分りました。いかに愛し合い、いかに信じ合って、一つの生活を営んでいても、要するに、二人の別な人間だという事実、その二人が各自に自分を生かそうとする努力を長く愛のために犠牲にして幸福を捉えておくことは出来ぬということを知りました。人間の本当の幸福は、決して他人から与えられるものではありません。自己を生かすことによって得られる幸福が本当のものだと私は思います。それは、私がこれまでの幾年かの間に、不安な家庭生活を本当に呑気に享楽し得るようになるまでの一つの経験です。それは、誰れにでも肯定の出来ることではないかもしれません。何故なら、これは特別な境遇にある私の生活が覚らせたのですから、思想も感情も、遠い処に隔った方々にはとうていその気持も理窟も解りようはないからです。

元来私はエゴイストです。そして思想的には真先きに Individualism の洗礼を受けたのです。その思想は今でも強く私の上に影響しております。そのせいかどうか、私にはとうてい愛他的な犠牲的な心持はめったに働きません。すべての基準が、自分というものにあります。私が若くて、まだ他人のためにつぎ込まれた思想に夢中でいた間は私はこの自分の性格的な Individualism に気づかずにいました。けれども、やがて私がそれに目ざめた時には、私のその性格に基づく人生観は非常に強いものになっていました。現在一アナアキストとして私の持っている思想も信条も、やはり、深い根を其処におろしております。

恋愛も、私には今はもう決して第一義的なものではありません。それが自分を生かす一つの手段である場合には、或(ある)程度までの犠牲は払います。しかしそれが、私の全生活を無価値なものとする場合には、私の理知はそれを捨て去ることを命じます。恋愛には、いろいろな習俗的な感情が纏(まつ)わりついています。そしてそれが、実にわけもなく、下らない執着のパッションを煽(あお)り立てます。しかし、そのパッションは決して永続するものではありません、自分の生活の目標を常にしっかりと把持しているものにとっては、その目標に向う努力に添うパッションの方が遥かに強いのです。

私は世間の大方の婦人達のように、本当の良妻賢母が決してその生活の目的ではないのです。もっとも、それで満足していかれればそれを目的とするのを少しも恥じません。けれども私はその多くの人々の目的を本当に遂げさせることを妨ぐる不合理を見のがせないのです。多くの人々、というよりは、むしろ、自分がどれ程それを強く感じたかしれないのです。其処で、私は自分の一生をどういう風に暮らすのが一番自分に不満を感じさせないか、という自らの問に対してその不満を感じさす根本問題にブツかるより他はないとより答えることが出来なかったのです。それが私をアナアキズムに導いた大きな理由です。

そして私はほとんどその決心と同時に第二の恋愛問題にブツかりました。最初はその問題を私はかなり重大視していました。まだ恋愛の持つ偏見を脱することが出来なかったのです。けれども、やがて私はその複雑な交渉が非常に煩い醜いものになりかけた時、もうそんな渦中にいるのがいやになりました。私はそんなひがんだ根性のいがみ合いの中からぬけようと決心しました。で、私はOに向って、私が今日まで、信じていたこと、即ち、他の関係者がどうあろうと、私共は本当に信じ合って、一つの仕事に向って進んでゆこう、誰よりも信ずる仲間として一緒に運動し、働いて自分を生かそうと思って、いろんなことを忍んで来た。けれども、この煩さにはとても辛抱が出来ないから、私は他に途（みち）を求める、と話しました。が、話しているうちに、私はふと自分の心の中で、つまずきを感じました。

『私はこの人の同志じゃあないか。』

私の理知がそう囁（ささや）きます。『それを忘れてはならないのだ。』私はじっとOの顔を見つめました。

『あなたは、なんで二人が結びついたかを忘れはしまいね。』

彼は鋭く私を見返しながらいいました。

『ええ、だから私は今日まで、その一つのことでがまんして来ましたけれど――』

私はうつむきました。

『で、今日までの我まんを無駄にするのか、それもいいだろう。だが、他にどういう途（みち）があるんです?』

『他に途なんかありやしません。間違っていましたわ。辛抱します。もう決してそんなこと考えませんわ。』

私は一生懸命に恥かしさと戦いながらいいました。

『僕だって煩いよ、いやで堪らない。だが、それは仕事をなんにもしないからなんだ。仕事を、運動をはじめれば、こんなことはすぐにカタがついてしまうよ。くだらんことを気にするひまはない。くだらんことに執着しているものはひとりでに取り残されるのだ。僕等の今の悪い状態は、大部分仕事をしない故なのだ。だから、こんなことに煩わされるよりは仕事の計画をまずしようじゃないか。』

彼は相談するような調子でいいました。その時私は本当にはじめて明瞭に、非常に明瞭に私共二人の関係を会得しました。

が、この会得がそれから後ずっと、何時も何時も、私の意識の上に明瞭に浮んでいて、一切の私の生活の基準になったか、というに決してそうではありません。

形式の上では、私共の生活はまるで世間並の夫婦でした。そして私の心もまた自然とその形式になずんだ平凡なものでした。運動の上の仕事の上にもその意見にも、多少の口出しや手出しをしないではありません。けれどもより多くやはり私は彼の妻でした。彼もまた、私にとっては実に行き届いた良人でした。私は何時かそれに馴れてしまって折々下らない我儘な根性を出してはいつも後悔をしていました。そしてさらに、私は仲間の人達からさえも『無茶』だといわれるOの行為をあぶながらずにはいられないのでした。運動に対する一挙一動が、すべて私にはちゃんと理解の出来ることでありながら、絶えずその行動を不安がらずにはいられないのでした。

私は折々、というよりは、この不安にブッかる度びに考えてみました。『それがあたりまえだ』という人があります。けれども、他人の行動が、しかも充分に理解のある行動が、何故私をそんなにおびやかすのか、私は考えなければならないのです。

私共が一緒に暮らすようになってから五年目に、Oは三ヶ月間入獄しました。その留守中の深い反省は遂に私に一つのことを教えました。それは、

『他人の生活に影響されるのは、他人の生活に自分が立ち入りすぎるからだ。』

ということでした。そしてその後の折にふれての私の反省はいつも私自身の他人に対する越権を批難しました。その後、病気や仕事の都合で、二ヶ月程私共は別れて住んでいたことがあります。私はその時彼に書いて送りました。

『……私達はお互の生活については、あます処なく知り合ってもいますし、また大事な仕事

のためにはお互に出来るだけいい『同志』でありたいと願い、そうすることに努めました。私共の本当の結合の意味は、夫婦であるというよりも寧ろ一つ道を歩く、一つ仕事をする、最も信じ合うことの出来る『同志』になるということの方に本当の目的があったことは、お互いに、一番最初からよく知っていたことです。私だって、知りすぎるくらい知っていたのです。

けれども、私共の『家庭』という形式を具えた共同生活が何時の間にか、私をありきたりの『妻』というものの持つ型にはまった考えの中に入れていたのです。ですから、私は少くとも、あなたと何か仕事の上の話をしたり何か仕事を手伝ったり、同志の人達と話をしたりする時にはそうではありませんでしたけれども、あなたと二人きりの『家庭』の雰囲気の中では、『妻』という自負の下にすべてをとり捌いていたのです。それがどれ程私を馬鹿にしたでしょう。

、、、、、、、、、、、、、、、、、、、、、、、、、、、、、、、

私は一体自分自身の生活を、始終気にして、相応にそれを把持してゆこうと考えているくせに、一方には、そんなことには一切無頓着に、ただ家庭生活の中に溺れ切って、それを享楽しようとする気持もかなりたくさん持っています。ですから、一方には、私達の生活に対しては充分に理知的な考え方をしていながら、一方には、平凡な世間並の細君が、家庭の安全を祈り、良人の無事をねがうのと、少しもちがわない気持ちで、実際には少しも普通の家庭のように安定を持つことを許されない家庭の安全をいのり、あなたの無事をいのりたくなるのです。

其処で、私はやはり、一方では非常によく理解もし、信ずることも出来るあなたのいつものいわゆる無茶を、無理解な人達と一緒に恐がるのです。そしてその、あなたの無茶のみでなく、私達の生活のすべてが、理知的にはちゃんとした、何時どんな重大事件が私達の周囲に降ろうが湧こうが動じないという『覚悟』になっていますけれど、一方でそれが『覚悟』までは進み得ずに、或る『不安』になって、しょっちゅう、弱い『細君』の私をいじめます。

けれどこうして別にいますと、その不安にいじめられることからは確かにまぬかれています。ひとりでいれば、何時でも私は真面目ですし、冷静です。そしてこの時が、真にあなたにとってのいい Better half なのですね。ちがいますか?·』

そして私は、それからずっと、Oの生活に対して余計な気苦労を少くしました。私の考えも一年一年落ちついて来ました。時々自分の無為の生活に対する悔恨に責められることはありますけれど、私の生活は次第に、私の『覚悟』を落ちつかしてくれるようになりました。

といっても『不安』が全然なくなった訳ではありません。やはり、本当に彼の顔を見ない時には、大抵の時は、私の考えは彼の上に走りがちです。今、私共の家庭から彼を奪い去られることは、一方には『覚悟』をしていても、それには拘わりなしに、私共にはたしかに大きな悲嘆なのです。そして、その悲嘆が何時おそうかもしれないということは、やはり一つの恐怖であり不安であることに不思議はないのです。

私共のそんな不幸を待っているような不安な生活が、どうして本当の生活だろう？　と思う方があるでしょう。が、それもやっぱり『覚悟』なのです。今の世の中の権力者を敵にする私共の生活には、ありきたりの手前勝手な幸福に酔うてはいられないのです。私共の本当の心の平静は、その不幸を待つような結果を生むような仕事によってしか得られないのです。私共の仕事は、とうてい目前の安逸ではごまかし切れないのです。そして、その仕事に対する熱情は何物をも顧みるいとまを与えません。その仕事が失敗して、どれほどの罪科に問われようとも、結局は無為で安逸を貪るよりは遥かに、その心を慰めるのです。ですから、私共にしても、その不幸に実際につきあたってしまえば、もう其処には『覚悟』がすわっています。私共はその恐れた不幸をも、当然として受けることが出来ます。

最初は、私はこの不安を苦に病みました。ですが、今ではもうそれはただ、当然のこととして大して苦に病まないようになりました。

私共も、家庭を構え、子供を育てている以上は、やはり、出来る範囲での注意をして、家庭をかばい、子供を保護しております。そして出来るだけの安逸を貪ろうとしています。時々は、周囲に省みて、気がひけるような安逸もいよいよという時の『覚悟』が深く落ちついてからは、よほど気にはならないようになりました。正面から批難をされても、私には充分にそれに答える自信が出来たからです。

男に養われる、ということも、以前には非常に恥ずべきことのように考えていました。けれども私は何時、その拒絶または杜絶にあってもいい覚悟が出来てからは、甘んじて養われています。愛撫も保護も、受けられる間は受けています。けれども、私はそれだからといって、良人に束縛されることもないし、また、私がそのために、良人の行為を気に病むような、そして良人を卑怯にするような自分でもないと信じております。

要するに、私の現在の生活に対する目標、または信条は『決して、自分を他人の重荷としないこと』です。これは特に、私の実際の、他人との共同生活即ち家庭生活から受けた教訓です。私は現在では、それより他に、他人をも自分の気持をも楽にする方法を知りません。

私共のような特別な事情の下におかれてない世間の人々の生活を見ても、私は夫婦の間でも親子の間でも、『親しい』という特別な表わし方ででもあるように、あまりに他人の生活に立ち入りすぎて苦しんでいる人々ばかりのような気がします。けれども、世間の人達はそれでいいのかもしれません。

ただ、私共は、安逸なその日々を無事に送れる幸福を願うのが、本当の幸福だとは信ずることが出来ないのです。平凡な幸福に浸り、それに執着するのは恥かしいことです。また、私共のお互いの本当の生き方からいっても、もし安逸に媚びてばかりいましたら、私共の幸福は永久に逃げ去るでしょう。

たまさかの安逸が、享楽が、本当にしみるような幸福を感じさせるのも、世間の人の目には不幸を待つような生活であればこそ、としか私には考えられません。

『婦人公論』第八年第五号、一九二三年五月号

失業者のストライキ

栗原　康

伊藤野枝が好きだ。歳をかさねるごとにどんどん好きになっている。はじめて好きになったのは大学生のとき。大杉栄が好きだったので、そのパートナーがどんなひとだったのかしりたいとおもったのだ。

さいしょは、瀬戸内寂聴さんの『美は乱調にあり』を読んだ。ヤバい。こんなに激烈でかっこいい人生をおくったひとがいたのかとおもって、びっくりした。だけど、そのときはそういうすごいひとがいたんだというくらいで、なにか自分の人生に影響をあたえるという感じではなかった。

あらためて好きになったのは、二〇〇〇年代の初頭。大学院にあがったころだ。ちょうど『定本　伊藤野枝全集』（学藝書林）が刊行されたときだったので、借りていた奨学金で購入。本人の文章をまとめて読んだのは、このときがはじめてだ。

印象にのこっているのは、月刊『労働運動』（第三次）に発表された「失業防止の形式的運動に対する一見解」（一九二三年四月）。これを読んだとき、労働運動の理論家としてすごいとおもった。せっかくなので、引用してみよう。

必要なのはただ、失業者がその職を奪われても、食物をもぎとられても、必ず堂々と生きる道を見出すであろうということを、権力階級に宣言することだ。彼等の権力が、その資力が、その支配が、どれ程大きいものであろうとも、遂に人間の生きる権利を奪うことは出来ないのだという人間の命の貴さに持つ自負を、彼等に示してやることだ。

なにをいっているのか。失業者の直接行動。直接行動とは、自分のことは自分でやる、自分たちでやる、やれるんだということだ。たとえば、労働者のストライキ。労働時間が長い。それを変えるのに、政治家や組合指導者をたよって交渉してもらうのではない。自分たちの力で、生産活動をとめて時短をもぎとる。直接やるのだ。

なぜそれがだいじなのか。ふだんわたしたちは、カネがなければ食っていけないとおもわされている。仕事がなければ、死ぬぞ。死の恐怖にさらされる。そしたらクビにならないように、会社の命令には絶対服従。生殺与奪の権を他人ににぎられる。自分の生死を自分できめられない。奴隷なのだ。

これに慣れてくると、我慢したぶんカネを稼ぐことが偉いことだとおもってしまう。人間が労働で秤にかけられる。カネが生きる尺度になってしまう。稼げなければ、ろくでなし。仕事がなければ、社会の落伍者のレッテルをはられてしまう。おまえはひととして終わっている、犯罪者にひとしいと。失業は悪なのだ。道徳かよ。

死の恐怖にくわえて、道徳的な脅威にもさらされる。このふたつがベースにあるかぎり、政府が貧民を保護するといってもおなじことだ。いざ保護されると、おまえたちは社会のクズだ、自分たちではなにもできない、政府がなければ生きていけないと奴隷根性をすりこまれる。そしたら、お上のいうことが絶対になってしまう。

たぶん、労働運動家にたずさわるひとでも、失業のイメージについてはやっぱりおなじようなものだったんじゃないかとおもう。だからクビにされないように、労働者の権利をまもれというのだ。

だが、野枝はちがう。失業者をなめるな。失業者はみずからの力でかならず堂々と生きる道をみいだす。その力を権力者たちにみせつけてやろうというのだ。たかだか仕事がないくらいで、ひとさまの生きる権利を奪いとれるとおもったらおおまちがいだ。万国の失業労働者よ、団結せよ。

もちろん、これは一九一八年に米騒動があったからこそ実感をもっていえたことだ。米の値段があがって、買えなくなる。食うものがない。稼ぎがあっても、ないにひとしい。みんな失業しているようなものだ。でも、政府も企業もなにもしてくれない。このままでは、みんな死んでしまう。たすけなくっちゃ。

けっきょく、民衆が自分たちの力で米屋をおそい、米倉をあけ、米を奪いとってみんなでわけあう。そうやって生きぬいたのだ。自分たちにはその力がある。直接行動だ。宣言しよう。失業のストライキ。

わたしはこれがめちゃくちゃ現代的だとおもった。二〇〇〇年代の初頭、雇用の非正規化が一気にすすんで、失業率もグングンあがっていた。定職に就いても、忙しすぎて体を壊すか、心を病むか。そこかしこで会社を辞める。ちょくちょく仕事がなくなっている。失業状態がごく身近になっていた。

しかもそうなればなるほど、死の恐怖がたかまってくる。社会の落伍者といわれることに危機感がつのる。わたしは大学院にいたのだが、大学でも正規の仕事がすくなくなっていて、おおくのひとはいつクビになるかわからない非常勤講師としてやっていくことになるだろうといわれていた。

だが、まだみとおしはあまくて、先輩たちが「非常勤講師だと年収三〇〇万しかもらえない。それじゃ食いっぱぐれてしまうぞ」とはなしていたのをおぼえている。正直、わたしはいまだにそんな大金をもらったことがない。それでも食いっぱぐれてはいないのだけどね。食べてなければ、生きていないよ。

はなしをもどすと、危機感がつのればつのるほど、いまの仕事を手ばなしたくなくなってくる。ブラック企業でもなんでも、命令にしたがってしまう。人間が会社の奴隷になる。いや、はたらいていなくても自己啓発、自分磨き。いつでもはたらけるように自己管理しなければいけなかった。はたらくまえから奴隷なのだ。

そんなときに野枝の文章を読んだら「失業労働者団結せよ」である。それがわたしの心にめちゃくちゃ響いた。それに当時、リアリティもあったのだ。ヨーロッパでは失業者がガンガン、デモをやって食わせろとさけんでいたし、カネのない若者たちがつかわれていない建物を不法占拠して、共同生活。スクウォットだ。

ラテンアメリカもハンパなくて、ブラジルに目をむければ、土地のない農民たちがやっぱりつかわれていない土地を不法占拠して、勝手に耕してしまう。われもわれもと耕すひとがあらわれてとまらない。やがて政府も公認しはじめる。

すこしあとになるけど、二〇〇〇年代後半になると、アルゼンチンで失業者が主要幹線道路にバリケードをはって物流をとめてしまう。経済がとまる。それを圧力にして政府からカネをひきだし、共同でつかう。自分たちの力で作業所や教育施設をつくるのだ。

ちなみに、日本でも「ダメ連」というのがあって、労働に飼い殺されるな、ダメにひらきなおれ、われはたらかず、ゆえにわれありと宣言していた。人間が労働によって選別されることを拒否していたのだ。かっこいい。

そして、おなじころベーシックインカムの思想も紹介されていた。はじめから、みんなに生きていけるだけの所得を保障してしまう。そしたらカネがないと死ぬという恐怖から解放される。労働の支配をうち砕こうと。

そんなかで読んだというのもあるだろう。野枝のことばが輝いてみえた。失業者のストライキ。そもそも定職に就かなければ死ぬという発想がおかしいのだ。カネはなくても、貧乏人には時間がある。ゆっくりと知恵をひねって、いくらでもズル賢く生きてゆくのだ。そろそろ、はたらかないことに負い目をかんじて生きるのはもうやめよう。はたらかないで、たらふく食べたい。

わたしはわたし自身を生きる

だが、野枝の思想がもっともっと身に沁みるようになったのは、二〇代後半から三〇代前半にかけてだ。好きな人ができて、つきあうたびに結婚を意識させられる。だけど、大学の仕事はなかなかない。収入はない。というか、あまりはたらきたくはない。カネにならなくても、ただ研究がしたいのだ。

家事はやるし、バイトもする。相手もやめたければ、仕事なんていつやめたっていい。必要なぶんだけ、ふたりで稼げばいいでしょう。でも、そんな理屈はつうじない。ふつう自分の女を愛していたら、食わせてやりたいとおもうでしょう、それが男の役目でしょう、といわれてバッサリだ。

そうこうしているうちに、あきれられてフラれてしまう。だれとつきあっても、なんどやっても、おなじことのくりかえしだ。やっぱり自分がわるいのか。自分のよわさにおもわず鼻をつまんだ。

ふたたび野枝を読みかえしたのは、そのころだ。ガーン。瞬殺された。自分の脳天が爆破される。くよくよふさぎこんでいた自分がふっとばされる。結婚制度や社会道徳にぶちこまれる容赦のない批判。それを実践していくすさまじいエネルギー。野枝は自分の家族でも友だちでも、その人間関係が強いられたものになったとき、どんなに罵声をあびせかけられても、どんなにズタボロになったとしても、がむしゃらに自分の道を突きすすんでゆく。ぜんぶぶっ壊してしまうのだ。すごすぎる。その力にすこしでもふれていきたい。吹けよあれよ、風よあらしよ。

どんな人生だったのか。かんたんに紹介してみよう。伊藤野枝は一八九五年、福岡県の今宿うまれ。家は極貧。お父さんがはたらかなかったからだ。すみません。いちど口減らしで、叔父の家にあずけられたのだが、それが最高。叔父、代準介は実業家でカネもちだったのだ。たくさん本を読ませてもらえる。

もっと勉強がしたい。とおもっていたら、叔父の一家は東京におひっこし。野枝はつれていってもらえなかった。くやしいです。野枝は、高等小学校卒業後、一四歳で地元の郵便局につとめる。だけど東京にゆきたい。叔父になんども手紙をだす。さすが郵便局員だ。これに折れた叔父。東京にこいよといってくれた。

一九一〇年四月、上野高等女学校四年に編入。ここで英語の教師としてやってきた辻潤に出会う。英語ばかりじゃない。辻先生から文学や思想についておしえてもらった。そして、そのあたまのよさに魅せられた。先生、好き。

二年後、女学校を卒業すると、野枝はすぐに結婚させられる。親と叔父によって、むりやり地元の富農、末松家に嫁がされたのだ。嫌だ。野枝、脱出。東京に身ひとつで逃げてくる。たよったさきは辻潤の家だ。

かくまう辻。だけど、学校がゆるさない。おまえは教え子に手をだしていたのかと責められる。上等だといって、辻は教師を辞職。俺はもうけっしてはたらかない。その後、末松家が姦通罪で訴えるとおどしてくる。

姦通罪は女性差別の典型ともいえる法で、既婚女性が男性とセックスをしたら罰せられるというものだ。逆にいうと、既婚男性は相手が未婚であれば、女性とセックスしてもかまわない。おかしい。

これで訴えられると、二年以下の懲役刑。なにより不貞だ、淫乱だと不道徳のレッテルをはられてしまう。この社会から干されてしまうのだ。味方がほしい。辻のすすめで、青鞜社に手紙をだした。

青鞜社は、平塚らいてうのよびかけで結成された婦人団体で、雑誌『青鞜』を発刊。われわれは「新しい女である」と宣言して、気焔をあげていた。なぜ女性は自分の意思とは関係なく、親のきめた相手とむりやり結婚しなければならないのか。そんなの強制結婚じゃないか。従わないぞと。

結婚をするのであれば、好きな相手を自分でえらぶ。自由結婚だ。結婚しなくても、自分の力ではたらいて生きる。女性たちが経済的にも自立するのだ。この思想にドンピシャだった野枝。らいてうをたずねていくと、あなたこそ新しい女ですといってむかえてくれた。野枝、青鞜社の一員になる。

ちなみに、姦通罪のほうは、叔父の代準介が白装束を身につけて、相手の家にのりこんでいって土下座。切腹もしましょうかといったら、いいですといわれて、カタがついたようだ。ありがとう、叔父さん。

野枝は辻とのあいだに二児をもうけた。だけど辻ははたらかない。かわりに、野枝が青鞜社ではたらいてカネを稼ぐ。ガンガン、雑誌に寄稿した。そのおかげで野枝がちょっとずつ著名人になっていく。

どんなことを書いていたのか。さいしょは、強制結婚への批判だ。自分がされたことを小説にして親類をディスりまくる。でもそれだけじゃない。一応だけど、近代の世だ。本人が本気で拒否すれば、結婚なんてせずにすむのだ。なのに、どうして本人の意思がくじかれて、結婚させられてしまうのか。その強制力はどのようにはたらいているのか。野枝はそのメカニズムをほりさげた。

村では、つねに周囲の目を気にして生きることがもとめられる。もしも空気を読まず、みんなの掟をやぶったら暗黙のうちに村八分。陰湿だよ。たえずその恐怖にさらされていると、しらずしらずのうちにまわりの目を内面化してしまう。みんながおもっていることがわたしの意思だ。

もちろん、そんなのウソッパチ。親や周囲の言うことをきかされているだけなのだから。自分を偽って、それが自分の意思だとおもって生きればいきるほど、自分をみうしなっていく。じつはこのころ、高等小学校時代にお世話になっていた女性教師が自殺してしまうのだが、野枝はその先生になりきって、遺書を創作。先生を自殺においこんだ村社会の陰湿さをあばきたて、そしてこう訴えている。

屈従ということは、本当に自覚ある者のやることじゃありません。私はあなたの熱情と勇気とに信頼してこのことをお願いします。忘れないで下さい。他人に讃められるということは何にもならないのです。自分の血を絞り肉をそいでさえいれば人は皆よろこびます。ほめます。ほめられることが生き甲斐のあることでないということを忘れないで下さい。何人でも執着を持ってはいけません。ただ自身に対してだけは全ての執着を集めてからみつけてお置きなさい。わたしのいうことはそれだけです。

（「遺書の一部より」『青鞜』一九一四年一〇月）

おそらく、このころ野枝は辻からマックス・シュティルナー『唯一者とその所有』のはなしをきいていたのだろう。個人主義的なアナキズムだ。アナキズムとは無支配主義。支配のない状態をめざすということだ。

カネにも、人間にも、神にも、いかなるものにも支配されないわたしを手にする。シュティルナーはいう。わたしは、わたしを、無の上にのみおいた。わたしは、かくあるべしというわたしを絶対にみとめない。それがどんなに立派なものであっても、他人に強いられたわたしでしかない。屈従なのだ。

みんなにとって都合のよい自分なんて捨ててしまおう。そりゃいわれたとおりにしていれば、親も親戚も近所のひともみなほめるだろう、よろこぶだろう。だけどそんなのなんにもならない。まわりの目なんて気にしなくていい。わたしはわたし自身を生きるのだ。やりたいことしかもうやらない。

結婚制度の起源は奴隷制なのだ

それからの野枝。一九一五年、二〇歳のとき、『青鞜』の二代目編集長になる。編集方針がまたすごい。「無規則、無方針、無主張無主義」。ケンカ上等、なんでもこい。じっさい、このあと『青鞜』誌上で論争がくりひろげられてゆく。貞操論争、堕胎論争、廃娼論争だ。かんたんにふれておくよ。

貞操論争。女は貞操をまもらなければいけないかどうか。野枝のこたえ。くだらない。男にとって新品かどうか？　その商品価値をまもれ？　それをだいじにすることが道徳なんて不自然すぎる。

堕胎論争。堕胎は罪かどうか。野枝のこたえ。いのち、だいじ。だいじょうぶかとおもうこたえだが、これは優性思想に異をとなえてのことだ。堕胎を肯定する理由として、生まれてこなくてもよい子がいるからというひとがいたのだ。野枝はちょっとまて、生命ってなんだと問いかけている。

廃娼論争。当時、政府公認の売春制度があった。公娼制度だ。これを廃止するかどうか。野枝のこたえ。その議論をするまえに、まず娼婦たちにたいする態度をあらためるべきだ。当時、廃娼運動の担い手だった日本キリスト教婦人矯風会。娼婦たちのことを「賤業婦」「醜業婦」とよんで見下していた。あの人たちは賤しい、醜いことをやっているから、やめさせるべきだと。

もちろん公娼の境遇はひどいのだ。人身売買、性奴隷。一定の区画に囲いこまれて、逃げないように監視される。逃げだしても警察に連れもどされる。国家の威信をかけて、あの賤しい者たちを外にはだすなと。

しかし逃げるのをたすけるにしても、なによりそこではたらいている本人たちがだいじだ。すくなくとも、かの女たちをバカにするところからは、なにもはじまらない。セックスワーク論の先駆けだ。娼婦たちのストライキへ。

はなしをすすめよう。そのころの野枝。辻との関係がさめはじめていた。辻が浮気したからだ。くやしい。だんだん、きもちがはなれていく。そんなときに出会ったのが、大杉栄だ。一九一六年から大杉との恋愛関係にはいる。辻にはなしたら、激怒してなんども蹴りとばされた。DVだ。野枝は家をでて、大杉のもとにはしる。

だけど、問題があった。大杉は自由恋愛論者だったのだ。内縁の妻である堀保子、新聞記者の神近市子、そして野枝との四角関係。大杉は、この四人でつきあうならルールが必要だという。お互いの自由をみとめようとか、経済的に自立しようとか、別居は不可避とかそういうものだ。しゃらくさい。

野枝はそのルールをぜんぶやぶった。大杉のもとに転がりこんで、愛をむさぼる。しかし、これに神近が激怒。一九一六年一一月、大杉が神近に刺されてしまう。葉山日蔭茶屋事件だ。これがスキャンダル化して、ふたりは不倫だ、不道徳だ、淫乱だ、悪魔の所業だとなじられた。

大杉は社会主義者の仲間たちからはぶられて、野枝も青鞜社のメンバーから批判された。悲しい。

それからの野枝。大杉とともに暮らしはじめる。女の子が生まれた。みんなに悪魔といわれていたので、魔子と名づけた。きばってるね。その後も子だくさんで、一男四女をもうけている。

野枝と大杉のもとには、道徳なんて意にも解さないアナキストたちがあつまってくる。みんなカネがないので、子育ての手伝いがてら、ちょくちょく家にあがりこんで居候していた。このあたらしい仲間たちといっしょに『文明批評』、『労働運動』（一次〜三次）などを刊行して、言論活動を展開していく。

じゃあ、野枝はどんな文章をかいていたのか。結婚制度批判だ。ちゃんといっておくよ。伊藤野枝は日本ではじめて結婚制度そのものを否定したひとである。親に強制的に結婚させられたか、本人たちの自由意志で結婚したかではない。結婚それ自体がおかしいといっているのだ。

野枝いわく、結婚制度の起源は奴隷制である。

　道徳も法律も宗教もなんにもない混沌たる蒙昧野蛮の時代から男は主人で、女は奴隷でした。男は所有主で女は財産でした。そして今日の文明でも、女はその従属的な屈辱的な位置から救い出すことは出来ませんでした。
（「貞操観念の変遷と経済的価値」『女の世界』一九二一年六月）

男は女を家に囲って、その生殺与奪の権をにぎってしまう。俺が食わせてやらなければ、おまえは生きていけないと。家畜のように自分の所有物とみなす。財産とみなす。人間でありながらモノとみなされる。男が主人で、女が奴隷だ。

近代にはいると、あからさまにそうはいわれないが、いまでも夫が主人とよばれ、妻は家内や奥さんとよばれている。家の奥におかれたモノなのだ。それを如実にあらわしていたのが、姦通罪。さきほども言ったけど、既婚男性は未婚女性と結ばれてもおとがめなし。でも既婚女性がほかの男にはしると罰せられるのだ。

なぜか。女はその家の、その男の所有物であり、財産だからだ。ほかの男にとられるということは、窃盗にひとしい。もじどおり、俺の女を、俺のモノをうばいやがったという理屈である。女は奴隷だから罰せられるのだ。

女性の貞操というのも、その男だけのモノになるということだ。貞操をまもればまもるほど、よりよい財産ということになる。男にとっての経済的な価値があがるのだ。ほんらい、女性にとってこんなに屈辱的なことはない。

しかしほんとうに怖いのは、女性みずからが貞操をまもることに、男のモノだといわれることによろこびをおぼえてしまうことだ。貞操ばかりじゃない。主人のために奉仕して、きちんと家事をこなす。子どもをうんで、家の財産を増やす。姑にあれこれいわれても、文句もいわずにすべてこなし、老いてきたら介護する。夫が酒を飲んで暴力をふるっても、外で女をつくって遊んでいても、我慢して子どもを育てるのが女の役目だ。

しかもそれであなたはよい奥さんですねと、まわりに良妻賢母であることをほめられると、うれしくなってしまう。おまえはできる奴隷だといわれているだけなのに。だから野枝はいう。

あらゆる婦人達の心から、それ自らを縛めているこの貞操という奴隷根性を引きぬかなければならぬと主張するものです。

(「貞操観念の変遷と経済的価値」)

われわれは奴隷ではない。まずは女性みずからの奴隷根性をひっこぬくところからはじめよう。家庭をケトバセ。

ひとつになってもひとつになれないよ

もちろん、野枝であってもこの家庭の呪縛からぬけだすのはむずかしい。たとえば、家に仲間があつまって会合をひらいているとき、しぜんと大杉にお茶をだしていたりするのだ。大杉にそういうのはいいからといわれて、ハッと気づく。自分が無意識のうちに妻の役割を演じていたことに。不覚だ。

どうしたらいいか。野枝は、家庭というひとつの単位にまとまるという発想を捨てるべきだといっている。みんな恋をするとひとつになると言いたがるが、それでひとつになったとき、だいたい女が男の所有物になっているだけなのだ。だけど、それってほんとうに集団なのか。男ひとりになっているだけではないのか。

どんな組織にもいえることだけど、いくら人数がいても、そこにトップがいて、他のメンバーはその命令に絶対服従というならば、それって「一者」にまとめられているだけではないのか。野枝はいう。ふたりであれ、もっと多くであれ、ひとが集団になるって、そういうことじゃないでしょうと。

野枝はたとえ血がつながっていても、恋愛関係があったとしても、どんなに親しいあいだがらでも、あらゆる人間関係の土台にはフレンドシップがなければならないといっている。友情だ。友だちに支配はない。あったら友だちではないよね。いっしょに生きていくのに、支配者はいらない。中心はいらない。わたしも、大杉も、子どもも、あつまってくる仲間たちも、みんな友だちなのだ。

野枝はこのフレンドシップ思想をミシンにたとえている。ミシンが好きすぎて、解体してしまった野枝。そのしくみをみていたら、どこにも中心がないことに気づいた。命令系統がないのである。すべての部品がぜんぶ末端。だけど、その部品同士が歯車をあわせると、ミシンというすごい機能を発揮してしまう。また別の部品がくわわったら、まったくあたらしいはたらきをするようになるだろう。

じっさい、野枝は大杉といっしょになってからたくさん文章をかき、翻訳もしているのだが、これがふつうの家庭だったらできなかったとおもう。なにせ、ほぼ毎年、子どもをうんでいるのだから。たいへんだ。

野枝が本を読みはじめる。大杉や居候している仲間たちが、おのずと子どものめんどうをみる。家事もやる。洗濯をする。というか、野枝はオムツを洗わずにそのまま家のなかに干すから、くさくてたまらないのだ。洗濯は必然である。

あるいは時期的に、まちがいなく野枝の乳がでていないときがあるのだが、そしたらどこからともなく仲間がヤギをつれてくる。ヤギの乳は温めれば赤子も飲めるとしっていたのだろう。どれも野枝と大杉だけではできなかったことだ。そういう予想もしていなかったようなことがジャンジャンできるようになっていく。集えばつどうほど、ひとつになろうとすればするほど、別のなにかに変化していく。汝、中心のない機械になれ。ひとつになっても、ひとつになれないよ。

上から支配してひとつにまとめるのではない。中央集権ではない。全員、末端。その末端と末端が、わけのわからぬ出会いを重ねればかさねるほど、あらたな集団がつくりだされてゆく。野枝はその集団のありかたを自由連合とよんだ。

そして、それとほとんどおなじ意味で、無政府共産（アナルコ・コミュニズム）ということばをつかっている。コミュニズムとは、各人の能力におうじてはたらき、各人の必要におうじてうけとるということだ。

他人に命じられて行動するんじゃない。おカネをもらったり、見返りがあるから行動するんじゃない。損得ぬきでやれることをやる。お返しできなくても、ほしいものをもらう。コミュニズムは無償の生なのだ。

野枝は、それを故郷の今宿にみいだしている。わたしの田舎では、たいていのことは自分たちでやる。政府も行政もいらないのだと。たとえば、嵐で道がグチャグチャになる。大木がたおれているとか、そういうこともあるだろう。

これじゃ危なくて、子どもたちが学校にかよえない。そういうとき、行政にたよってもなにもしてくれない。いつまでたっても、上の許可をとらなければならないからといってうごいてくれないのだ。そしたら、だれが音頭をとるということもなく、ひとがわらわらとそこにあつまってくる。

土木にくわしいひと、腕っぷしのいいひと、うごけるひとがやれることをやる。気づけば、道がきれいにならされているのだ。それで子どもたちにカネをよこせという村人はいないだろう。

上か下かではない。カネのためでもない。全員末端である一人ひとりがやれることをやり、必要なものをとっていたら、行政などたよらなくても、自分たちの力で村をまわせてしまう。無政府は事実なのだ。

おもしろいのは、あれだけ嫌っていた自分の田舎にそくして、アナキズムをかたっていることだ。まわりの目を気にするのはもうやめよう。だけど、その村で日常的に実践されている無償の生は、もっともっとほりおこしていきたい。

個人主義的なアナキズムとアナルコ・コミュニズム。一見、矛盾しているようなその原理を同時に生きる。だけど、それは結婚制度と真正面からぶつかって、奴隷の生を断固拒否、あらたな共同の生をつむぎあげようとしていた野枝にとっては、しぜんなことだったのだ。なんの矛盾もない。

ここからさらに労働問題へ。失業者のストライキだ。のりにのっていたそのやさき。一九二三年九月一日、関東大震災だ。その混乱のさなか、大杉栄、おいの橘宗一といっしょに甘粕正彦ひきいる憲兵隊に拘束され、リンチのすえに絞殺されてしまう。虐殺だ。遺体は古井戸にほうりこまれた。二八歳、昇天だ。

ところで、最後にいいわすれていたことを一言だけ。本書は伊藤野枝の評論集だ。すこし紹介したように、野枝の人生はとにかくぶっとんでいておもしろい。だが、それ以上におもしろいのは、やっぱり思想だ。女性解放、アナキズム、労働運動。どれをとってもすぐれた書き手であり、どえらい理論家である。なので本書のテーマは、理論家としての伊藤野枝。それがわかるラインナップにしてみました。存分にたのしんでいただけたらとおもいます。どうぞ！

伊藤野枝関連年表

※本年表は、堀切利高・井手文子編『定本　伊藤野枝全集』（學藝書林、二〇〇〇年）などをもとに編集部が作成した。

西暦	年号	年齢	主な事項
一八九五	明治二八	〇歳	一月二一日、福岡県糸島郡今宿村大字谷（現・福岡市西区今宿）に父は伊藤亀吉、母はムメの第三子・長女として生まれる
一九〇一	明治三四	六歳	四月、今宿尋常小学校に入学
一九〇四	明治三七	九歳	生活が厳しく、叔母のマツの養女となる。三潴郡大川町（現・大川市）に転居し、榎津尋常小学校に転校
一九〇五	明治三八	一〇歳	マツが離婚したため、マツと今宿に戻り、周船寺高等小学校に入学
一九〇八	明治四一	一三歳	長崎に住む叔母・代キチ（夫は代準介）のもとに行き、四月、西山女児高等小学校に転入学 一一月、代の一家が東京へ行くことになり、今宿に帰り、周船寺高等小学校に戻る この頃から作文などに親しむようになる
一九〇九	明治四二	一四歳	三月、周船寺高等小学校卒業。今宿郵便局に勤務 東京に住む叔父・代準介に手紙を送り、女学校への入学を懇願する。この年の年末に代を頼って上京する
一九一〇	明治四三	一五歳	四月、上野高等女学校（現在の上野学園）四年に編入学
一九一一	明治四四	一六歳	四月、辻潤が上野高等女学校に英語教師として赴任

			夏頃、父亀吉と叔父代準介の友人の長男、末松福太郎との縁談が決まる 八月二二日、末松福太郎と仮祝言。翌日に上京する 一一月二一日、末松家に入籍する
一九一二	明治四五（大正元）	一七歳	三月、上野高等女学校を卒業する 卒業式翌日に辻と展覧会へ行き、抱擁される。その夜に代一家と帰郷 四月、末松との結婚を嫌がり家出する。北豊島郡巣鴨町上駒込の辻潤の家に転がり込む 春、平塚らいてうに手紙を出し、らいてう宅を訪問 一〇月、『青踏』に社員として初めて名前が掲載される 一一月、『青踏』に「東の渚」を発表。次第に『青鞜』の編集にも携わるようになる
一九一三	大正二	一八歳	一月、「新らしき女の道」を『青鞜』に発表 二月、末松福太郎と離婚 五月、北豊島郡巣鴨町上駒込に移転。隣には野上彌生子が住んでいた 六月、木村荘太から手紙を受け取り、『青鞜』の印刷所である文祥堂で初めて面会、木村から告白される 九月、『青鞜』にエマ・ゴールドマン「婦人解放の悲劇」を掲載する 同月、自宅で辻との最初の子、長男の一（まこと）を出産
一九一四	大正三	一九歳	三月、エマ・ゴールドマンなどの訳を収録した『婦人解放の悲劇』を刊行する 七月、小石川区竹早町に移転 この頃、大杉栄と出会う。大杉は『婦人解放の悲劇』を高く評価していた 一二月、らいてうが恋人の奥村博と千葉県夷隅郡御宿町に行ったため、『青鞜』の編集を引き継ぐ
一九一五	大正四	二〇歳	一月、『青鞜』の編集兼発行人になり、「『青踏』を引き継ぐについて」を発表する 二月、「貞操についての雑感」（『青鞜』）を発表し、「貞操論争」に加わる 同月中旬、小石川区指ヶ谷に移転 六月、堕胎論争に関して、「私信　野上彌生子様へ」（『青鞜』）を発表する 原田皐月の「獄中の女より男に」が風俗壊乱の疑いに掛けられ、『青鞜』が発売禁止になる 七月二〇日、辻潤と結婚

			一一月、今宿に戻り、次男の流二を出産。翌月に上京する 同月、「傲慢狭量にして不徹底なる日本婦人の公共事業について」を『青鞜』に発表 またこの頃、青山菊栄との間で「廃娼論争」が起こる
一九一六	大正五	二一歳	一月、「雑音――「青鞜」の周囲の人々「新しい女」の内部生活」を『大阪毎日新聞』に連載する（～四月） 二月、大杉栄と恋愛関係になる 同月、『青鞜』が第六巻第二号をもって終刊 三月、大杉が堀保子と別居 四月下旬、流二を連れて家出し、千葉県夷隅郡御宿町上野屋旅館に滞在 この頃、大杉栄と手紙のやり取りが行われた 六月中旬、次男の流二を里子に出す 七～九月、金策のために大阪や九州へ出向く。帰郷後は麴町区三番町の第一福四萬館で大杉と同棲を始める 一〇月、本郷区菊坂町の菊富士ホテルに大杉と滞在するようになる 一一月六日、大杉と神奈川県三浦郡葉山村の日蔭茶屋に宿泊 同月八日朝に野枝のみが帰京。九日未明、神近市子が大杉を刺す（日蔭茶屋事件） 同月二一日、大杉が退院し、菊富士ホテルに戻るが、野枝と大杉は世間から非難され、次第に孤立する 一二月、大杉と栃木県下都賀郡藤岡町の旧谷中村を訪問する 特別要視察人（甲号）に編入され、尾行されるようになる
一九一七	大正六	二二歳	一月、大杉が堀保子と離婚 二月、神近市子の第一回公判が横浜地方裁判所で開かれ、懲役四年と処せられるが、控訴し釈放された 三月、菊富士ホテルを出て転々としたのち、七月に北豊島郡巣鴨村大字宮仲に移転 九月、辻と離婚が成立する 同月、大杉との子ども、長女の魔子が生まれる 一二月、南葛飾郡亀戸町に移転

西暦	和暦	年齢	事項
一九一八	大正七	二三歳	一月、大杉と『文明批評』を創刊する 三月、大杉らが日本堤署に拘留され、東京監獄へ収監される この頃、『文明批評』に「階級的反感」、「乞食の名誉」などを発表 六月、避暑と金策のため、九州に出向く 七月、野枝が留守にしている間に北豊島郡滝野川町大字田端に移転 八月中旬、東京に戻る 一〇月、「白痴の母」を発表
一九一九	大正八	二四歳	一月下旬、田端の自宅が全焼する 六月、本郷区駒込曙町に移転 一〇月、『労働運動』が創刊される。野枝は婦人欄を担当する 一一月、大杉が懲役三カ月の刑が確定し、翌月には東京監獄に入獄(のちに豊多摩監獄に移送) 同月、次女のエマが生まれる
一九二〇	大正九	二五歳	三月、大杉が出獄する 四月、神奈川県三浦郡鎌倉町字小町に移転 同月、「自由母権の方へ」を『解放』に発表 五月、大杉との共著『乞食の名誉』を刊行 六月、第一次『労働運動』廃刊 一〇月上旬、大杉がコミンテルン主催の極東社会主義者会議に出席するため、上海に密航 一一月、大杉の著書『クロポトキン研究』が刊行される
一九二一	大正一〇	二六歳	一月、第二次『労働運動』(週刊)創刊 三月、三女のエマが生まれる 四月、社会主義婦人団体赤瀾会が発足し、山川菊枝とともに顧問として参加する 一一月、神奈川県三浦郡逗子町に移転 一二月、第三次『労働運動』(月刊)創刊
一九二二	大正一一	二七歳	六月、大杉との共著『二人の革命家』を刊行

同月、四女のルイズが生まれる
一〇月、本郷区駒込片町の労働運動社に移転
同月中旬、エマとルイズとともに今宿に帰る
一一月下旬、ルイズとともに帰京
一二月中旬、国際アナキスト大会に出席するため、大杉が渡航

一九二三　大正一二　二八歳

同年の春頃、「私共を結びつけるもの」を『女性改造』に、「自己を生かすことの幸福」を『婦人公論』に発表
五月、大杉がパリ郊外でのメーデー集会で演説し、逮捕され、収監される
七月、国外追放となった大杉の帰国を魔子とともに神戸で出迎える
八月、大杉との共訳でファーブルの『科学の不思議』を刊行
同月、豊多摩郡淀橋町字柏木に移転
同月、長男のネストルが生まれる
九月一日、関東大震災が発生
同月一六日に大杉と甥の橘勇と、勇の避難先である神奈川県橘郡鶴見町を訪問
大杉の妹の橘あやめの子ども、宗一を連れて東京へ戻る途中、憲兵大将の甘粕正彦らに連行される
一六日の夜、麴町にある東京憲兵分隊において大杉と宗一とともに虐殺される。大杉は享年三八歳、宗一は享年六歳
二四日、第一師団軍法会議検察官から事件の概要が発表される
二六日、落合火葬場にて荼毘にふされる
一〇月、残された四人の子どもたちは代準介らに引き取られて福岡へ向かう
同月八日、甘粕正彦らの軍法会議第一回公判
同月一六日、大杉、野枝、宗一の葬儀が福岡県糸島郡今宿村大字谷で行なわれ、近くの松原の墓地に埋葬される
一二月八日、判決の公判により、甘粕は懲役一〇年などの刑が確定
同月一六日、東京の谷中斎場で葬儀が執り行なわれる